Universale Economica Feltrinelli

FRANCA MAGNANI
UNA FAMIGLIA ITALIANA

Feltrinelli

© 1990 by Verlag Kiepenheuer & Witsch, Köln

Questo libro è uscito in Germania col titolo *Eine italianische Familie*.
La presente edizione, rispetto a quella tedesca, presenta alcune modifiche
e aggiunte

© Giangiacomo Feltrinelli Editore Milano
Prima edizione in "Tempo ritrovato" aprile 1991
Prima edizione nell' "Universale Economica" febbraio 1992

ISBN 88-07-81194-4

A Valdo

Ringraziamento

Desidero esprimere un vivo ringraziamento a quanti mi hanno aiutato: il personale dell'Archivio Centrale dello Stato di Roma, il Bundesarchiv di Berna, l'Istituto Storico della Resistenza di Firenze, la redazione di "Libera Stampa" a Lugano. Un particolare ringraziamento a Mitzi e Marcella Romano che hanno letto e riletto il testo indicandomene le debolezze e ravvivato in me ricordi del periodo romano dell'"Unione Socialisti Indipendenti" alla quale avevano fin dall'inizio attivamente partecipato. Ringrazio inoltre Luciano Bolis, Eugenio Ragni e Lia Wainstein per i suggerimenti e l'incoraggiamento a proseguire nel lavoro.

Se i lettori più giovani troveranno in questa testimonianza qualche aspetto a loro ignoto dell'Italia di quel tempo, lo devono anche all'instancabile curiosità con la quale i nostri figli Marco e Sabina hanno insistito nel voler sapere da dove essi idealmente provenissero.

F.M.

"...i ricordi della mia infanzia e della mia adolescenza erano la mia sola forza, perché in essi era la riserva morale e direi anche religiosa con la quale affrontare le avversità della vita."

IGNAZIO SILONE

1.

INCONTRO CON I GENITORI

Nel settembre del 1928 mio nonno materno, Domenico Bondanini, inviava una lettera all'allora capo della polizia fascista Arturo Bocchini:

Eccellenza,

nel novembre del 1926 il dott. Fernando Schiavetti, volontario di guerra, tenente degli Alpini, più volte ferito e decorato al valore, credette opportuno espatriare, per non subire provvedimenti adottati dal regime nei suoi riguardi in dipendenza della sua fede politica, lasciando a Roma la giovane sposa e due tenere creature, una di quattro anni appena e l'altra di pochi mesi.

Nel febbraio del 1927 la signora Giulia Bondanini Schiavetti con la figlia più grandicella, dopo varie peripezie e dolorose vicende raggiunse il proprio congiunto in Francia, affidando la piccina, Franca, alle cure dei nonni materni a Todi. Fino a quando le condizioni della famiglia dello scrivente si mantennero normali la piccola Franca fu la gioia della casa: ma purtroppo la sventura in questi giorni si è abbattuta inesorabilmente sulla disgraziata famiglia.

La bisnonna della Franca, cieca ed ottantenne, è in gravi condizioni di salute; la nonna, moglie del sottoscritto, dopo una operazione gravissima subita al policlinico di Perugia, è deceduta il 29 agosto passato, la zia della piccina colpita da meningite è rimasta debole di cervello. La vita quindi della Franca si svolge ora in una casa di malati e di nevrastenici. In un ambiente simile la piccola creatura subisce danni fisici e psichici gravissimi.

Quantunque la separazione dall'angioletto, che è tutto per il sottoscritto, sia più che dolorosa, pure pel suo avvenire e per la sua

11

salute, è necessario che avvenga, con la riconsegna di essa al più presto ai suoi genitori che si trovano a Marsiglia, e soprattutto alle cure della mamma.

Certo che l'E.V. nella sua suprema giustizia e bontà, compenetrato della situazione grave e dolorosa di una misera famiglia e di angioletti ignari della loro pericolosa sorte, vorrà compiere un'opera santa restituendo una creaturina alla mamma sua dalla quale è separata da più di un anno, il sottoscritto porge rispettosa domanda affinché o gli venga rilasciato un passaporto per la Francia con autorizzazione di recarsi in Marsiglia per la consegna della bambina, ovvero, concesso un salvacondotto alla madre per poter riprendere la bambina e riportarla con sé.

Con la massima riconoscenza e con profondo ossequio

Todi – 12 settembre 1928

f.to Domenico Bondanini
Ispettore scolastico a riposo

Neanche un mese dopo, il Ministero dell'Interno – sicurezza – inviava al prefetto di Perugia un telegramma con il quale si autorizzava "la locale questura a rilasciare passaporto con validità limitato ad un mese at Bondanini Domenico per accompagnare bambina Franca presso genitore Schiavetti Fernando".

Avevo dunque tre anni e mezzo quando incontrai i miei genitori. Fu alla stazione di Marsiglia nell'autunno del 1928. Mi accompagnava il nonno e provenivamo in treno da Todi, in Umbria. La baraonda di quella stazione mi frastornava ed intimoriva. Camminavamo stretti l'uno all'altra verso l'uscita della stazione sospinti da una marea di gente chiassosa e scomposta.

Sapevo di andare "dalla mamma". Più che l'idea di incontrarla erano stati i cambiamenti repentini della mia vita quotidiana a Todi ed il lungo e affascinante viaggio in treno ad eccitarmi ed incuriosirmi. "La mamma" era per me allora una cosa astratta; le foto che mi mostravano di lei mi rimandavano l'immagine di una signora sorridente alla quale la sera mandavo un bacio come mi aveva insegnato a fare il nonno. Tutti i miei piccoli amici a Todi – e anche molti "grandi" – avevano una mamma; io no. Ma tutti me ne parlavano. Del resto non avevo neppure un babbo; non mi ricordo però di averlo sentito nominare spesso. In compenso io avevo il nonno Chino; un nonno buono e spassoso che mi teneva sempre compagnia. Non l'avrei cambiato con nessuna mamma del mondo. Gli adulti mi compiangevano; li sentivo spesso dire, riferendosi a me: "... poverina, ha la mamma lontana..."

Io stavo bene; a Todi ero contenta e allegra. Avevo un nonno tutto per me; a parte la nonna, anche uno stuolo di zie, cugine, lontani parenti e la tata Cristina che gareggiavano per viziarmi e compiacermi.

Facevo lunghe passeggiate con il nonno nei campi intorno a Todi. È lui che mi ha insegnato a guardare tutto quello che vedevo: i fiori, gli insetti, gli alberi, gli uccelli; ad ascoltare il loro canto, a distinguere una foglia dall'altra, a gustare un frutto appena colto, a ringraziare il sole ed a salutare la luna; ad avvertire confusamente che la vita era un dono. Se non mi conduceva nei campi, il nonno lasciava che corressi con i miei amici per la vasta piazza di Todi, oppure permetteva che giocassi con loro "al pasticciere". Facevamo dolcetti con la sabbia portata in un secchiello dai giardini della Rocca e li esponevamo sui gradini della scalinata medioevale del Palazzo dei Priori che si affaccia sulla piazza, proprio dirimpetto al palazzo in cui si abitava. La spaziosità della piazza Vittorio Emanuele ne faceva per me il più bel campo di gioco che si potesse immaginare.

Quello era stato il mio universo sino all'arrivo a Marsiglia ed era quello il mondo che mi apprestavo a lasciare. Stavamo dirigendoci verso l'uscita della stazione, il nonno ed io, quando improvvisamente una signora con intorno al collo una grossa volpe bruna, si fece largo tra la folla e si precipitò su di me, stringendomi convulsamente al petto e baciandomi.

Ne fui sconvolta. "Il lupo, il lupo..." mi misi ad urlare tirando calci e cercando di divincolarmi da quell'abbraccio tanto improvviso quanto impetuoso. La Signora – tirandomi a sé, aveva inavvertitamente fatto accostare il mio viso al muso della volpe ed il mio sguardo si era scontrato con quello vitreo dell'animale. Le mie urla fecero allentare la stretta della signora, mi rifugiai precipitosamente fra le braccia del nonno e appresi così che "la mia mamma" era lei.

Stavo ancora lì, impalata e attaccata al nonno come un frutto al ramo, quando con passo deciso si avvicinò un signore alto, magro, con in testa un cappello nero a larghe falde. Mi sorrise e sollevandomi mi abbracciò: "... eccola arrivata anche lei, la nostra Franchina..." disse.

Quel signore era il mio babbo. Ci avviammo quindi in quattro verso l'uscita della stazione; io tenendo stretta la mano del nonno, l'unica persona che in quel momento mi desse un qualche affidamento.

Salimmo su un taxi e costeggiando il lungomare, la famosa Corniche, arrivammo al Chemin de la Batterie des Lions – dove abitavano ormai i miei genitori con mia sorella Annarella di quattro anni maggiore. L'impatto con la mia nuova vita di figlia di fuorusciti fu brusco. Annarella non si mostrò entusiasta nel vedermi; non ero più la sorellina in fasce e inerme che aveva già conosciuto prima di fuggire dall'Italia con la mamma. Intuì subito che d'ora in poi saremmo state in due a doverci dividere i genitori, gli amici, la scena della vita.

"Ora l'ho vista la mia sorellina; potete riportarla via", commentò. Io a mia volta mi fidavo poco sia di lei sia di quei due sconosciuti che dicevano di essere la mia mamma ed il mio babbo, e cercavo di non allontanarmi dal nonno. C'era molta confusione quel giorno; tutti gli amici fuorusciti di Marsiglia erano accorsi a farmi festa. Più tardi capii: l'accoglienza era dovuta ad un avvenimento gioioso, uno dei pochi in quegli anni: si era ricostituita una famiglia in esilio.

Mio padre comunicò l'evento ai figli degli amici fuorusciti con un biglietto in data 22 ottobre 1928 sul quale aveva apposto una mia fotografia formato tessera, la stessa usata per il rilascio del mio primo passaporto. "... Franca Schiavetti, giunta fresca fresca dall'Italia, si presenta ai suoi compagni di esilio Antonietta e Attilio Reale," era scritto sul biglietto ed il babbo mi guidò poi la mano affinché ponessi io stessa la mia firma.

Serbo un ricordo nitido di quei primi istanti a Marsiglia: una gran confusione, un andirivieni di gente e ogni tanto un intercalare che non afferravo: era francese. Ci mettemmo a tavola; poi il babbo mi fece sedere sulle sue ginocchia e si mise a raccontare al nonno la sua fuga. Ebbi così modo di osservare il babbo da vicino per la prima volta: mi piaceva; sensazione che conviveva tuttavia con un vago senso di diffidenza destinata a durare un bel po'. Fra gli amici ed i compagni – parola per me nuova nel senso in cui veniva usata in quell'ambiente – ricordo distintamente un uomo basso, tarchiato, dal viso tondo con occhiali anch'essi tondi abbarbicati sul naso a patata; cercava in tutti i modi di divertirmi e farmi ridere. Lo chiamavano Checco; in realtà – come appresi dopo poco – era il giornalista Francesco Volterra, e a Marsiglia, per vivere, faceva il lucidatore di mobili. Era anche lui fuoruscito. Proveniva da Roma dove scriveva sulla "Voce Repubblicana", l'organo del Partito repubblicano, del quale mio padre era stato direttore sino alla sua fuga dall'Italia. Checco era scampato per un pelo a una spedizione punitiva di squadristi. Poco prima che venissero proibiti tutti i giornali d'opposizione in Italia, nell'autunno del 1926, Francesco Volterra e il babbo furono brutalmente aggrediti in piazza della Pigna a Roma, poco lontano dal luogo dove si stampava la "Voce Repubblicana". Fu allora che si pose per loro la scelta tra il confino, al quale del resto il babbo era già stato assegnato – lo aveva appreso in via confidenziale – e l'esilio. Il babbo, insieme al deputato repubblicano Eugenio Chiesa, decise di espatriare clandestinamente. Gigino Battisti s'incaricò dell'organizzazione della fuga e nel novembre del 1926 il babbo, insieme ad Eugenio Chiesa ed ad un altro antifascista, Padovani, varcò la frontiera con la Svizzera. Il racconto di quella fuga mi affascinava anche se non ne afferravo che pochi aspetti: quello del pericolo incombente, senz'altro. Il babbo sapeva raccontare bene, in modo suggestivo.

Ritrovai più tardi, in una commemorazione per la morte di Eugenio Chiesa, un resoconto di quella fuga, scritto da mio padre su "L'iniziativa" del giugno 1932:

maccenuhte

".. una rossa 'Ansaldo', coi tre fuggiaschi, la guida e lo chauffeur, raggiunse Malnate, attraversò Cantello, avanzò, balzellando per la stretta e brutta strada che conduce a Clivio, passò davanti alla Caserma delle guardie di finanza addette alla sorveglianza del confine e girò, avviandosi verso Saltrio. Prima di entrare in paese si fermò. Scesero i quattro e lo chauffeur ripartì solo, colla macchina... I quattro s'inoltrarono per un sentiero impervio verso la vetta del Pravello, sulla quale il servizio di vigilanza, anziché da sentinelle fisse, era fatto da pattuglie mobili. Bisognava non incontrarle: bisognava indovinare il sentiero pel quale non sarebbero passate.

Continuava a piovere dirottamente. Dopo un quarto d'ora, tutti erano bagnati fino alla camicia. Il sentiero era erto, l'ascesa faticosa. A Gegè (Eugenio Chiesa) non reggeva il cuore: doveva fermarsi ogni quattro passi. L'infermità fisica che rendeva lenta e penosa questa marcia mentre tanto era il desiderio di correre, di volare verso la libertà, acquistava per lui un peso insopportabile [...] le soste continuaron frequenti verso la vetta nascosta dalla nebbia mentre la pioggia continuava a cadere. Ad un certo momento, proprio al limite della nebbia, si sentono delle voci. I quattro si nascondono per un po' in un cespuglio, poi la guida e Schiavetti avanzano cauti ad indagare. Le voci non si sentono

15

più; nessun altro segno di vita per la montagna. Essi tornano a prendere gli altri due e la lenta rude marcia continua. Il gruppo entra nella zona della nebbia. Ora la pioggia è divenuta neve.

Ad un certo punto, mentre il sentiero nascosto che la comitiva percorre, attraversa la strada che conduce alla vetta, si vedon sulla neve – nette – le impronte degli scarponi da montagna che usan le guardie di finanza di servizio alla frontiera. Le voci sentite un quarto d'ora prima eran quelle della pattuglia di servizio che faceva il giro, diretta alla vetta del Pravello [...] La guida introduce i tre in un vicino rifugio scavato nel monte durante la guerra e che ora ha l'imboccatura mascherata da cespugli. Nel fondo, c'è l'oscurità più assoluta. Là, si fa un consiglio.

La pattuglia di servizio è passata a poca distanza dal gruppo. La vetta è ancora a mezz'ora di cammino; a un centinaio di metri da essa v'è la capanna-rifugio nella quale, molto probabilmente, si sarà riparata la pattuglia. Arrivando senza far rumore alla rete metallica tesa lungo il confine, tagliandola cautamente per non far squillare i campanelli, il passaggio riuscirà. Ad ogni buon conto, è bene farlo in due volte. Gegè e Padovani restano nascosti nel rifugio; la guida e Schiavetti partono, per un rapido camminamento. Dopo venti minuti di marcia rapida ed accorta, i due giungono alla rete. Attorno, nessun segno di vita. Un foro fatto in quella rete la settimana precedente, per il passaggio di un altro deputato repubblicano, è stato accuratamente riparato. Non c'è che da farne uno nuovo.

E con un innocente temperino da tasca, adoperato a sega, la guida scalfisce il fil di ferro della rete, poi piegandolo colle dita, in un senso e in quello contrario, in corrispondenza della scalfittura, lo rompe. È facile, poi, sfilare le maglie e aprire un foro. In cinque minuti, il varco per Schiavetti è pronto, ed egli passa. La guida torna quasi di corsa al rifugio e nel fondo, nascosti dalle tenebre, scorge dopo un po' i due amici, muti, immobili, agghiacciati dal freddo e dall'acqua che avevano addosso [...] E Gegè fa lentamente l'ultimo tratto dell'ascesa. Schiavetti attendeva, intento ad ingrandire il buco nella rete [...] Gegè vi passò – a stento – aiutato da Schiavetti, e dall'altra parte dalla guida [...]"

Questo racconto lo ascoltai per la prima volta il giorno del mio arrivo a Marsiglia, seduta sulle ginocchia del babbo che avevo appena conosciuto. I campanellini attaccati alla rete metallica di frontiera, attraverso la quale doveva passare il babbo, mi affascinavano, e trattenevo il fiato ascoltando quelle storie di fughe e pericoli. Chiedevo sèmpre al babbo che mi raccontasse di nuovo la storia della sua fuga; ma lui non gradiva che io mi riferissi a quella vicenda usando l'espressione "... racconta quando sei scappato..." Non gli garbava il termine "scappare" e usava precisare, con un sorrisino appena percepibile che stava ad indicare come lo dicesse un po' sul serio e un po' per scherzo: "... non sono 'scappato', mi sono ritirato per meglio combattere..." Scoprii più tardi che era una sua caratteristica e forse anche una sua civetteria, quella di non prendersi mai troppo sul serio, tanto più se seri erano i fatti in cui, in un modo o nell'altro, veniva coinvolto.

Dopo che il babbo "si era ritirato per meglio combattere", la mamma era rimasta sola a Roma; aveva 27 anni, due bambine e risorse economiche modeste. Mi raccontava, quando ero già più grandicella, come avesse appena fatto in tempo a ricevere la notizia che il babbo era giunto sano e salvo in Svizzera, quando alle quattro di mattino, degli energumeni si precipitarono a casa – vivevamo allora nel quartiere di San Saba a Roma – mettendola a soqquadro; erano convinti che il babbo fosse nascosto lì. Pare frugassero ovunque, anche nei materassi e che mandassero in frantumi tutto quello che capitava loro fra le mani. Mia sorella, che allora aveva sei anni ed era stata messa al corrente della situazione, fu svegliata di soprassalto: afferrò subito la beffa giocata alla polizia e si "faceva le sue più matte e limpide risate", come scrisse la mamma nella prima lettera che riuscì a far recapitare al babbo.

In quel frangente io dormivo tranquilla; avevo poco più di un anno ma alle spalle già un altro "ritorno in famiglia". Poco prima che io nascessi, infatti, il nostro medico di famiglia, Carlo Zuccarini, zio acquisito e fratello del deputato repubblicano Oliviero Zuccarini, aveva decretato che per me ci voleva una balia: mamma era troppo cagionevole di salute per allattarmi. Non so quanto il povero zio Carlo girovagasse per la campagna romana in cerca di una nutrice sana, robusta e che desse affidamento in ogni senso. Una scrupolosa ricerca era tanto più indispensabile, in quanto un mio fratellino, il primo figlio dei miei genitori – Gian Franco – era morto a nove mesi, proprio mentre era a balia. Lo zio Carlo trovò la donna che faceva per lui, o più esattamente per me, a Vignanello, in quel bellissimo e antico recinto dei Monti Cimini. Maria, la balia, aveva due gemelle che crescevano sane come pesci – tanto buono, pare, era il suo latte. In compenso, lo notai molti anni più tardi quando andai a trovarla, era brutta come la fame: secca da far spavento. Da dove le venisse tutto quel latte, Dio solo lo sa. Certo è che il latte le risolse – allora e anche più tardi – alcuni dei più impellenti problemi economici. Il marito, un bravo e onesto lavoratore agricolo, era uno stagionale senza reddito fisso. E Maria provvedeva del suo meglio affinché la sua fonte produttiva non si estinguesse tanto presto. Fin quando poteva, accorgendosi che correva qualche pericolo in questo senso, faceva in modo di restare incinta, e così dopo nove mesi, la preziosa sorgente tornava a zampillare.

Poco prima della mia nascita, il primo giorno di un torrido mese di luglio, lo zio dottore andò a prendere la Maria e la condusse a Roma. Appena nata mi consegnarono a lei, secondo gli accordi presi precedentemente. Ma ci fu un imprevisto, così mi raccontarono. Al momento del distacco la balia, rivolgendosi ai miei, chiese "il certificato di battesimo della bambina".

"Non c'è," rispose mio padre con cipiglio.

"Come sarebbe a dire?"

"Che la bambina non è battezzata: per una questione di principio. Quando avrà l'età della ragione, sarà lei stessa a decidere."

"Cosa significa?" ribatté la Maria che probabilmente fino allora non aveva avuto molte occasioni di incontrare "uomini di principi".

"Vuol dire che non intendiamo battezzare la bambina."

"Ah, è così? E allora, tiè, io non mi attacco un animale al petto," e detto ciò – così mi venne raccontato da tutti i testimoni presenti: mamma, babbo e zio Carlo – la balia mi depose decisa nelle braccia di mio padre. Evidentemente anche lei, senza saperlo, era una "donna di principi".

La questione pare che durasse a lungo e rischiò di mettersi al brutto per me. Ci deve essere stato una specie di braccio di ferro fra la balia e mio padre, durante il quale passai ripetutamente dall'una all'altro. Mi salvò un inderogabile impegno politico del babbo; nel corso di quegli anni ne ebbe molti: una sequela interminabile di perquisizioni, sequestri, e fermi di polizia che lo allontanavano da casa improvvisamente e per molte ore. Proprio nei giorni intorno alla mia nascita il babbo sostenne un duello con Curzio Malaparte – ve ne furono vari – per una polemica sorta fra "La Voce Repubblicana" e lo scrittore toscano allora sostenitore di Mussolini. L'uscita di mio padre dalle mura domestiche fu per me provvidenziale. Le due donne, la mamma e la balia, trovandosi sole a tu per tu, si accordarono presto; mi trasportarono in fretta e furia nella chiesa che sta a due passi da via della Minerva dove sono nata: Santa Maria Sopra Minerva. Còme avevano previsto le due donne, trovarono un sacerdote, un padre domenicano, più che disposto ad afferrare l'occasione. Mi battezzarono senza tante cerimonie. E la balia Maria poté portarmi trionfalmente a Vignanello ed attaccarsi al petto non più un animale, bensì "una creatura".

Rimasi lì sette mesi; poi i miei mi riportarono a Roma. La mamma ricordava quel periodo intorno al 1926 con profonda angoscia. Fu il più pericoloso per gli avversari del fascismo: aggressioni e spedizioni punitive si susseguivano, le minacce, le intimidazioni, le violenze non si contavano. La gente aveva paura. Con amarezza la mamma rammentava che molti conoscenti e anche persone considerate sino allora amiche, dopo che l'espatrio di mio padre era divenuto noto, preferivano scantonare o cambiare marciapiede quando la incontravano; temevano di compromettersi parlandole o salutandola.

I miei genitori si erano conosciuti a Todi nel 1914 quando mio padre faceva l'insegnante nelle scuole medie. La mamma era una sua alunna: lui aveva 22 anni, lei 15. Si innamorarono subito. Un anno dopo mio padre partì come volontario di guerra. Si sposarono prima che la guerra finisse – civilmente. La famiglia di mia madre proveniva da tradizioni carbonare ed era legata alla storia risorgimentale. Il suo nonno materno era Domenico Maria Belzoppi, nel 1848 Reggente di San Marino. Quando Giuseppe Garibaldi, dopo la caduta della Repubblica Romana, incalzato dal nemico austriaco, sconfinò nel territorio della Repubblica di San Marino con i resti della sua legione di volontari chiedendo asilo, fu Belzoppi a rispondere al Generale. Egli riuscì a far rispettare l'indipendenza e la neutralità del piccolo Stato e allo stesso tempo il contrastato diritto di asilo della Repubblica di San Marino. Belzoppi fece curare i feriti e rifocillare i combattenti della legione garibaldina in rotta, ma chiese a Garibaldi il contraccambio: "... risparmiando a questa Repubblica i disastri della guerra". Facendo così, Belzoppi seppe risolvere il problema della salvaguardia del proprio territorio senza dimenticare i doveri di solidarietà verso gli uomini. La lotta per l'indipendenza e la libertà d'Italia era anche per mia madre – tramite il bisnonno Belzoppi – una storia "che entrava in famiglia".

Poco dopo la fuga del babbo mia madre lasciò Roma: vendette precipitosamente il mobilio e tutto quello che possedeva e nel dicembre del 1926 si trasferì con mia sorella e me a Todi, nella casa paterna. La polizia la sorvegliava a vista. La mamma non si era mai occupata di politica; condivideva tuttavia le scelte del marito, tanto più che ambedue le consideravano innanzitutto scelte morali.

La polizia supponeva – non a torto – che la mamma si apprestasse a raggiungere il marito. L'allora capo della polizia Arturo Bocchini inviò un dispaccio telegrafico ai "... Prefetti confine terra et mare [...] si ha notizia che signora Bondanini Giulia di Domenico anni 27 moglie del repubblicano Schiavetti Fernando espatriato abusivamente Francia intenderebbe raggiungere marito clandestinamente stop Pregasi disporre massima vigilanza perché eventuale tentativo espatrio sia assolutamente impedito". Il servizio di sorveglianza doveva essere ad ogni costo mascherato – secondo le disposizioni del Questore di Perugia – e doveva essere disimpegnato dagli agenti, di giorno, e dai carabinieri, la notte. Gli uni dovevano vigilare la porta principale del palazzo sulla piazza di Todi dove abitavamo, gli altri la porta del giardino, dal lato posteriore del palazzo. Si legge nel rapporto del commissario aggiunto di Pubblica sicurezza che il cambio degli agenti e dei carabinieri aveva luogo sul posto, ed il servizio era, in ore non conosciute prima dagli agenti, controllato da un graduato degli agenti. Sorvegliavano mamma, dunque, quattro carabinieri in borghese, tre agenti di P.S. e un sottufficiale; inoltre, stava a disposizione della stretta vigilanza un'automobile col relativo autista.

Intanto il babbo faceva pervenire alla mamma sue notizie insieme a richieste di "generi di prima necessità". Il babbo era espatriato senza bagaglio alcuno, per non dare nell'occhio e per essere più mobile; era quindi letteralmente privo di tutto. La sua corrispondenza faceva strani giri prima di raggiungere la meta; passava per vari destinatari e per diverse località. Ma, nonostante ogni precauzione, non si poté evitare che alcune missive dirette alla mamma venissero intercettate dalla polizia. Fra l'altro appunto un elenco delle cose di cui più urgentemente aveva bisogno. Fra queste il babbo riteneva di dovere elencare non solo biancheria intima, abiti, scarpe ecc. ma anche "libri e altre cose" con precise annotazioni affinché la mamma li trovasse presto: *Petit Larousse illustré*; Lanson, *Histoire de la littérature française*; *Paris en huit jours* (guida comprata nel 1924 – te ne ricordi?);

Piccolo dizionario francese-italiano – Ed. Hoepli; Idem: tedesco (ce ne sono due: prendi il più nuovo); Dante: *Divina Commedia* (volumetto piccolino, in pelle: mi pare sia su l'*étagère* vicino alla scrivania); Carducci: poesie; *Storia generale ad uso dei licei* del De Angelis; *Geografia* del Ghisleri, 3 volumi; Atlantini storici del Ghisleri: il tutto nella libreria vicino alla finestra, terzo e quarto scaffale a cominciare dall'alto, seconda fila; Atlantino De Agostini (piccolo e rosso): l'ultimo per data: stessa libreria, primo scaffale, prima fila; Manzoni: *Promessi sposi* (sullo scaffale); Leopardi: *Poesie*; spada, sciabola, fioretti – ritirare maschera e giubbino lasciati da Angiolillo; scacchiera e scacchi – Manuale Hoepli; pistola, caffettiera napoletana per due o quattro, usarla prima di spedirla perché non paghi dogana".

Questi oggetti il babbo non li ricevette mai, perché l'elenco era stato sequestrato dalla polizia. Solo molti anni dopo il nonno Chino riuscì – per vie traverse – a far pervenire al babbo alcuni oggetti, tra cui la pistola, la sciabola ed il fioretto, gli scacchi e alcuni libri – tutte cose che – in modo diverso – animarono la mia infanzia e la mia giovinezza. Sempre tramite interposte persone e in un linguaggio convenzionale, pieno di allusioni, comprensibile solo alla mamma, il babbo le inviò anche precise istruzioni sulla sua prossima fuga da Todi. Doveva avvenire con la massima urgenza, per – come le scriveva il babbo – "liberarsi dalle angustie dei parenti le cui intenzioni ci risultano tutt'altro che buone (questa è la ragione dell'urgenza)..." Appresi successivamente che il babbo alludeva nientemeno che al proprio padre, il nonno Ercole Schiavetti in quel periodo questore di Modena. Padre e figlio erano inequivocabilmente su barricate opposte. La fretta del babbo, che premeva affinché la mamma fuggisse in tempo, era giustificata.

Anche la lettera in cui il babbo dava alla mamma tutte le informazioni ed istruzioni per la fuga concordata cadde in mano alla polizia. Questa non poté decifrarla ma si allarmò. Trasmise a tutti i commissariati di polizia di frontiera una foto della mamma e ne segnalò i connotati, precisando che "la signora è dotata di molta furberia".

I miei avevano concordato fra loro che la mamma sarebbe fuggita conducendo con sé solo mia sorella; quanto a me – avevo appena un anno e mezzo – li avrei raggiunti in un secondo tempo, convinti com'erano i miei genitori, che nessuno avrebbe impedito successivamente ad una bambina così piccola di raggiungere per vie legali i propri genitori. Le loro previsioni si rivelarono errate – almeno per l'immediato. La mamma intanto osservava scrupolosamente le mosse, gli orari e le abitudini di chi la spiava...

E anche lei, come il babbo, quel primo giorno a Marsiglia, raccontò le vicende della sua fuga, che ritrovai, molti anni dopo, nella forma di una sua memoria per Gaetano Salvemini.

"[...] otto agenti vegliavano notte e giorno intorno alla casa. Annarella era accompagnata sempre all'asilo, vicinissimo, da un agente che stazionava poi dinanzi alla porta sino alla sua uscita... La notte sentivo due agenti di servizio parlottare e tossire sotto le finestre al freddo... Mille progetti di fuga sorgevano e si dileguavano dinanzi alla realtà degli otto sgherri e della loro auto sempre all'erta... Cominciai a regolare le mie giornate, a fare attenzione ai miei agenti, a seguirne le abitudini e gli orari. Io mi alzavo, uscivo, rientravo a ore fisse, e d'altra parte osservai per esempio, che i due agenti sempre di guardia alla porta del giardino dietro la casa, si spostavano di alcuni metri per andare a mangiare in un'osteria in faccia, dalla quale potevano sorvegliare egualmente chi entrava e usciva di casa... Dalla parte del giardino c'era sempre, specie nei giorni di mercato, un discreto va e vieni di coloni che trasportavano roba. Presi tutti gli accordi con gli amici lontani, un'auto doveva attendermi un dato giorno in un dato luogo ad alcuni chilometri da Todi [...]

Il 15 febbraio arrivò. La mia giornata si svolse regolarmente sino a poco prima di mezzogiorno, ora in cui facevo la mia passeggiata abituale sulla piazza del paese [...] I miei occhi corrono ogni tanto alle finestre della casa. Una donna appare e scompare. Rientro. Dieci minuti dopo due povere contadine umbre escono sotto il peso dei loro fagotti dalla parte del giardino. Gli agenti che mi hanno visto rientrare hanno il cuore tranquillo, gli altri mangiano in fondo all'osteria. Allungano il collo, ci guardano, si risiedono tranquillizzati [...] Ho il cuore stretto in una morsa, negli occhi la visione della piccola che ho lasciato. Ho un attimo la tentazione di tornare a darle un bacio. Siamo oltre le mura, fuori, e nessun'ombra ci segue né ci precede.

Ormai il paese è lontano [...] Vedo due punti neri che corrono e si fermano. È la mia bimba più grande accompagnata da un amico. Li raggiungiamo [...] La bimba mi fissa, senza parlare. Il vestito strano, il fazzoletto che mi copre i capelli diventati neri a un tratto devono sconcertarla. Le parlo [...] Bisogna lasciare i nonni, la sorellina, e anche il desinare [...] Per correre dal babbo. Mi raccontano intanto che la bimba è riuscita a sfuggire solo per un vero caso [...] Siamo sul posto... L'auto tanto attesa ci raggiunge finalmente a una svolta [...] Filiamo subito per strade impervie forzando la macchina per guadagnare tempo [...] Passando per Rimini raggiungemmo finalmente Milano e la casa fraterna che ci ospitò fu il luogo sicuro nel quale potevamo aspettare e preparare il resto del viaggio [...] La neve ed il freddo continuavano ad imperversare. A noi si era aggiunta un'altra signora, Maria Volterra, moglie di un giornalista, proscritto lui pure; sarà la mia compagna di viaggio. Finalmente un seguito di giornate serene ci permettono di partire. Impossibile poter portare la bimba tra i rischi che correremo alla frontiera. Mi separo anche da quest'altra bambina [...]

La mia amica ed io siamo per la gente una nipote e una zia che vanno in alta montagna a cercare la salute. A Trento, prima tappa, conosciamo l'itinerario e chi ci guiderà. Alla stazione di Rovereto, un uomo grosso e baffuto, tra il sensale e il procaccia, con un cappotto grigio, ci urta nella fretta di salire nel treno per Merano. È tutto. Egli si siede in fondo alla nostra vettura e parla e fuma senza mai guardarci. Il treno sale adagio e si sfolla sempre più. Non restano che poche persone e molti militi e doganieri. Poi ad un tratto l'uomo grigio comincia a preparare i suoi bagagli. Il treno si ferma, egli scende e noi lo imitiamo. Sempre senza parlare, l'uomo ci precede lungo una stradetta. Attraversiamo un villaggio alpino semideserto e coperto di neve. Il numero dei militi fascisti e delle guardie doganali aumenta. Casi di donne che avessero valicato le Alpi clandestinamente in pieno inverno non ce n'erano ancora stati; ce ne sono stati molti, dopo.

Si sale sempre. A un certo punto perdiamo di vista l'uomo. Siamo in alta montagna, sole, e l'improvviso dubbio di essere abbandonate o tradite ci attanaglia. No, l'uomo ricompare a un centinaio di metri davanti a noi [...] L'uomo scompare ad un tratto in una baita sperduta. Lo seguiamo. Sorride e ci parla, finalmente! Ma parla tedesco e io capisco pochissimo quello che dice. Attendiamo, lo so, una slitta che di lì a poco arriva. È ormai buio. Sulla slitta rozza noi due e due uomini. E comincia la corsa silenziosa nella notte freddissima [...] La slitta va sempre veloce e silenziosissima. All'avvicinarsi di qualche raro villaggio rallenta un poco la corsa, un'ombra sale senza dir nulla e ridiscende dove crede, sempre in silenzio [...] Entriamo col nostro uomo in fretta, in una capanna; la slitta continua la sua corsa. Ci troviamo in una cucina caldissima, piena di uomini e donne. Ci sono anche dei bimbi... Sono le undici di notte. Dovremo aspettare l'alba per attraversare la frontiera. Gli uomini si siedono in un canto e parlano basso tra loro; ci guardano sorridendo. La parola 'Faschisten' e 'Italiener' sono le sole che riesco ad afferrare... L'alba arriva e si riparte. Dandoci la mano a catena su per la montagna bisogna seguire esattamente le orme della guida. La neve fuori della pista è alta più di due metri... Attenzione a non fare rumore ché si potrebbe dare l'allarme in basso al posto di frontiera e svegliare i cani lupo. L'uomo è preoccupato. Avanti ancora. Ad un certo punto gli uomini ci aiutano a saltare un ostacolo dissimulato sotto la neve e si continua la marcia. 'Alt! Viva l'Austria!' Guardiamo stupiti il nostro uomo che ride ora come un matto e tira il cappello per aria. Siamo salvi!..."

Dall'Alto Adige la mamma e Maria Volterra raggiunsero la Svizzera. Le autorità di frontiera concessero loro di transitare per il territorio elvetico, perché si erano qualificate come rifugiate politiche che volevano raggiungere i mariti in Francia. Intanto, amici fidati avevano condotto mia sorella in treno da Milano a Chiasso, dove – vestita da maschietto e con carte false – l'avvocato Francesco Borella, antifascista ticinese, le fece passare la frontiera e la condusse a Lugano da altri amici, come era stato preventivamente concordato. È lì che la mamma si ricongiunse con lei ed insieme andarono incontro al babbo a Parigi.

Io ascoltavo – il nonno era commosso. Anche se non potevo avvertirne la drammaticità, il racconto della mamma mi avvinceva come, e forse più, di quello della fuga del babbo. La sensazione dominante che mi rimase di quel giorno a Marsiglia fu, insieme alla gran confusione, l'atmosfera di lietezza. A ciò contribuì in modo determinante – come sempre – il nonno.

A Todi, la scoperta della fuga di mamma aveva scatenato un putiferio. Dall'alto si disposero immediatamente "ricerche e diligenti indagini" per scoprire i responsabili dello smacco. Questo infatti fu tanto più sentito in quanto, in un piccolo centro come Todi, la voce si sparse subito. Tutti ne vennero a conoscenza; la polizia fascista si coprì di ridicolo. La mamma era sparita nel nulla, mandando tra l'altro a monte lo scopo principale della stretta vigilanza disposta dal ministro dell'Interno: scoprire per quale via i fuorusciti riuscivano a riparare all'estero. A pagare furono soprattutto quei poveri agenti e carabinieri messi lì come pali davanti e dietro al palazzo di piazza Vittorio Emanuele, a sorvegliare la mamma.

L'autorità competente di Todi inviò alla direzione di Pubblica Sicurezza – schedario politico – una comunicazione in data 28 febbraio 1927 che bollava i poveri agenti, poiché "... se la signora Schivetti è riuscita a fuggire da Todi si deve alla poca sorveglianza dei carabinieri in borghese che cercavano di passare le ore in osteria nelle ore di servizio, e specie la notte per lunghi tratti non si scorgevano mai mentre agenti et graduati gozzovigliavano..." Frattanto il capo della polizia Bocchini tempestava di dispacci telegrafici "prefetti confine terra et mare et prefetto Perugia et Questore Roma", richiamando l'attenzione sulle istruzioni già impartite perché "l'espatrio sia assolutamente impedito" e segnalando in data 17 febbraio 1927 che "... ex deputato Eugenio Chiesa avrebbe raccomandato al deputato svizzero Gasparini, direttore giornale "Libera Stampa" et organizzatore fuorusciti nel Canton Ticino preparare tessera turistica Schiavetti stop. Potendo trattarsi mezzo escogitato per favorire espatrio clandestino di Bondanini Giulia, moglie noto repubblicano Schiavetti Fernando, ora a Parigi". Il capo della polizia, considerato dopo Mussolini l'uomo più potente di allora, non demordeva. Appena due giorni dopo quel dispaccio, tempestava nuovamente il prefetto di Perugia, esortando "... S.V. a intensificare indagini con ogni impegno et alacrità per addivenire rintraccio detta signora..." Ci mancò poco che il nonno Chino – come mi raccontò più tardi lui stesso – non venisse arrestato per complicità. Durante gli interrogatori egli continuò ostinatamente a sostenere la sua versione: sua figlia, vale a dire la mamma, non lo aveva messo al corrente. Egli si accorse della sua sparizione da Todi solo la notte, quando sentendomi lungamente piangere, accorse per acquetarmi e trovò i letti della mamma e di mia sorella vuoti. Prove del contrario non ve n'erano.

I primi passi li mossi quindi con il nonno, sorvegliata – ora toccava a me – da due agenti in borghese che – come mi raccontò il nonno – seguivano ovunque chi mi accompagnava a spasso. Le autorità addette alla sorveglianza si erano irrigidite dopo l'umiliazione subita. Non consentirono allora che raggiungessi i miei genitori all'estero; era un modo per tenere in ostaggio i familiari dei fuorusciti; inoltre, agendo così, vi era la probabilità che un amico tornasse clandestinamente in Italia per prelevarmi e in tal caso l'avrebbero arrestato. Quella era la ragione della sorveglianza predisposta su di me.

Continuai quindi a crescere contenta col nonno, nella grande e bella casa di Todi; la campagna, la piazza e la Rocca – altro per me non c'era; e nient'altro c'era anche per quei due poveri diavoli di agenti costretti a sorvegliarci fino al giorno in cui morì la nonna e il nonno, rimasto solo, scrisse di sua iniziativa al capo della polizia Bocchini. Quella lettera segnò dunque una svolta nella mia vita. "Non le perdono di aver dato al Duce l'occasione di mostrarsi generoso", diceva mio padre al nonno Chino ogni volta che si ritornava sulla questione della lettera. Ma lo diceva accompagnando le sue parole con una rispettosa carezza sulla testa del nonno che era liscia e lucida come una palla di biliardo; e il nonno capiva che il babbo lo diceva metà sul serio e metà per scherzo, e sorrideva.

Il nonno rimase a Marsiglia con noi solo pochi giorni, perché prima che scadesse il permesso ricevuto per accompagnarmi doveva tornare a Todi. "Vado a comprare un sigaro", mi disse una sera e insieme alla mamma mi condusse a letto. Era la frase che usava dire a Todi ogni volta che si doveva allontanare da me anche solo per un attimo. Non mi venne alcun sospetto. Ma quella notte mi svegliai e lo cercai; il nonno era sparito. Quel distacco fu il mio primo grande dolore. Non rividi il nonno che dopo lungo tempo, durante il quale non cessai di cercarlo, di desiderarlo, di rimpiangerlo, di rincorrerlo col pensiero e col cuore. Il nonno non tornava – ma mi scriveva. Nelle sue lettere mi parlava di Todi, di quello che accadeva laggiù, delle persone che avevo lasciato. La mamma me le leggeva, ma io potevo seguire da sola il contenuto, grazie ai disegnini con i quali il nonno illustrava ogni avvenimento di quel mondo appena lasciato. Io, del resto, le lettere del nonno le sapevo a memoria e la sera le ponevo sotto al guanciale per ritrovarle la mattina presto e continuare così ad ascoltare – guardando i disegni – la voce del nonno. "... lo sai cosa ha fatto il gattino, questo birichino? È andato nell'orto, è entrato nel pollaio per mangiare i pulcini – ma vedi che gli è toccato? La chioccia, la mamma, infuriata è corsa dietro al gatto e questo via a nascondersi per salvarsi. Vedi le mamme, come vogliono bene e come difendono i loro piccini? E intanto quel birbone del gallo invece di correre anche lui, se ne stava a cantare sulle mura dell'orto. Non sarebbe il caso di tirargli il collo?..." Su quelle lettere imparai la nostalgia.

Continuavo ad aspettare il nonno: ero sconsolata.

A furia di aspettar il nonno che non veniva, cercai la mamma. Era l'unica persona che stava in casa con me quando mio padre andava a lavorare e mia sorella era a scuola. Con "il lupo" avevo preso una certa confidenza, lo toccavo perfino, ma con i suoi occhi fissi non feci mai amicizia: la mamma non se lo avvolgeva più intorno al collo quando usciva con me.

Mia madre era minuta e delicata; accanto a mio padre appariva ancora più esile. La caratteristica esteriore più appariscente erano le sue chiome: rosso tiziano, folte, lucide, a onde lunghe. I suoi occhi, erano quasi dello stesso colore: quando guardava verso il sole, o la sera, mentre mi raccontava una storia prima di addormentarmi e la luce della lampadina le illuminava il viso, si notavano nell'iride pagliuzze dorate. Mi piaceva molto guardarle gli occhi.

La mamma aveva il dono di saper consolare. "Pour ma petite cocotte", aveva detto la pescivendola al mercato regalandomi un palloncino. Ero entusiasta, ma poco dopo il palloncino mi sfuggì di mano lasciandomi annichilita. La mamma spiegò che il nonno Chino sarebbe stato tutto contento, perché il palloncino volava da lui a portargli i miei baci. Mi fermai in mezzo al mercato, con la testa in su guardando il palloncino che saliva, saliva e diventava sempre più piccolo. Allorché sparì dalla mia vista fui felice. Quando la mamma si arrabbiava con noi, lo annunciava: "... se mi metto le scarpe della punta...", oppure "... bada che mi vengono i cinque minuti...", come a dire che ci potevamo salvare in corner. Il babbo non usava di questi accorgimenti; lui agiva a sorpresa. E il nonno Chino, almeno con me, non si arrabbiava mai.

"[...] la Franca è commovente," scriveva mia madre ai nonni paterni, genitori di mio padre, poco dopo la partenza del nonno Chino da Marsiglia, "... mi vuole molto bene e così è con tutti, gentile e buonissima, ma il nonno Chino è il suo solo e vero desiderio. A tavola vuole che lasciamo il posto per il nonnino che può arrivare, che arriverà certo da un momento all'altro, e ogni volta che suonano al cancello corre giù per la stradetta del giardino chiamandolo coi nomi più affettuosi. Poi torna indietro senza piangere ma col visino serio e sospirando forte. Così durante il giorno ogni tanto interrompe i giochi e sospira senza parlare..."

Appena partito il nonno, tra mio padre e me si stabilì una specie di "braccio di ferro"; si trattava di vedere chi avrebbe "domato" chi. "Domare" era un'espressione che il babbo prediligeva – e ancora non so quanto facesse per scherzo e quanto sul serio. Ma anche delle scarpe – che durante gli anni dell'esilio erano sempre di qualità scadente e quindi rigide e dure – il babbo soleva dire che "le stava domando". Nonostante le inevitabili vesciche che esse gli procuravano i primi giorni, il babbo non mollava. Ed era un gran bel momento per lui, quando poteva tornare a casa e comunicarci trionfalmente: "le ho domate".

Con la scusa che "poverina – ha la mamma lontana", a Todi, a quanto pare, mi avevano viziata assai, cosa insopportabile per il babbo. Partì lancia in resta per forgiare la mia educazione. Scoppiarono "scene educative" clamorose; a lui servirono ad esplorare una figlia ritrovata, a me, a scoprire la figura preponderante della mia famiglia.

In Francia trionfava allora l'era del "martinet", una specie di frustino, praticamente in dotazione dell'appartamento preso in affitto. Serviva indistintamente, secondo la tradizione francese, a sbattere i tappeti e gli abiti o a correggere i ragazzi. Il babbo ne fece uso: non per sbattere i tappeti che non c'erano. La prima volta avvenne in giardino. Mentre stavo passeggiando con il babbo vidi un ago ficcato nello schienale di una panchina di legno e glielo indicai: "guarda il lago". Si dice "guarda l'ago", mi corresse. Ma io imperterrita continuavo a ripetere con ostinazione "il lago". La sfida fra il suo "l'ago" e il mio "il lago" durò a lungo. Sulle prime il babbo ci provò con le buone. Per indurmi a dire correttamente "l'ago", mi prometteva come ricompensa un cucchiaino di cacao e zucchero, di cui ero ghiotta. Ma ormai ne era nata una prova di forza; il babbo la vinse – solo con l'aiuto del "martinet". Cominciai ad avere soggezione del babbo, anche a provare un certo timore – e tuttavia la sua compagnia mi attirava. Egli mi conduceva spesso con sé a Marsiglia, rispondeva a tutte le mie domande e mi raccontava delle storie meravigliose, mai udite.

La prima che mi narrò fu quella di un uomo forzutissimo – Polifemo – che però venne sconfitto dall'astuzia di Ulisse. Ma nonostante l'interesse positivo che suscitava in me il babbo, quel primo scontro educativo intorno a "l'ago" non venne mai dimenticato – né da me né da lui. "Fu un errore da parte mia", ammise molto più tardi il babbo, quando insegnandomi il latino abbinò quel ricordo al detto "errare humanum est".

La vita intorno a me era cambiata radicalmente in confronto a quella che conducevo a Todi – i metodi educativi a me sconosciuti sino allora non ne erano che l'aspetto più immediato. Con il passare delle settimane e dei mesi il dolore per l'abbandono del nonno si ridimensionava anche se non scomparve mai del tutto. Ogni giorno mi riservava una scoperta: la città, il rumore, la gente di colore, il mare, il porto, la lingua diversa. Il francese lo imparai in breve tempo, grazie ad un metodo disinvolto e sbrigativo. I Volterra abitavano in un quartiere popolare, al pianterreno; la cucina aveva un balcone che dava direttamente sulla strada e sovrastava di poco il livello del marciapiede. Lì mi deposero, i miei: in quella specie di gabbia, dalla quale però dominavo tutto lo spettacolo che offre un quartiere popolare di Marsiglia: venditori ambulanti, pescivendoli, prestidigitatori improvvisati, mendicanti, cantastorie e giocolieri. Attraverso quelle sbarre ebbi i primi contatti sociali senza interposte persone; i miei coetanei marsigliesi – ragazzini vispi, lesti, allegri – accorrevano dalle case vicine appena mi vedevano comparire sul balcone. Ne nacque un vivace commercio fondato su scambi di merce varia: figurine, matite colorate, zin-zin-gommes (come si chiamavano allora le gomme americane), delcalcomanie ecc. In un battibaleno imparai il francese, o, più precisamente, il marsigliese. Il mio pezzo forte in questo commercio erano quei blocchetti di piombo con lettere in rilievo provenienti dal sistema di composizione della linotype che nessuno dei bambini – all'infuori di me – possedeva. Era il babbo a fornirmeli. In esilio egli dovette fare – come molti altri profughi – vari mestieri per vivere e mantenere la famiglia: il camionista, il correttore di bozze, il linotipista. Fu proprio grazie a quest'ultima attività – peraltro dal babbo imparata a perfezione e di cui egli andava fiero – che acquistai un particolare potere di contrattazione con i miei amichetti del balcone. Del resto anche il mio apprendimento dell'alfabeto è legato alla linotype e a quei blocchetti di piombo fuso con le lettere in rilievo che il babbo mi portava a casa. Provenivano da "L'imprimerie du Sémaphore", come ricordava il babbo non senza emozione, perché si trattava per coincidenza della stessa tipografia in cui Giuseppe Mazzini nel 1831 aveva fatto stampare alcuni opuscoli della "Giovine Italia". Dalla "Imprimerie du Sémaphore" usciva anche il quotidiano "Le petit Provençal" sul quale il babbo, per un certo periodo, tenne una rubrica settimanale, "Chronique des proscrits italiens".

La mattina il babbo usciva di casa su una scassatissima motocicletta che faceva un chiasso infernale, per raggiungere la sua "Imprimerie". Sul sellino dietro a lui spesso prendeva posto mia sorella; frequentava le elementari e il babbo l'accompagnava prima di cominciare il lavoro. Avrei voluto andarci anch'io, sia in motocicletta che a scuola. Annarella portava infatti a casa dei libri, alcuni con figure affascinanti di battaglie e di guerrieri. Quando era in vena lei me li spiegava, perché io ancora non leggevo il francese. Uno di questi libri ci piaceva in modo particolare: era "Jeanne D'Arc", una edizione suggestiva, sia per le illustrazioni che per le dimensioni. Tutta la "glorie" e "l'honneur" della Francia che imparai a conoscere sui libri di storia più tardi erano già racchiusi in quelle figure. A me la storia piaceva in modo particolare e correvo sempre all'immagine con cui il libro si chiudeva, quella nella quale è raffigurata Jeanne D'Arc sul rogo con le fiamme che le lambiscono i piedi, un crocifisso tenuto stretto sul petto e lo sguardo stralunato rivolto verso il cielo.

La vicenda di Giovanna D'Arco si inseriva del resto bene nei discorsi fatti dalle persone che frequentavano casa nostra. Parlavano sempre di donne e uomini fedeli alle loro convinzioni, ai loro ideali di libertà, che non cedevano né alle lusinghe né alle minacce quando "c'è un dovere da compiere o una convinzione da sostenere", come sentivo dire. Gli amici di cui si parlava in quegli anni o che passavano da casa nostra erano tutti – in un modo o nell'altro – collegati con i termini "dovere", "coscienza": Sandro Pertini, Fernando de Rosa, Modigliani, Pietro Nenni, Egidio Reale, Randolfo Pacciardi, Giuseppe Saragat, Bruno Buozzi e successivamente Emilio Lussu, Carlo Rosselli e tanti altri. Con il passar del tempo ebbi la sensazione – e durò a lungo – che "dovere" e "coscienza" in qualche modo andassero sempre a braccetto con preoccupazioni di ogni genere, insomma con delle noie. Cosa che contrastava tuttavia con l'atmosfera che respiravo in casa; essa era infatti – per come la vivevo io – tutt'altro che cupa e triste – era serena, lieta addirittura; almeno, quando non incappavo in quelle "burrasche educative" scatenate dal "rigore" di mio padre. Per cui, cominciai ad associare i vocaboli "dovere morale" o "coscienza" ad un complesso di situazioni scomode e disagevoli ma ciò nonostante tutt'altro che spiacevoli.

Molto più tardi mi tornò in mente questa mia sensazione; fu

quando ebbi modo di conoscere da vicino l'ambiente dei profughi tedeschi – ebrei e no – rifugiati in Svizzera. Mi accorsi che quella del "dovere lieto", come lo chiamavamo in casa scherzando, – era una impressione tutta mia – dovuta al nostro particolare ambiente familiare italiano. Mi colpì allora come la "Pflichterfüllung" della quale parlavano molti profughi politici tedeschi emanasse qualcosa di profondamente diverso, di amaro, di aspro, di sconsolato – e non credo sia stato solo una questione di lingua.

La vicenda del giovane antifascista Fernando De Rosa, che nell'ottobre del 1929 compì a Bruxelles un attentato contro il principe Umberto di Savoia per ragioni dimostrative – voleva attirare l'attenzione del mondo civile sulla dittatura instaurata in Italia – la appresi direttamente dalla emozione che l'evento scatenò nell'ambiente dei profughi. Erano tutti agitatissimi. L'occasione dell'attentato a Umberto di Savoia, la fornì a De Rosa la visita che il principe fece per recarsi dalla famiglia regnante belga per dare l'annunzio ufficiale del suo fidanzamento con la principessa Maria Josè. L'attentato suscitò scalpore: era un fatto politico che collegava l'erede al trono d'Italia con i problemi politici interni dell'Italia e il Vaticano. Vidi sui giornali la fotografia dell'attentatore, un giovanotto di cui mi dissero che era un amico, lo stesso che – non ancora ventenne – aveva aiutato la mamma e mia sorella a fuggire dall'Italia. Era proprio lui, Fernando De Rosa, alla guida di quell'automobile che mia madre attendeva sul ciglio della strada fuori dalle mura di Todi e che la condusse successivamente a Milano. Ora Fernando De Rosa era rinchiuso in una prigione belga.

Quando lo conobbi io, dopo il processo, incontrai un uomo giovane e sereno che ci raccontò nei particolari gli attimi precedenti l'attentato. Dalle parole di quell'uomo sorridente e affettuoso emerse nuovamente il termine "dovere" e in un contesto tanto inatteso che mi rimase impresso. Raccontava De Rosa come, trovatosi dietro le transenne e con la rivoltella in tasca, confuso tra la folla che si stipava a ridosso dei cordoni di polizia per vedere il corteo del principe di Savoia, tutto teso al gesto che stava per compiere, improvvisamente fosse stato assalito da una considerazione paralizzante. Si guardò attorno, notò delle gran belle ragazze, ammirò il cielo, respirò a pieni polmoni una boccata d'aria e dal profondo del suo animo udì salire una voce che per un attimo lo avvolse tutto: ma chi te lo fa fare? Guarda il mondo quant'è bello! Puoi gioire di tutto quello che ti offre, sei giovane, sei sano ma – fra un attimo – per un gesto che compirai ti fracasseranno di botte se non peggio e ti rinchiuderanno in galera chissà per quanti lunghi anni e forse quando ne uscirai sarai vecchio... Indugiare su simili considerazioni è fatale per chi ha da compiere un dovere, continuava De Rosa, così mi strappai fulmineamente a questi abbandoni, diedi uno strattone a chi mi stava davanti e mi misi a correre verso il gruppo di persone che attorniavano il principe Umberto impugnando la rivoltella e sparando un colpo...» I giornali pubblicarono le immagini di un uomo sanguinante e svenuto a terra e confermarono le previsioni di De Rosa: fu letteralmente pestato. Il termine "dovere" cominciava ad assumere per me un significato meno vago. Ma quando chiesi in casa se il dovere fosse una "cosa bella o brutta" mi risposero che il dovere non era né bello né brutto – era appunto il dovere.

I testi a difesa di Fernando De Rosa rappresentavano l'élite dell'antifascismo in esilio. Tra altri, l'ex primo ministro Francesco Saverio Nitti, Filippo Turati, Francesco Luigi Ferrari, collaboratore di Don Sturzo sin dalla costituzione del Partito Popolare, Alberto Tarchiani che aveva lasciato il "Corriere della Sera" insieme ad Albertini, Gaetano Salvemini – privato della cattedra universitaria dal regime fascista – e Raffaele Rossetti, l'affondatore della corazzata austriaca "Viribus Unitis" durante la prima guerra mondiale, Pietro Nenni e molti altri. Uno dei difensori del giovane italiano antifascista era il socialista belga Paul-Henri Spaak; egli non descrisse solo la personalità dell'imputato ma mise in luce il valore "dimostrativo" di un gesto, mirante a mettere in evidenza le crescenti concessioni della monarchia a Mussolini e al suo regime. Inoltre Spaak fece un'analisi del fascismo tale, che alla fine chi uscì moralmente processato dal Palazzo di Giustizia belga fu Mussolini, come rilevarono numerosi giornali francesi dell'epoca.

Il giovane imputato fu condannato a 5 anni di reclusione, ma per buona condotta trascorse in carcere in tutto 17 mesi. Anche gli antifascisti rimasti in Italia plaudirono al gesto di Fernando De Rosa e stamparono sul fatto dei manifesti clandestini al riguardo; a Torino, fu il gruppo di cui faceva parte Carlo Levi, a diffonderli.

Comunque, De Rosa non conobbe della vita che la primavera; morì durante la guerra civile di Spagna sul fronte di Madrid nel 1936: aveva 28 anni. Pietro Nenni scrisse alla madre rimasta in Italia e le comunicò di essere stato lui a chiudere gli occhi a suo figlio.

La vita a Marsiglia era priva di monotonia. Anche se il ricordo del nonno dominava incontrastato nel mio cuore, ero "tanto contenta di essere al mondo" come andavo ripetendo in quei tempi. E date le preoccupazioni e l'insicurezza che caratterizzavano per noi quel periodo – queste mie parole erano di gran conforto per mia madre, come ella mi confidò più tardi. Man mano che acquistavo una seppur vaga e ancora indefinibile consapevolezza dell'importanza del periodo in cui vivevo, la mia costante aspirazione era di vivere "tempi interessanti", vale a dire rivoluzioni, fughe e lotte di ogni genere. Mamma correva a toccare ferro e "stai zitta che passa l'angelo e dice amen" ammoniva. Passò veramente. Gli eventi che segnarono l'arco della mia generazione corrisposero alle mie fantasie infantili.

Improvvisamente il babbo fu licenziato e perdette il posto di linotipista al "Petit Provençal". Dopo decenni lo raccontava ancora con amarezza "... senza alcuna giustificazione, ma solo perché fosse collocato al mio posto un elettore influente di uno di quei camorristi che nel Mezzogiorno della Francia disonoravano allora (come ancora oggi in tante altre parti del mondo) il nome della democrazia..."

Quel giorno il babbo portò alla mamma insieme all'ultimo stipendio un enorme mazzo di violette e le diede la notizia. "Reagire, reagire!" era il suo grido di battaglia quando le cose si mettevano male, ed accompagnava l'esortazione con un gran gesto del braccio alzato in alto – pareva che brandisse una sciabola. Reagì naturalmente, cercando un lavoro qualsiasi: lo trovò da camionista. E reagì, come sempre, anche la mamma: intensificò al massimo il lavoro a domicilio che faceva insieme a Maria Volterra. Il datore di lavoro era un russo bianco che gestiva un negozio di oggetti vari; vendeva fra le altre cose bambole con larghi abiti, che allora si usava porre, sedute, sui letti "per bellezza". La mamma imparò a farne di straordinarie. Pressava un po' di ovatta, le dava la forma circa di un uovo, lo ricopriva con un leggerissimo tessuto color carne – crêpe georgette si chiamava – e poi con un pennellino finissimo vi dipingeva sopra gli occhioni spalancati, contornati di ciglia lunghissime, e una boccuccia rosso fiamma a forma di cuore. Per ultimo venivano i capelli: fini di seta gialla o nera o rossa, che la mamma disponeva a mo' di chignon intorno al capo della pupattola. La sua bravura incontrastata, tuttavia, la mamma la dimostrava nel confezionare le mani. Per prima cosa ritagliava, sempre in crêpe georgette, la sagoma delle mani con l'avambraccio, le cuciva a macchina, una macchina con una manovella che a me era stato tassativamente vietato di toccare, e poi riempiva queste mani con del cotone idrofilo. Ma, mentre le mani di tutte le bambole sul mercato avevano le dita unite, divise l'una dall'altra da una semplice cucitura (solo il pollice era staccato dal palmo della mano), la mamma riusciva invece con maestria ed infinita abilità e pazienza, a presentare mani con le cinque dita separate. Cuciva una mano, ne rovesciava con perizia e prudenza la sagoma e successivamente riempiva con cotone idrofilo ogni singolo dito aiutandosi con un ferro da calza, sempre con il timore di "sfondare" un dito, nel qual caso tutto il lavoro precedente sarebbe stato inutile. Il profugo russo ne era entusiasta e pagava l'opera della mamma qualche centesimo in più di quello che dava alle altre lavoranti. Quanto agli abiti delle bambole, il profugo russo li faceva fare altrove. La mamma e la Maria Volterra fornivano solo teste e mani; mi ricordo un periodo in cui la casa fu letteralmente invasa da questi pezzi anatomici e gli amici si divertivano a dare alle teste vaganti nomi di illustri ghigliottinate. I nomi di Marie Antoinette, Madame Roland, Charlotte Corday e Lucille Desmoulins mi divennero familiari.

L'altra specialità della mamma in quel periodo erano le corone da morto, sempre commissionate dal profugo russo. Ricamava grandi fiori di perline scintillanti su stoffe nere. A me piacevano assai; a mamma – meno.

Dovemmo cercare un altro alloggio, più conveniente e più centrale. Fu una ricerca estenuante e per questo riservata alla mamma, considerato che essa aveva molto garbo ed era quel che si dice avvincente. A volte, l'accompagnavo. La mamma spiegava subito al padrone di casa che eravamo "des étrangers". In generale, nessuno aveva nulla da obiettare. Aggiungevano invece spesso "pourvu que vous ne soyez pas des juifs". La mamma cercava di spiegarmi chi fossero "les juifs"; ma non capivo. Di gente di colore, negri e cinesi soprattutto, ne vedevo tanti per le strade di Marsiglia. Mi piacevano particolarmente i negri; quando ridevano mi pareva che ridessero più di noi. Ma come si faceva a distinguere "un juif" se era bianco anche lui? C'era del resto una ragione precisa, per la mia incondizionata simpatia verso i negri. Il primo 14 luglio trascorso in Francia mi smarrii sulla Canebiè-

mutterible

re, il mitico corso di Marsiglia, che in occasione della festa nazionale si trasformava in una bolgia inimmaginabile. Mi ero fermata con mia sorella davanti ad un negozio di giocattoli che aveva esposto nella vetrina una casa di bambole. Estasiata non mi saziavo di guardarla e così non mi avvidi che mia sorella aveva proseguito raggiungendo la mamma; mi ritrovai improvvisamente sola circondata da una folla immensa; impaurita mi misi a piangere. Nell'indicibile pigia pigia che si era creato intorno a me, un negro alto, bello, robusto riuscì ad aprirsi un varco; si fece avanti e senza esitare mi prese in spalla e incominciò a gridare "de qui est cette petite?" La paura mi passò d'incanto. Da quell'altezza mi era finalmente possibile vedere tutta quella fiumana umana che intasava la Canebière e di godere di uno spettacolo altrimenti inaccessibile. Mi tenevo stretta al collo del mio negro ed ero felice mentre lui continuava a sgolarsi ripetendo "a qui cette petite?" Da lontano scorsi mia madre; in preda all'angoscia si faceva largo tra la folla. Finsi di non riconoscerla e mi abbassai il più possibile affinché non mi scorgesse subito appollaiata lassù sulle spalle del mio negro. Mi vide. Trasformò la gioia di avermi ritrovata in una grandinata di sculacciate alla quale il mio salvatore cercava di sottrarmi. Invano. La gente intorno gridava "laissez, laissez, madame" ma la mano della mamma non era più frenabile. Si arrestò quando si esaurirono le sue forze. Il negro mi fece ancora una carezza, mi sorrise e poi mi abbandonò al mio destino. Lo vidi sparire tra la folla.

Il trasloco e lo scompiglio relativo mi entusiasmarono. Lo spostamento dei mobili – pochi a dire il vero – mi rivelava insospettati tesori nascosti o ritenuti ormai persi: lapis, figurine, bottoni luccicanti. Le regole che saltavano – se di regole si poteva parlare nella nostra vita – e la disciplina che si allentava in quel bailamme mi rallegravano. Inoltre quel trasloco mi rivelò l'esistenza del denaro e del suo significato. Sapevo che non ne avevamo ma la cosa non mi preoccupava più di tanto. Invece, quei giri infiniti che faceva la mamma per trovare un'abitazione corrispondente alle nostre risorse ed esigenze mi rivelarono che il denaro era una cosa con la quale ogni tanto bisognava fare i conti. Sognavo che i sassolini sparsi sulla strada fossero tutti soldi. La mamma mi tolse ogni illusione in merito osservando pacatamente "diventerebbero subito rari".

Il nuovo appartamento si trovava in Rue d'Aubagne, un quartiere popolare del centro. Le finestre davano su una piazzetta nella quale c'era uno smercio di frutta. Ci si svegliava spesso di notte, quando in piazza i venditori si passavano cocomeri e meloni contandoli ritmicamente ad alta voce: "un, deux, trois, quatre, cinq..." Arrivati a "dix" ricominciavano: "un, deux, trois, quatre..." Questa interminabile cantilena s'interrompeva di tanto in tanto a causa del raglio degli asini spazientiti, legati alle loro carrette. Per la mamma ed il babbo era l'inconveniente dell'appartamento; per me il suo pregio.

La mia prima esperienza scolastica la feci in quel quartiere. L'edificio era grande, grigio, tipo caserma. All'interno vi era un cortile quadrato e intorno, lungo i quattro lati, un'asse di legno che serviva da panca. Il cortile era spoglio di tutto: non un fiore o un albero o un attrezzo, in compenso durante la ricreazione si riempiva di numerosi bambini allegri e vivacissimi. Nella mia classe – in un'aula vi erano più classi – si contavano una quarantina di bambini, tutti fra i cinque, sei e sette anni, delle più svariate provenienze, origini e razze: mulatti, negri, cinesi. Nessuno vi faceva caso e nessuno poneva domande.

Perfezionai il mio francese rapidamente, arricchendolo peraltro di un abbondante "jargon" marsigliese. Lo custodivo gelosamente e lo riservavo per il mio mondo, poiché in casa – quanto alla lingua – vigevano regole severissime. Non solo era proibito di parlare il "jargon" marsigliese per ragioni di "buona creanza", come diceva la mamma, ma neppure il francese era tollerato. Il babbo soprattutto dava un gran peso alla perfetta conoscenza della nostra lingua italiana. La sua vigilanza in merito non si è mai affievolita, anzi aumentava man mano che noi imparavamo una lingua nuova. Il babbo aborriva il miscuglio fra due lingue; non lo ha mai tollerato; "barbari" urlava, se per caso ci prendeva in fallo. Tamburo battente ci piombava addosso uno scapaccione che il babbo si ostinava a chiamare "un affettuoso richiamo all'ordine".

Ma a scuola ero libera di parlare come i miei compagni. Del resto era indispensabile che io capissi e parlassi la loro lingua. Durante la ricreazione, seduti sulla lunga panca, i miei compagni di classe e anche altri, più grandicelli, raccontavano storie inverosimili. C'entravano sempre – et pour cause – la polizia, "cette vache", il contrabbando, furti e rapine, e i protagonisti di tali imprese finivano spesso e volentieri – così mi raccontavano – in prigione. Anche se le ragioni per le quali venivano rinchiusi in galera erano diverse da quelle per cui ci finivano gli amici dei nostri genitori, il fatto che "la police, cette vache", interveniva per arrestare quello o quell'altro dei parenti dei miei compagni di scuola non mi faceva la minima impressione, anzi. Mi sentivo a mio agio, eravamo "entre nous". Per non essere da meno raccontavo allora anch'io che avevamo degli amici che erano in prigione e che mio padre era fuggito per non finirci. "Giura che è vero!" mi intimavano. Ed io tutto d'un fiato pronunciavo il giuramento d'obbligo:

> Croix de bois, croix de fer
> si je mens je vais à l'enfer.

Il rito imponeva che mentre si giurava si facesse con la mano una croce sul petto. Ma c'era sempre chi diffidava e allora ingiungeva: "Jure que tu ne penses pas 'faux'"! Volevano cautelarsi contro ogni riserva mentale. La sapevano lunga.

La maestra ed il maestro si alternavano. Erano severi. Ci insegnavano a leggere e a scrivere ed a imparare un numero incredibile di versetti, generalmente a sfondo patriottico. Sia i ragazzi della mia classe che quelli delle classi superiori erano terribili: indisciplinati, discoli, dispettosi e a volte anche crudeli. I maestri facevano ampiamente uso del "martinet" che anche loro tenevano in un angolo a portata di mano; non suscitava né indignazione né incuteva terrore. E in ogni modo non garantiva la disciplina.

In quell'ambiente le vittime prescelte dei ragazzi erano i "bucheurs", i cosiddetti secchioni. Vi erano alcuni ragazzini organizzatissimi tra loro nel saper sottrarre ai "bucheurs" il "pensierino" o il compito preparato a casa, al momento della consegna in classe. Chiamati alla cattedra per presentare il foglio, i derubati cercavano affannosamente e inutilmente il loro compito e finivano per confessare colpe non commesse, balbettando confusamente delle scuse del tipo "me lo sono dimenticato". Anche se una gran parte della scolaresca sapeva chi aveva fatto sparire il foglio, tutti tacevano. In quella scuola vigeva un'omertà di tipo mafioso. Fare la spia era un'azione infame; non era ammessa per nessuna ragione e in nessun caso. La punizione arrivava puntuale: o il colpevole si buscava un sacco di botte, oppure lo si obbligava a girare per la scuola con un cartello attaccato sulla schiena su cui c'era scritto: "Je suis en quarantaine". I compagni mi spiegarono perché: "c'est un mouchard", è una spia: ha denunciato un compagno al maestro. Quel cartello lo bollava come tale di fronte a tutti i ragazzi. Di conseguenza nessuno doveva più rivolgergli la parola per 40 giorni.

Se poi effettivamente nessuno parlasse con lui per così lungo tempo, non lo so. Riferii l'accaduto alla mamma e al babbo; mi confermarono senza esitazione la regola secondo la quale non è ammissibile "fare la spia".

"E se il maestro continua ad interrogarmi e magari punisce me?"

"Saresti sfortunata, ma non per questo autorizzata a far la spia."

C'era un nesso tra scuola e casa.

Non c'era solo il "martinet" per i discoli a scuola; c'erano anche i "bons points" per i più meritevoli. Alla fine dell'anno scolastico il maestro premiava chi era riuscito a collezionare il maggior numero di "bons points" e veniva dichiarato ufficialmente "primo della classe". Quindi gli veniva assegnato in prima fila il primo posto a destra e dietro di lui il secondo, il terzo, il quarto della classe e così via, in modo che un ispettore scolastico entrando – veniva spesso durante l'anno – potesse a prima vista rendersi conto di chi era bravo e di chi era asino.

La cerimonia della premiazione era solenne; si svolgeva alla fine dell'anno scolastico. Il primo della classe veniva chiamato alla cattedra e lì, di fronte a tutti, si procedeva all'incoronazione. Il maestro poneva una coroncina d'alloro sul capo del premiato rivolgendogli parole fra le quali spiccavano "honneur" et "mérite". E infine, tutti insieme in piedi si cantava la "Marseillaise". Finita la festa ci si precipitava in cortile cantando a squarciagola l'inno delle vacanze il cui refrain recitava:

> ... et pon pon pon – nous soummes en vacances
> et pon pon pon – nous nous amuserons.
> Nous jetterons nos livres
> nos livres et nos cahiers.
> Et pon pon pon – nous sommes en vacances
> nous nous amuserons...

Anche noi andammo in vacanza quell'estate del 1930 – a Douazan presso Nérac in Guascogna, dove il giornalista socialista Luigi Campolonghi aveva organizzato una tenuta agricola. Campolonghi viveva a Parigi già dal 1910, come corrispondente del "Secolo", quotidiano democratico di Milano. Nel 1922, quando il giornale passò nelle mani dei fascisti, Campolonghi diede le dimissioni. In Francia egli era un punto di riferimento per gli esuli democratici provenienti da tutti i ceti sociali. Per loro, Luigi Campolonghi mise su la proprietà agricola a Nérac, usando la liquidazione dal giornale. Venivano a Nérac molti esuli antifascisti: Pietro Nenni, Treves, Modigliani, Silvio Trentin e molti altri. Fu lì a Nérac che nacque l'idea di una Concentrazione Antifascista sotto forma di una organizzazione a base di adesioni individuali fra gli iscritti ai vari partiti e gruppi di sinistra. L'idea nata a Nérac fu poi concretizzata a Parigi. Alla Concentrazione aderirono tutti i partiti antifascisti – tranne i comunisti – e inoltre la Lega italiana dei diritti dell'uomo e la Confederazione generale del lavoro.

Per noi bambini Nérac era il paradiso: c'era il castello di Douazan contornato da più modeste abitazioni e da vasti campi coltivati e non lontano – boschi, vigne, ruscelli e animali: buoi, cavalli, muli; ci divertivamo un mondo. C'erano i figli di molti profughi politici con cui giocare – era un "Kinderheim" sui generis – politico. Bruno Trentin aveva la mia età; era sempre portato a esempio da tutte le mamme presenti. Era ben educato, riservato e servizievole e, nonostante ciò, simpatico pure a noi, suoi compagni di giochi. "Quel amour d'enfant", dicevano di lui le signore.

Il babbo continuava a lavorare a Marsiglia e ci veniva a trovare per il fine settimana, sempre che non dovesse assentarsi per incontri vari, assemblee, conferenze o riunioni politiche. L'interesse – e la curiosità – per la gente che ci circondava e per le vicende di cui venivamo a conoscenza aumentava man mano che noi crescevamo. Ci trovavamo, con mia sorella, a confabulare per mettere insieme quanto aveva capito lei con quanto avevo afferrato io dei discorsi che sentivamo fare dai grandi, riuscendo in tal modo a immaginare più o meno quello che stava succedendo intorno a noi.

"Quel che capite – capite. Quel che non capite – non capite," diceva la mamma. Dovevamo adattarci ad ascoltare e tacere per seguire gli avvenimenti che ci interessavano.

Fu verso la fine di quel periodo vissuto a Marsiglia che Sandro Pertini impiantò una stazione ricetrasmittente a Eze, vicino a Nizza, dove in quel periodo lavorava come "peintre en bâtiment". Pertini, che era amico dei miei genitori sin da quando vivevano ancora in Italia, mise al corrente il babbo del suo progetto. Il babbo descrisse nei particolari quell'impresa su "L'iniziativa" del 5.II.1932.

"... Fu in una 'sera di maggio con ridere di stelle'.

Da lungo tempo Pertini mi aveva scritto e parlato della sua 'grande novità': aveva ricevuto da casa sua, per una liquidazione di certi conti, alcune migliaia di franchi e intendeva usarli... per impiantare un posto clandestino di emissioni radiotelefoniche... Egli aveva installato il macchinario del suo 'posto' in una villetta di Eze-sur-mer, aggrappata alle ultime pendici di una collina ripidamente degradante sul mare. 'Vieni a vedere, vieni a vedere che cosa sto facendo', mi aveva scritto più volte assicurandomi che io ero una delle due o tre persone a cui aveva voluto o dovuto, per una ragione o per un'altra, confidare il suo segreto. E così la sera del 6 maggio (ero nel mio secondo anno d'esilio) mi trovai alla stazione di Beaulieu, pochi chilometri dopo Nizza; là Sandro mi aspettava con una magnifica aria di studentino sfaccendato in cerca di piccole avventure. Saltò sul mio treno per proseguire con me sino alla stazione di Eze-sur-Mer. Un saluto e una stretta di mano, qualche guardata intorno per vedere se eravamo osservati o seguiti, due minuti di conversazione frettolosa ed eravamo già ad Eze. Attraversammo la piccola stazione quasi deserta e cominciammo a salire.

Era buio, oramai. C'era tutt'intorno una serenità quieta e leggera in cui lo spirito si stemperava languidamente: ricordi della fanciullezza, reminiscenze di dolci sere lontane, nostalgie improvvise di altre passeggiate 'in la vita serena', tutto sembrava fatto per stringere d'assedio il cuore e per farlo capitolare... Non c'era che da salire con buon passo d'alpini su per la scorciatoia sassosa bestemmiando e ridendo a fior di labbra ogni volta che dalle ville sotto cui passavamo ci giungeva, in lieti suoni e in rumor di stoviglie, l'eco della felicità grassa e insolente dei 'rentiers' di tutto il mondo... Nel frattempo Pertini mi metteva rapidamente al corrente delle ultime novità: egli non era ancora riuscito a rendere regolari e sicure le emissioni, soprattutto perché v'erano molti piccoli ostacoli tecnici che un suo amico meccanico cercava tenacemente di superare; ma il tempo disponibile era poco, prima perché tutto doveva esser fatto di notte e poi perché il meccanico e lui stesso dovevano continuare a lavorare, per vivere e per non destare sospetti. Pertini aveva anzi dato ad intendere ai suoi amici di Nizza che s'era incapricciato di una donna che abitava nei dintorni della città. Nessuna meraviglia dunque che qualche volta lo vedessero, la sera, partire...

Il rifugio di Pertini era una modestissima villetta quasi nascosta tra le piante. Costava, mi pare, novecento franchi al mese. Tutte le stanze erano naturalmente vuote e senza mobili, eccettuata quella in cui Pertini aveva montato la sua macchina. Io guardavo con meraviglia e senza comprendere assolutamente nulla il groviglio intricato di fili, di bobine, di lampadine e di meccanismi vari che Pertini toccava e manovrava, viceversa, con la massima disinvoltura. Ah, era dunque vero! L'avvocato trentenne non aveva esagerato in nulla ed era stato semplice e schietto come un autentico imbianchino. Fino a quel momento io avevo dubitato un po', lo confesso, dell'esattezza di quel che mi aveva detto. L'amplificazione retorica è una malattia tipica di noi italiani contro la quale non saremo mai, per tutto il male che ha fatto e che fa, eccessivamente diffidenti. Per di più certe violenze verbali, certe esplosioni sentimentali del temperamento di Pertini mi avevano più di una volta 'froissé'. Ma quel che vedevo non permetteva più dubbi: Sandro non mi aveva contato frottole.

... Dopo essersi recato un momento fuori a elevar fra le piante una grossa antenna tinta di verde, s'era messo dinanzi a una specie di microfono declamando per prova, a voce alta e regolare, una insopportabile e banalissima trama di film cinematografico. Eccolo là con le spalle un po' strette, con la fronte altissima, con i capelli tagliati a spazzola, mentre 'dice la lezione'. Pur non avendo la dizione oliata e mellifula di uno speaker di professione, la sua voce è ferma e non tradisce alcuna particolare preoccupazione. Un'impressione di volontà, di decisione e di fermezza tranquilla si sprigiona da tutto il suo atteggiamento. Egli è veramente, sotto questo aspetto, un 'figlio del secolo'. Io lo contemplo un po' umiliato, domandandomi come e perché abbia sentito il bisogno, questo magnifico tipo, di chiamar me a giudice della sua serietà. Egli meriterebbe, in questo momento, tutte le gioie e tutte le fortune della vita: meriterebbe l'abbraccio di una di quelle bellissime donne di cui egli sognava e parlava spesso con tanto ardore...

Ecco, ora è finito. Pertini mi avverte che un amico lontano lo informerà il giorno dopo dei risultati della sua comunicazione. Così ha fatto sin'ora, con molto progresso; così continuerà per l'avvenire sinché l'avvertiranno dall'Italia che tutto procede bene.

Così continuò infatti sino alla piena realizzazione del suo piano. Poi si sentì sorvegliato e avviò delle pratiche con alcuni amici di Marsiglia per trasferire là il suo impianto; ma sopraggiunsero improvvisamente la scoperta e l'arresto."

Il processo si celebrò nel gennaio del 1929. Pertini riconobbe di aver trasgredito le leggi del paese che l'ospitava, ma "io lotterò sempre e dovunque," dichiarò in aula, "per quell'ideale di libertà e giustizia, che è l'antitesi del fascismo... Ogni voce di verità è soffocata oggi nella notte fonda, senza stelle che sovrasta l'Italia. Ecco perché pensai di unirmi alla patria lontana attraverso le vie del cielo... così mi sono servito di una divina scoperta della scienza per trasmettere parole di fede e verità ai miei compagni..."

Di lì a poco Sandro Pertini rientrò clandestinamente in Italia. L'esilio gli sembrava inutile, come ebbe a dire. La polizia fascista lo arrestò a Pisa su indicazione di un avvocato che lo aveva riconosciuto. Rimase in carcere 14 anni.

Per l'ambiente dei profughi l'arresto di Sandro Pertini fu un duro colpo; per i miei genitori fu un grande dolore. Parlarono a lungo dell'uomo e ritornarono sull'infamia di "fare la spia". Ma Pertini non era solo l'uomo intrepido, dalle azioni ardite, leggendarie; per me era anche quel signore sempre cortese e affettuoso che quando veniva a casa chiedeva per prima cosa alla mamma un ferro da stiro per rifarsi la piega ai pantaloni. L'eleganza, l'accuratezza nel vestire hanno sempre contraddistinto Pertini dalla stragrande maggioranza dei profughi politici di quel tempo. Vi vedeva una questione di dignità. L'immagine che di Pertini mi ero fatta era quella di un eroe elegante.

Si era appena conclusa in quel periodo la tragedia di Alvise Pavan, un altro profugo, un operaio. Colpì profondamente la mamma ed il babbo e amareggiò l'ambiente degli esiliati.

Pavan era stato fattorino presso la redazione di un giornale repubblicano di Treviso "La Riscossa". Quando un gruppo di squadristi attaccò la redazione, nel 1921, Pavan fu tra coloro che difesero disperatamente il giornale. Venne ferito e poco dopo dovettero amputargli un braccio. Espatriò nel 1926 in Francia e si stabilì a Parigi, dove i miei genitori lo conobbero. Pavan non disponeva di alcun mezzo; viveva dei sussidi che di tanto in tanto i compagni potevano dargli. Pavan venne preso dallo sconforto e piombò in una crisi profonda. Lui, estremista dei più accesi, mal sopportava l'esilio. Cominciò a disprezzare i compagni che secondo lui, rimanevano passivi mentre lui sosteneva che bisognava agire, muoversi e lottare. Fu facile agli agenti provocatori e alle spie, che si erano infiltrati nell'ambiente antifascista dei profughi, compromettere Pavan, dichiarandosi a lui compagni anche loro insoddisfatti e delusi e così indurlo ad accettare qualche aiuto. Pian pianino i suoi vecchi compagni antifascisti lo evitarono e cercarono di emarginarlo. Quando Pavan ne prese coscienza chiese, indignato, le ragioni. Gliele diede, senza mezzi termini, Camillo Berneri, il noto anarchico anch'egli esule in Francia, ucciso nel 1937 a Barcellona nella lotta che i comunisti condussero contro gli anarchici. Berneri esortò Pavan a fornire la prova ai suoi vecchi compagni che essi si erano sbagliati e che non era diventato una spia. Per dimostrare la sua buona fede, che scegliesse lui stesso la prova. Pavan allora uccise con una rivolverata a Parigi, nel 1928, colui che aveva cercato di comprometterlo. La polizia francese riuscì a rintracciare ed arrestare Pavan quando egli aveva già raggiunto la frontiera svizzera, presso Basilea. Il riconoscimento fu possibile perché la bambina della portiera di Rue Sébastopol, dove avvenne il fatto, aveva avuto il tempo di vedere un uomo fuggire, un uomo che era "un manchot", un monco, come disse. Pavan venne condannato e morì in carcere di tubercolosi nel 1931.

Gli ambienti dei profughi pullulavano di spie e di agenti provocatori. Cominciavo ad afferrare, vagamente, a che cosa mirassero gli "interrogatori". Mi rimase impressa la lezione che mi diede Emilio Lussu in merito. Lussu era un narratore che incantava: stringato e vivace insieme; mi sentivo coinvolta. La sua intransigenza, il radicalismo delle sue espressioni – quando diceva di uno "è un miserabile" la questione era chiusa, liquidata senza attenuanti – non ammetteva replica alcuna. Contrastava in ciò con i suoi modi di squisita cortesia e con la sua riservatezza, "di cavaliere d'altri tempi", diceva la mamma. Un cospiratore che si rispetta, pensavo, non poteva avere che le sembianze di Emilio Lussu. "Prima regola in caso che la polizia ti interroghi," insegnava, "mai temere di passare per stupida. Chi non lo è può permetterselo." Ero fiera del fatto che egli mi ponesse fra coloro che stupidi non sono. Mentre cercava di darmi i primi insegnamenti del "codice di comportamento" fummo interrotti da alcuni compagni che cercavano lui e il babbo. Lussu mi promise che avrebbe continuato il discorso. Lo fece: molto dopo. Lussu era un uomo di parola, anche con i bambini.

2

ARRIVO IN SVIZZERA

"Almeno così le bambine impareranno il tedesco," concluse la mamma quando fu deciso che ci saremmo trasferiti in Svizzera. Là il babbo non sarebbe più stato disoccupato e non avrebbe più lavorato come linotipista; avrebbe esercitato la sua professione: l'insegnante.

L'idea di un cambiamento mi piaceva: vi vedevo soprattutto l'occasione di un trasloco e di un lungo viaggio. Della Svizzera non conoscevo altro che la cioccolata e le meravigliose decalcomanie che aveva cominciato ad inviarci Rosina Bertozzi, figlia di un emigrato romagnolo di Zurigo, non appena suo padre le disse che sarebbero arrivate dalla Francia due bambine, mia sorella e io. La Svizzera quindi prometteva bene.

Il babbo ci precedette di alcune settimane. Così lo trovammo a Zurigo ad attenderci alla stazione insieme a Mario Casadei, un muratore romagnolo repubblicano emigrato in Svizzera dopo la prima guerra mondiale. Casadei mi apparve subito come un uomo gioviale ed espansivo, dai modi spicci e gran burlone; si comportava come se ci conoscesse da lungo tempo. Appena mi vide – forse un po' smarrita – per farmi divertire mi prese a cavalluccio permettendomi così di avere una visione generale della stazione di Zurigo; proprio come aveva fatto il mio negro alla Canebière. Fu una delusione a prima vista: avevo in mente ancora l'allegro disordine della stazione di Marsiglia, il formicolare di persone di colore diverso, il vociferare della gente mescolato allo sferragliare dei vagoni e al fischio dei treni in partenza e in arrivo, il tutto frammischiato al rumoreggiare confuso di una folla che correva, incalzava e si urtava. Niente di tutto questo, alla stazione di Zurigo. Mi impressionarono il silenzio e l'ordine, che mi permisero, in compenso, di avvertire un rumore mai notato prima di allora: quello che fanno i tacchi delle scarpe quando le persone camminano: tac, tac, tac. Questo suono in una città come Marsiglia veniva inghiottito dal frastuono generale. Alla Hauptbahnhof di Zurigo invece, all'infuori delle risate del nuovo amico e del suono provocato dal battere dei tacchi sul marciapiede, regnava il silenzio.

Ero sbigottita e lo dissi subito a Casadei; lui ridendo mi rispose che quello era niente, che in Svizzera ne avrei viste delle belle; e mi fece notare che i treni, i portabagagli, persino i loro carrettini, erano messi lì in fila e in buon ordine perché il capostazione – quel signore col berretto posto ben dritto sul capo e la bella borsa rossa a tracolla, doveva, a mo' di generale, passare tutto e tutti in rivista – anche i carrettini. Gli credetti.

La prima casa in cui andammo ad abitare era alla Nordstrasse 318. All'entrata dello stabile un cartello avvertiva perentoriamente: "Teppichklopfen", sbattere tappeti, prima delle 7 di mattina, era "verboten" – vietato. Non correvamo alcun pericolo: non avevamo tappeti. La casa era un po' fuori mano. Immersa – manco a dirlo – nel silenzio, compensato per me, tuttavia, dal bel prato verde lucido sul quale si affacciava il retro della casa. Era estate e pioveva; mi fu dato poche volte di vedere quel prato asciutto. Ma ero soddisfatta perché i bambini vi giocavano anche se diluviava; del resto, erano tutti equipaggiati contro la pioggia con alti stivali di gomma nera. Anche i miei genitori mi lasciavano andare a giocare, mentre a Marsiglia non mi permettevano mai di raggiungere gli altri bambini che si divertivano per la strada: "per molte e molte ragioni", dicevano. Ero felice di constatare che "quelle ragioni" a Zurigo non esistevano più.

Feci subito comunella con i ragazzini del caseggiato.

"Chum zue'mer" – vieni da me – furono le prime parole di zurighese che imparai. I miei nuovi compagni di giuoco erano – confrontati con quelli che avevo lasciato a Marsiglia – a modino e pacati, inoltre tutti rosei e paffutelli. La mamma era ammirata da quell'aspetto sempre florido che avevano i bambini svizzeri; contemporaneamente ne era infastidita, perché io, in confronto,

ero terrea, secca e allampanata. I genitori dei bambini le chiedevano spesso se stessi proprio bene. La mamma era superstiziosa:
toccava ferro. Poi corse ai ripari:

"Vieni qui, meglio fare invidia che pietà," diceva e, prima di
lasciarmi uscire, per andare a casa dei ragazzini che mi invitavano a giocare mi strofinava sulle guance delle rape rosse.

"E non dire nulla a tuo padre," si raccomandava.

Le loro case erano l'opposto della mia: ordinate e silenziose.
Inoltre non vedevo mai nessuno che non fosse un membro della
famiglia. Le visite degli ospiti erano programmate con settimane
d'anticipo. I pavimenti erano lustri e le mamme dei miei amici mi
insegnarono subito ad infilare larghe pantofole di feltro prima di
entrare nella "Stube". Inoltre mi sembrava che tutti bisbigliasse-
ro quando parlavano tra loro. "Perché voi litigate sempre?" mi
chiedevano incuriositi a loro volta i bambini che ci sentivano
parlare a voce alta. E quando cercavo di spiegare che non si liti-
gava affatto parlando in quel modo, rispondevano saccentemente
che "... questo non si deve fare perché disturba gli altri". Inco-
minciavo a scocciarmi.

Si seccò anche il babbo: una domenica mattina suonarono alla porta e si vide di fronte un vigile che con l'indice puntato verso di lui: "... lei sta lavorando, Herr Professor."

Infatti il babbo aveva appeso uno specchio in camera nostra
e teneva ancora il martello in mano.

"Lavorare la domenica è *verboten*," gli notificò il vigile. "Alcuni vicini ci hanno segnalato che lei stava martellando, quindi
lavorando: questo disturba, è vietato. No, non solo per il rumore
che provoca: per rispetto religioso."

Fu quello il primo impatto con la polizia svizzera.

La legge scolastica svizzera permetteva di andare a scuola soltanto a 7 anni. Quando giunsi a Zurigo mi mancavano pochi mesi al termine. Dovetti attendere. Ma fui contenta lo stesso perché
dall'Italia giunse il nonno Chino e stette con noi tutto l'inverno.
Sarebbe sempre venuto nel tardo autunno a Zurigo, a "svernare", come diceva, "dove le case sono ben riscaldate." Così riprendemmo le nostre lunghe passeggiate per i campi, interrotte a
Todi. Attraversavamo prati, sempre umidi, per cogliere dagli alberi le mele e le pere che il nonno mi sbucciava con un coltellino
affilatissimo che portava sempre con sé. Mi chiedeva come si di-

cesse "mela" e "pera" in tedesco e ci rimaneva malissimo quando io gli rispondevo "Oepfel" e "Bire" e asseriva che no, che a lui avevano insegnato a dire "Apfel" e "Birne".

"E burro, come si dice?"

"*Anke*."

"Macché *Anke – Butter*!"

"E spinaci?"

"*Binaetsch.*"

"Macché *Binaetsch* – si dice *Spinat*."

Divenne per noi un giuoco. Così appresi che lo "Züridütsch" è una lingua a sé; il tedesco lo avrei imparato anch'io, ma solo a scuola. Mi trovavo in un paese dove si parlava in un modo e si scriveva in un altro.

Durante quel primo inverno svizzero scoprii la neve. Andavo con gli altri bambini dietro la casa dove c'era un pendio. Mario Casadei mi regalò una slitta. Ma non era la slitta che avevano gli altri, bassa, di legno chiaro con il marchio "Davos". La mia era un oggetto da museo: alto come uno sgabello e con due grandi ferri ricurvi che parevano le corna di una capra.

Tutti si misero a ridere allorché mi presentai con quella anticaglie e mi canzonarono. "Du, mit diner Gais" (tu con la tua capra) e capivo che c'era del disprezzo in quel che dicevano, perché i miei non avevano i soldi per comprarmi una slitta vera. Mi vergognavo. Lo dissi al babbo; si arrabbiò. Usava esprimere il suo sdegno in modo esplosivo con un epiteto che non ho mai udito da altri:

"Imbecillòmetro! Imponi loro la tua *Gais*, la tua 'capra'," urlava. Lui si divertiva a fare cose che gli altri non facevano e pretendeva che mi divertissi anch'io. Così mi permise di partecipare al "Räbeliechtliumzug" – ma a modo suo. Il "corteo dei lumini di rape" è una vecchia tradizione del cantone di Zurigo d'origine pagana. Nel tardo autunno i bambini cominciano a fabbricare il loro lumino, che consiste in una rapa dalla quale con pazienza e abilità tolgono tutta la polpa, lasciando solo un involucro non più spesso di mezzo centimetro. Sulla parte esterna di questa parete vengono incisi come ornamento – a seconda dei gusti e dell'abilità – stelle, angeli, una luna. La candelina posta al centro della rapa – che a sua volta viene appesa ad un bastone per mezzo di cordicelle – ne fa un allegro lampioncino. Ogni bambino ha un suo lumino e tutti insieme sfilano in un lungo corteo che si snoda per le strade del quartiere. Il babbo mi spolpò la rapa con grande maestria. Purtroppo dovette interrompere il lavoro all'improvviso, perché dalla Francia era giunto un "compagno" che desiderava parlargli. Entrò un signore alto, massiccio; dopo aver salutato il babbo si scusò gentilmente con me perché si era accorto di quanto mi avesse infastidito la sua intrusione.

"Dopo ti dirò chi è questo signore," fece il babbo allontanandomi. Parlarono a lungo. Quando fu partito, riprendemmo il lavoro della rapa ed il babbo mi spiegò che quel compagno si chiamava Giorgio Amendola, figlio di un grande uomo – Giovanni Amendola. E mi raccontò subito, con la rapa in mano, di come le camicie nere lo avessero aggredito e picchiato a sangue perché "difendeva la libertà". Ero più preoccupata per la mia rapa che per Giovanni Amendola; tuttavia quel nome mi rimase impresso. Non so se fosse per il richiamo al fascismo e all'antifascismo che gli aveva ispirato l'arrivo di Giorgio Amendola, sta di fatto che il babbo, accanto alla luna e alle stelle, fece un altro intarsio sulla mia rapa – tre frecce parallele oblique, simbolo della Concentrazione Antifascista. Protestai vivacemente; nessuno avrebbe saputo che cosa stessero a significare quelle frecce; i bambini mi avrebbe nuovamente canzonato.

"Imbecillòmetro – e tu imponi la tua rapa!" urlò mio padre.

Tutto era diverso in Svizzera – anche fare la spesa. Non era come a Marsiglia, quando con la mamma andavo nei negozi o al mercato dove le pescivendole mi regalavano conchiglie e granchi e mi chiamavano *ma petite cocotte*. A Zurigo era il negozio che veniva da noi. Due o tre volte alla settimana, a certe fermate prestabilite, come si trattasse di un tram, arrivava un furgoncino di alluminio. Sui lati portava una grande "M" maiuscola, che stava ad indicare "Migros". Appena arrestato il motore, l'autista stesso, in un battibaleno trasformava il furgoncino in una bottega, tirando giù da un lato del veicolo un vero e proprio banco, dietro al quale si metteva con sussiego a vendere. "Migros" era un'invenzione di Gottlieb Duttweiler, un'impresa creata nel 1925. Alla gestione irrazionale delle piccole aziende Duttweiler contrappose un nuovo sistema di distribuzione. La gente diceva "rivoluziona il mercato". Molti generi alimentari infatti costavano sensibilmente di meno: marmellata, caffè, zucchero, cioccolata, olio e altro ancora, perché "Migros" vendeva "vom Produzenten zum Konsumenten", dal produttore al consumatore, come diceva una scritta. Se ne faceva un gran parlare all'epoca. I sindacati allora osteggiavano aspramente l'impresa di Duttweiler. La mamma era contenta perché nella zona vi erano pochi negozi e tutti piuttosto cari. A me piaceva in modo particolare. Infatti mi permetteva di fare la spesa da sola, proprio come una "grande". Come facesse l'autista ad arrivare sempre puntuale, non l'ho mai capito. Non potevano esserci a tutte le fermate precedenti alla nostra il medesimo numero di clienti, e non c'era un limite prestabilito per la vendita. Eppure l'autista del furgoncino "Migros" non si faceva mai attendere; era come un treno. In casa i miei erano sconcertati.

"Gli svizzeri hanno un orologio nella pancia," decretò la mamma. Quello della puntualità, insieme a quello della pulizia, dell'ordine e del silenzio, fu uno dei primi aspetti che ci colpì del paese in cui eravamo andati ad abitare. Si trattava di adattarsi, poiché tutto il ritmo dell'esistenza era scandito secondo questi canoni, diceva il babbo alla mamma che era piuttosto insofferente. Lei rimpiangeva la Francia; anche per quell'inquietante precedente della "Polizei" che si presenta quando meno te l'aspetti, su richiesta anonima del primo vicino che intende redarguirti. Puntualità, ordine e silenzio erano nella Svizzera di allora virtù indiscusse, assolute, accettate da tutti e suffragate da severe considerazioni morali, come mi insegnarono a scuola di lì a breve.

Il primo giorno di scuola fu l'unica volta in cui i miei genitori mi accompagnarono; successivamente, andai da sola, come tutti i bambini svizzeri. L'edificio scolastico – il Wipkingerschulhaus – distava una diecina di minuti dalla nostra abitazione ed era circondato da un vasto giardino dove c'erano attrezzi per ginnastica e giochi – sbarre, cavalletti, palla a volo ecc. Appena varcata la soglia, mi colpì l'odore, un miscuglio di bucato e di farmacia. Nella scuola di Marsiglia era stata la varechina, l'eau de Javel, a sovrastare ogni cosa, pure il tanfo. La mia aula era vasta e luminosa. Alle pareti erano appesi quadri di paesaggi svizzeri – le Alpi, i laghi, i campi. In fondo, un grande ritratto di Guglielmo Tell con la balestra in spalla e il suo bambino per mano. Nessun crocifisso.

Il maestro si chiamava Herr Meili, i bambini lo chiamavano Herr Lehrer, signor maestro. Era un signore anziano con i capelli bianchi, dai modi gentili e accondiscendenti; non incuteva nessuna paura. Ci fece prendere posto nei banchi che sembravano usciti allora da un mobilificio, tanto erano lustri e lindi. Scelsi un banco in fondo alla classe, per diffidenza o per prudenza. Herr Meili fece l'appello e notò che in classe – una quarantina tra femmine e maschi – c'era un'unica straniera: tutti si voltarono a guardarmi. Quanto alla religione, la scolaresca si ripartiva in protestanti – la grande maggioranza – cattolici, alcuni ebrei. E poi c'ero io: "*katholisch getauft jetzt konfessionslos*" – battezzata cattolica attualmente senza confessione – come il babbo aveva voluto precisare sul modulo apposito. Il maestro ne prese nota e non fece commenti. Nuovamente tutti si voltarono a guardarmi. Non mi sentivo a disagio: i miei genitori mi avevano spiegato il perché della mia "diversità religiosa"; ritenevano che fosse una questione di coscienza, quindi strettamente personale e che, venuto il momento, avrei deciso io stessa. Infatti le prime nozioni sulla storia delle religioni – al di là di ogni confessionalità – le ricevetti in casa. La religione non ha mai costituito un problema per me bambina; gli altri avevano il loro culto e noi, come "impalcatura morale", quello della libertà e della coscienza che andava comunque, sempre ascoltata.

Quel primo giorno di scuola il maestro sottolineò che i banchi in cui siedevamo erano un bene comune, per cui era nostro dovere lasciarli ogni giorno come li avevamo trovati: puliti. Successivamente ci distribuì quello che a me parve ogni ben di Dio: quaderni, lapis, matite colorate, gomme per cancellare ecc. Ci disse anche che ogni volta che avessimo avuto bisogno di materiale scolastico avremmo potuto richiederlo e ci sarebbe stato dato, gratuitamente. Anche i libri erano gratuiti per tutta la durata della scuola d'obbligo, ma venivano dati in dotazione provvisoria. Dietro la copertina, all'interno del volume, c'era una etichetta sulla quale andavano annotati nome dello scolaro, dell'insegnante, anno di consegna e data di restituzione del volume. Alla fine dell'anno scolastico Herr Lehrer visionava il libro, ne giudicava lo stato e faceva pagare, a seconda di come lo trovava, una penale di 5, 10 o 20 centesimi. Il medesimo libro doveva servire per molti anni a più scolari. Andava quindi tenuto bene e rispettato. Imparai presto che era un punto d'onore non dover pagare una penale e restituire il volume nel miglior stato possibile. A me toccò un libro sul quale prima di me avevano studiato per vari anni altri bambini, ma il libro pareva nuovo: non una macchia, annotazione o strappo. I miei genitori – ambedue insegnanti – rimasero strabiliati e ammirarono un tale sistema educativo.

Inoltre la scuola regalava ad ogni scolaro un libricino illustrato destinato all'insegnamento del comportamento civico in ogni luogo pubblico. Per di più, ogni sabato il maestro distribuiva in classe quella che in zurighese veniva chiamata "Chropfzeltli"; era una pasticchina al sapore di cioccolato contro l'insorgere del gozzo – "Chropf". Il gozzo infatti – derivante da una carenza di iodio dovuta all'acqua, si diceva – era allora molto diffuso fra gli Svizzeri; le autorità mediche avevano aperto una vasta campagna profilattica per combatterlo sin dall'infanzia, distribuendo settimanalmente quelle pasticchine che contenevano appunto un supplemento di iodio. Non avevo mai visto un gozzo prima di giungere in Svizzera. Non si trattava solo di un rigonfiamento del collo, di un aumento più o meno modesto della ghiandola tiroidea, a volte era una vera e propria palla sotto il mento – dalle dimensioni di una arancia. Sbucava dalla scollatura delle persone, che del resto lo portavano con estrema disinvoltura – sia uomini che donne. La mamma, dotata di un forte senso estetico, ne era terrorizzata ed il gozzo divenne per lei un'ossessione. Io ero convinta che fosse una particolarità riservata agli svizzeri e poiché ero italiana non mi sentivo chiamata in causa. Trovai modo di barattare ogni settimana la mia "Chropfzeltli" con il pennino nuovo che contemporaneamente alla pasticca antigozzo il maestro distribuiva in classe. Di conseguenza migliorai il mio voto in calligrafia – sostituivo il pennino usato ogni 3 giorni, a differenza dei miei compagni di scuola – ma non contribuii alla precisione dei dati statistici sugli effetti positivi rilevati dalla "Kropfprophylaxe" nelle scuole di Zurigo.

Il medico della scuola – *Schularzt* – sottopose subito tutti gli alunni alla "Tuberkolinprobe" per verificare se avessero un'infezione tubercolare in atto o se fossero predisposti al contagio. L'operazione si ripeteva ogni anno; e ogni anno una notevole percentuale dei miei compagni – quelli stessi che ostentavano tanta salute per come erano floridi e coloriti, risultavano più vulnerabili alla tubercolosi di me che spiccavo per il mio pallore e la mia magrezza. La mamma gongolava; era per lei un momento di grande soddisfazione – una specie di rivincita. Anche la visita del dentista – *Schulzahnarzt* – la superavo con uno a zero a mio favore. Non mi riscontrava mai un dente cariato, mentre i miei compagni, già all'età di 7 e 8 anni, dovevano sottoporsi alle cure dentarie, peraltro gratuite.

Tutta l'organizzazione scolastica svizzera appariva ai miei genitori perfetta – io mi annoiavo. Quell'ambiente soporifero mi faceva rimpiangere la scuola di Marsiglia. Non c'era nessuno in classe che raccontasse storie strabilianti, nessuno che disubbidisse spavaldamente, apparivano tutti docili ed inclini alla deferenza verso l'autorità rappresentata dal maestro. Si mostravano disciplinati anche quando si trattava di denunciare un compagno di classe. Non c'era nessun "martinet" in agguato, eppure vigeva un rispetto reverenziale per "Herr Lehrer"; quello che diceva lui era Vangelo. Questo rispetto indiscusso si rifletteva in una frase che sbarrava il passo ad ogni possibile discussione fra noi compagni: "*de Lehrer hät's gsait...*" – l'ha detto il maestro. Sfuggì pure a me una volta in famiglia; la reazione di mio padre fu vivacissima: "Ricordati che il maestro potrebbe essere un bischero come me e te; devi imparare a giudicare con la tua testa e la tua coscienza."

A me stava bene che il babbo la pensasse così e che considerasse l'ipotesi di essere un bischero anche lui, ma ritenni opportuno tacere con i miei compagni; del resto non avrei saputo tradurre "bischero".

Continuavo a sperare che in classe succedesse finalmente qualcosa, magari una scazzottatura che animasse un po' l'atmosfera. Credetti che quel giorno fosse finalmente giunto quando una volta, entrando in classe, vidi un compagno circondato da tutti gli altri mentre piangeva disperatamente.

"Che è successo?" chiesi.

"*Er hät de Lehrer agloge...*" – ha mentito al maestro. Sgranavano gli occhi raccontandomelo come se quel disgraziato avesse commesso un crimine. Riferii l'accaduto ai miei genitori che non tralasciarono di sottolineare come la mancanza consistesse nell'aver *mentito* e che poco importava che l'ingannato fosse il maestro.

A Marsiglia non avevo avvertito nessun contrasto tra l'ambiente familiare e quello scolastico. La mentalità del mondo della scuola in Svizzera mi era invece estranea; almeno durante i primi anni. Avevo la sensazione di "stare sempre dalla parte sbagliata"; subii un "Kulturschock".

L'atmosfera familiare a Zurigo non era sostanzialmente diversa da quella che era stata a Marsiglia. Continuava la grande animazione per la gente che arrivava e ripartiva, una buona parte

improvvisare

della quale noi bambine dovevamo "dimenticare d'aver visto", come si raccomandavano spesso i nostri genitori. E noi dimenticavamo. O facevamo finta. L'assoluta mancanza di una "programmazione" di vita – all'infuori naturalmente degli orari prestabiliti dall'attività professionale dei miei e da quella scolastica per noi –, la provvisorietà come elemento costante nella vita dei profughi, – "da qui ad allora chissà quanti funghi son nati", rispondeva immancabilmente la mamma ad ogni domanda che riguardasse il futuro –, nonché la permanente mancanza di quattrini, erano tutti aspetti della nostra vita rimasti tali e quali a quelli di Marsiglia. Ma in Svizzera apparivano accentuati, perché l'esistenza di ognuno era programmata, progettata, pianificata e perché – faceva notare la mamma – "esser poveri a Zurigo non è la stessa cosa come esser poveri a Marsiglia". La mamma soffriva fra l'altro per il clima; il cielo grigio e basso la deprimeva e il freddo l'offendeva, come diceva lei. Poi c'era quel fatto della lingua, lo zurighese dai suoni duri e gutturali così oltraggioso per chi era abituato come lei, alla dolcezza della parlata umbra. In compenso il babbo aveva un lavoro assicurato, anche se dal lato economico assolutamente insufficiente per una famiglia di quattro persone. Il babbo e la mamma dovevano arrangiarsi come e dove potevano, ma un ostacolo quasi insormontabile era costituito dall'esplicito "Arbeitsverbot", il divieto di svolgere una qualsiasi altra attività all'infuori di quella per cui si era ottenuta l'autorizzazione a soggiornare in Svizzera: l'insegnamento presso la Scuola Libera Italiana. Quello che c'era di nuovo a Zurigo rispetto a Marsiglia era appunto la Scuola Libera Italiana, che la mamma e il babbo erano stati chiamati a dirigere. Si trattava di una scuola italiana antifascista – un doposcuola – fondata nel 1930 da un gruppo di emigrati italiani di Zurigo appartenenti a varie correnti politiche. A mobilitarsi era stata anzitutto la "Lega della libertà", un'organizzazione antifascista sorta a Zurigo nel dicembre 1925 e presieduta dall'allora repubblicano Domenico Armuzzi di Ravenna, un negoziante di frutta. Tra i promotori del Comitato pro-scuola riunitosi a Zurigo per la prima volta nel gennaio 1931 figuravano tuttavia tutti i gruppi antifascisti di Zurigo. La scuola si chiamava originariamente "Scuola popolare".

Così la presentò "L'Avanti – l'Avvenire del lavoratore" in un articolo del 31 gennaio 1931:

"È in corso di attuazione, a Zurigo, l'esperimento di una Scuola Popolare libera, sul quale è interessante richiamare, per il suo particolare valore, l'attenzione degli antifascisti italiani. La Scuola Popolare di Zurigo non è, in ordine di tempo, la prima creazione del genere: in altre città esistono già, per iniziativa e per volontà degli italiani avversi alla dittatura fascista, delle istituzioni scolastiche in cui si cerca di dare ai figli dei nostri emigrati una educazione umana e civile diversa da quella, assurda e deleteria, che si impartisce nelle scuole ufficiali sottoposte al controllo dei consolati e delle autorità fasciste. Basterebbe ricordare in proposito la Scuola Italiana di Ginevra [...]

La scuola di Zurigo differisce tuttavia dalle precedenti per due elementi essenziali: primo, che essa non è, come altrove, una istituzione preesistente, già comune a tutta la colonia e strappata poi, dalla maggioranza antifascista, alle velleità monopolizzatrici del consolato; secondo, che essa è una scuola di carattere nettamente operaio [...] Figli di operai sono quasi tutti gli allievi: alle necessità, pratiche e ideali, della classe operaia sono improntati il programma ed il metodo di insegnamento. Un particolare interesse la direzione della scuola si è proposta di portare all'insegnamento della storia, col duplice intento di sfrondarlo dalle menzogne di cui esso è intessuto nelle scuole ufficiali e di farne una lezione di vita e di orientamento politico per la classe lavoratrice.

Su questo terreno si è realizzata l'unione di tutti gli operai antifascisti di Zurigo, anarchici e comunisti compresi [...]"

Le finalità della nuova istituzione ed i particolari concreti del suo funzionamento erano riassunti in un manifesto: "La Scuola Popolare Italiana è stata fondata per sottrarre i figli dei lavoratori italiani dimoranti all'estero, all'influenza della scuola fascista controllata dalle autorità consolari. Per il fascismo i ragazzi sono futuri soldati nei quali esso cerca di eccitare e di sviluppare l'orgoglio nazionalista, gli istinti di violenza e di sopraffazione, il culto della guerra: la Scuola Popolare si propone invece – al di fuori e al disopra di qualsiasi influenza di partito – di educare i figli dei lavoratori secondo gli ideali e gli interessi della classe lavoratrice: di educarli cioè al culto e alla volontà effettiva della pace, della giustizia sociale, della fraternità internazionale."

Un anno dopo la scuola prese il nome di "Scuola Libera Italiana di Emancipazione Proletaria". Gli emigrati antifascisti a loro volta facevano sentire la propria voce con tutta una serie di iniziative, manifestazioni e proposte che ruotavano intorno alla Scuola Libera. Era strutturata in tre corsi. Le lezioni si tenevano due volte alla settimana per ogni corso in una scuola comunale all'Helvetiaplatz, la Kanzleischulhaus, che la città di Zurigo aveva messo a disposizione della Scuola Libera per circa 450 fr. svizzeri all'anno. Il sindaco allora era il socialdemocratico Emil Klöti, "en rote", un rosso – come dicevano gli zurighesi.

Il terzo corso, quello per i più grandi invece, aveva luogo alla Cooperativa Socialista della Militärstrasse 36. La mamma insegnava ai più piccoli, il babbo ai più grandi – non solo l'italiano ma anche geografia e storia.

Il "fascicolo" sul quale si studiavano queste due materie l'aveva compilato e "prodotto" il babbo – con un ciclostile antidiluviano. Quest'ultimo divenne la mia passione. La domenica mattina il babbo la dedicava spesso a ciclostilare manifestini, appelli, comunicazioni e dispense. Assistevo a tutte le varie fasi: dalla compilazione del testo battuto sulla matrice – senza nastro – con una macchina per scrivere – una Underwood anch'essa di tempi remoti che ricordava l'altare della patria a Roma – alla produzione delle pagine scritte. Il ciclostile era una specie di scatolone rettangolare di legno chiaro con un coperchio. Con l'aiuto di una spatola il babbo distribuiva l'inchiostro denso che spremeva da un grosso tubo di alluminio sul disco del ciclostile. Per procedere alla stampa inseriva il foglio di carta sotto le due linguette apposite, richiudeva il coperchio premendo con forza la mano sulla sua superficie affinché il foglio bianco aderisse il più possibile alla matrice e contemporaneamente tirava con vigore l'asta d'acciaio collegata al rullo oramai impregnato d'inchiostro. Le prime pagine venivano sempre un po' macchiate perché l'inchiostro non si era ancora distribuito uniformemente. "Porca l'Austria" inveiva allora; poi ci riprovava finché non era soddisfatto della tiratura. "Porca l'Austria" era la sua abituale imprecazione quando era in collera: si trattava di un residuo bellico verbale della prima guerra mondiale. Un altro residuo – questa volta di proiettile – lo teneva nella gamba sinistra; non lo si era mai potuto estrarre e gli causava spesso fastidio. In un impeto d'ira a parte "porca l'Austria" gli poteva sfuggire anche "porcella Eva". Invece non bestemmiava mai, neanche quando usciva fuori dai gangheri. Cessò di dire "porca l'Austria" solo dopo l'"Anschluss" di Hitler, perché sentivo dire non si impreca contro i morti.

Cantava vittoria quando finalmente dal ciclostile le pagine uscivano così come le voleva lui, con la scritta nitida e ben leggibile. Il mio compito sembrava facile, ma non lo era; consisteva nel porgere al babbo al ritmo stabilito una pagina dopo l'altra. Egli aveva stabilito in precedenza quante pagine potevamo e dovevamo stampare in un minuto. A volte accadeva tuttavia che non riuscissi ad afferrare subito una pagina dal blocco di carta e allora il babbo rimaneva con la mano tesa verso di me una frazione di secondo in più di quello calcolato: andavamo fuori tempo. Coglieva allora l'occasione per spiegarmi in che cosa consistesse la catena di montaggio, elencando vantaggi e svantaggi. Faceva guadagnar tempo – diceva – dunque procurava maggior profitto al padrone, ma per i lavoratori in fabbrica rappresentava una schiavitù. Ciò non gli impediva tuttavia di richiamarmi all'ordine e di esigere che io mi attenessi scrupolosamente ai tempi e modi stabiliti; anche se lo faceva con quel suo solito sorrisino da presa in giro. Ma vi erano altri compiti che mi attendevano ogni tanto la domenica mattina: ad esempio ritagliare tutti i nomi e gli indirizzi dei membri della colonia italiana che il babbo aveva precedentemente scritto a macchina ed incollarli sulle relative buste. Di questi elenchi faceva sempre otto copie, così risparmiava tempo. Alcuni di questi nomi mi facevano ridere; c'era un tale che si chiamava "Orribile" di cognome e un altro "Cristoforo Colombo", non avrei saputo quale scegliere. Fra i nomi di alcuni emigrati figuravano Libero, Emancipato, Scintilla e Edera; il babbo mi spiegava che si trattava di figli di anarchici. Di anarchici ne conoscevo – in testa Camillo Berneri – e mi erano tutti simpatici; ma quei nomi non li avrei voluti. Avanzai di grado come "garzone di bottega" il giorno in cui il babbo fece scrivere a me gli indirizzi a macchina. Fu il mio primo lavoro retribuito: con 10 centesimi, "svizzeri", precisava il babbo. In più, beffardamente, mi impartiva i primi insegnamenti sul diritto del lavoro: "il tuo è un lavoro minorile, a domicilio, sfruttato perché non percepisci gli straordinari," diceva.

Appresi la lezione; mi ribellai e il babbo mi aumentò la paga di cinque centesimi "svizzeri". Eravamo soddisfatti tutti e due.

Cambiammo nuovamente casa: andammo ad abitare alla Nordstrasse 88 per avvicinarci al quartiere 4, dove i miei genitori tenevano lezione agli allievi della Scuola Libera. Era il quartiere popolare di Zurigo, chiamato anche comunemente "Kreis Chaib", quartiere "carogna". La sede amministrativa della Scuola Libera era presso la Cooperativa Socialista, situata alla Militärstrasse 36.

La "Copé" fu durante tutto il periodo del nostro esilio il centro dell'emigrazione antifascista di Zurigo e polo d'irradiazione in Svizzera delle due principali organizzazioni d'assistenza della sinistra italiana, il "Fondo Matteotti" e il "Soccorso Rosso Internazionale". La Copé fu inoltre un crocevia per tutti coloro che avevano bisogno di mangiare, di trovare dove pernottare senza dover esibire carte d'identità, e di essere inoltrati altrove. Alla Copé affluivano le notizie politiche dall'Italia e dalla Francia – durante la guerra civile anche dalla Spagna – e da lì partivano corrieri per le varie destinazioni. La seconda entrata, quella seminascosta che dava sul retro, sulla Jägerstasse si rivelò provvidenziale per molti "irregolari". Che la Copé fosse un centro d'informazione essenziale per tutti gli esuli antifascisti, prima italiani e successivamente anche europei, era risaputo. Il consolato italiano vi infiltrava spie ed informatori – poiché chi frequentava la Copé era considerato più o meno un sovversivo. Ogni anno gli italiani dovevano presentarsi al consolato per farsi rinnovare il passaporto, poiché le autorità svizzere esigevano che tutti gli stranieri avessero un passaporto valido. Gli "Schriftenlose", i "senzadocumenti" andavano incontro a noie serie con le autorità svizzere. Inoltre molti emigrati avevano ancora la vecchia madre in Italia, intendevano rivederla. Anche la polizia svizzera naturalmente pescava notizie sui profughi alla "Copé" e controllava chi la frequentava. Non era arduo individuarli in quanto i poliziotti svizzeri, seppure in borghese, erano facilmente identificabili in quell'ambiente. Scattava allora una specie di "tam tam" fra i presenti; occhiatine e gesti appena percepibili consigliavano all'interessato di squagliarsela rapidamente ma con disinvoltura.

La "Società cooperativa" fu fondata nel 1905 da un gruppo di emigrati provenienti nella massima parte dalla Romagna e stabilitisi a Zurigo. Avevano l'abitudine di incontrarsi la domenica mattina, ma non possedevano un proprio ritrovo e così finivano in uno dei locali svizzeri dove erano naturalmente obbligati a consumare qualcosa. Nacque così l'idea tra alcuni emigrati socialisti di aprire un ristorante cooperativo a Zurigo allo scopo di fornire agli operai un cibo sano, nutriente e a prezzi abbordabili, un locale in cui potessero ritrovarsi per discutere fra loro senza l'obbligo di dover consumare. Il guadagno netto andava, secondo lo statuto, a beneficio della propaganda politica e sindacale. Lo statuto prevedeva inoltre l'elaborazione di un programma d'istruzione popolare e anche una piccola biblioteca che conteneva prevalentemente opere sul movimento operaio e sindacale e che si trovava nella saletta superiore della "Copé". Accanto all'esigenza di diffondere una coscienza politica fra gli emigrati i fondatori della Cooperativa sentivano anche la necessità di discutere fra loro dei problemi concreti, pratici che animavano gli emigrati italiani di quel periodo. Una delle prime conferenze che si tenne presso la Società Cooperativa trattava, non a caso, della riprovevole consuetudine, piuttosto diffusa allora fra gli emigrati italiani – che erano allora per lo più focosi romagnoli –, di metter mano persino al coltello durante le furibonde risse che scoppiavano non di rado; erano baruffe originate prevalentemente da dissensi politici o da questioni di donne. Abitudine non solo incivile, come sostenevano i più ma anche sgradita agli svizzeri. Il tema appassionò a tal punto i partecipanti alla relazione tenuta da Domenico Armuzzi, uno dei fondatori della società, che tornando a casa a tarda sera dopo la conferenza, venne accoltellato da un connazionale nella vicina Konradstrasse. Questi non aveva gradito la tesi sostenuta da Armuzzi durante la sua esposizione, secondo la quale il coltello non era raccomandabile come mezzo di persuasione.

La Copé divenne per me presto un luogo familiare. Vi accompagnavo frequentemente il babbo o gli amici che passavano da casa nostra. Inoltre ho frequentato per vari anni il corso d'italiano, storia e geografia tenuto dal babbo nella saletta superiore della Cooperativa. Essa acquistò per me il fascino dei luoghi storici dal momento in cui mi venne detto che era stata frequentata a suo tempo da uomini come Lenin e Mussolini. Una grossa stufa posta al centro dominava il grande locale della Copé sempre scarsamente illuminato e distribuiva equamente il calore a tutti i tavoli circostanti occupati dai vari gruppi politici: anarchici, socialisti, repubblicani. I comunisti non avevano a quel tempo un vero e proprio tavolo fisso; li vedevo frequentare la Copé piuttosto singolarmente; immaginai fosse per prudenza. Alle pareti erano appesi ritratti di uomini di mia vecchia conoscenza dal punto di vista della fisionomia: Carlo Marx, Giacomo Matteotti, Jean Jaurès, Filippo Turati e altri del gotha socialista e antifascista. A sinistra entrando, al posto d'onore, su un mobiletto ben in vista, un busto in bronzo di Dante Alighieri con un naso a piscione da far spavento e l'espressione arcigna. Strideva con l'atmosfera cordiale che caratterizzava il locale. Enrico Dezza era il gestore della Copé in quegli anni, ma l'anima, così sentivo dire e si vedeva, era Erminia Cella, la sua compagna, una donna più larga che alta;

una pioniera dell'emancipazione femminile senza che io l'abbia mai udita farvi espressamente riferimento a parole. La sua emancipazione stava nei fatti. Sposata con un altro, aveva un figlio che adorava. Viveva more uxorio con Dezza, non senza rischi, perché nel cantone di Zurigo il concubinato era punibile per legge (lo rimase sino agli anni 60). Erminia era di Reggio Emilia e rappresentava "l'arzdora" di quelle terre in modo esemplare: intelligente, risoluta, coraggiosa e grande lavoratrice. Aveva tutte le virtù tranne quella della bellezza; tanto che alcuni la chiamavano poco rispettosamente "la mère Dezza" – pronunciato così tutto d'un fiato, in italiano, faceva un certo effetto. Non aveva paura di nessuno e più di una volta mise alla porta chi non le garbava perché sospetto di essere un informatore del consolato fascista. Incuteva soggezione e rispetto. Io le volevo bene.

C'era a Zurigo un altro noto ritrovo di antifascisti, il ristorante "International" nella Badenerstrasse, sempre al quartiere "carogna". Lo gestiva Curzio Bertozzi, romagnolo, repubblicano, antifascista della prim'ora. Sua moglie, la Signora Vilma, era la figlia di Domenico Armuzzi, lo stesso che aveva fondato insieme ad altri la Cooperativa socialista. Sua figlia, Rosina, era la stessa bambina che aveva mandato a mia sorella e a me, ancora a Marsiglia, le decalcomanie dalla Svizzera. Divenne una nostra amica. Trascorreva con noi molti fine settimana e alcune volte anche le vacanze perché sua madre desiderava sottrarla il più possibile all'ambiente di un ristorante. L'atmosfera all'"International" era diversa da quella della Copé. Meno "ideologizzata" e più "ristorante". Lo frequentavano anche svizzeri che nulla avevano a che fare con l'antifascismo ma ai quali piaceva mangiare all'italiana e bene. Dopo il 1938 si incontravano da Bertozzi anche profughi austriaci e tedeschi, alcuni dei quali, come Wolfgang Langhoff, Maria Becker e Ernst Ginsberg, facevano parte dell'"ensemble" del famoso "Schauspielhaus". Tra gli italiani, erano particolarmente i repubblicani ad essere "habitués" dell'"International". Come Giuseppe Delogu e Randolfo Pacciardi – quando passava da Zurigo.

Curzio Bertozzi era un giovialone, ben piantato, gli piacevano le donne e il Sangiovese. Era geloso e sapeva anche essere violento. A due cose teneva soprattutto: all'immagine di repubblicano antifascista e a quella di maschio romagnolo. Aveva partecipato alla prima guerra mondiale, cosa non frequente fra gli emigrati italiani di allora. Per dare maggior peso ai suoi argomenti quando discuteva di politica introduceva immancabilmente il suo discorso ricordando "noi che abbiamo dato il sangue alla patria" – poi dopo una breve pausa – "cioè – che l'avremmo dato se ce lo avesse chiesto". Frase che non mancava mai il suo effetto – in un senso o nell'altro.

I Bertozzi erano benestanti anche se non ricchi; aiutarono con generosità alcuni profughi, soprattutto dopo l'8 settembre 1943 allorché migliaia di italiani si rifugiarono in Svizzera.

Cambiar casa significava per me cambiare anche scuola. Non riscontrai nessuna novità. Sempre il ritratto di Guglielmo Tell alla parete di fondo, e ai lati le immagini delle bellezze paesaggistiche svizzere: laghi e montagne e lindi paesini contadini. Anche i nuovi compagni mi parevano i soliti. Pure la nostra situazione economica rimaneva immutata – vigeva sempre per noi l'"Arbeitsverbot", il divieto assoluto di lavorare, all'infuori dell'insegnamento alla Scuola Libera. Il problema si acuiva. Ogni tanto, con grande circospezione, il babbo o la mamma davano lezioni private a domicilio, ma si trattava di poco ed era rischioso farlo. Fu così che quando mio padre lesse sulla "Neue Zürcher Zeitung" un annuncio che la Berlitz School cercava un insegnante d'italiano, i miei genitori si decisero, usando la necessaria prudenza, a contattare la direzione. Accompagnai il babbo un pomeriggio d'inverno alla Sihlstrasse 1 – angolo Bahnhofstrasse – dove al sesto piano una grande targa in oro e nero indicava "Berlitz School of Languages". Ci ricevette una signora francese, elegante e sorridente; affermò di essere la direttrice. Attraversando un lungo corridoio sul quale davano tutte le classi della scuola ci introdusse nella parte privata dell'abitazione, in una grande stanza luminosa arredata con mobili antichi. Lì ci attendeva il direttore; si presentò: Otto Giordani. Disse che era romano. "Si sente dall'accento", notò subito il babbo. Divenne prudente – poteva essere un fascista; avrebbe potuto chiedere informazioni al consolato o alla polizia. Il babbo dichiarò subito di essere insegnante alla Scuola Libera e di essere profugo politico, senza tuttavia sul momento menzionare che era privo del permesso di lavoro. La simpatia fu reciproca: s'intesero. Giordani avrebbe fatto sapere al babbo la decisione in merito. La signora – che il direttore chiamava Lisy e alla quale si rivolgeva sempre con galante cortesia – mi offrì della cioccolata e poiché aveva appreso dal babbo che provenivamo dalla Francia si rivolse a me in francese. Non nascose né il suo divertimento né il suo disappunto nel sentirmi parlare quel colorito dialetto marsigliese e dichiarò subito in modo perentorio "on corrigera cela, ma petite". Era professoressa di francese, insignita de "les palmes acadèmiques". Non mi stancavo di guardarla. Aveva occhi a mandorla di un azzurro deciso e uno sguardo intenso, diritto, che non abbassava mai, capelli neri, un carnagione chiarissima ed un profumo che mi stordiva. Madame Lisy mi piaceva e desideravo tanto che il babbo potesse lavorare lì. Pochi giorni dopo, quando il signor Giordani comunicò al babbo che avrebbero gradito assumerlo come nuovo insegnante d'italiano, il babbo spiegò loro come stavano le cose con il suo "Arbeitsverbot". Giordani e Madame Lisy corsero il rischio. Il babbo rimase insegnante alla Berlitz sino al suo rientro in Italia. Quando si presentava un allievo sospetto con l'odore di polizia addosso la mamma sostituiva il babbo con il nome di signora Bondanini. Del resto anche il nome ufficiale del babbo come insegnante era "Herr Professor Bondanini".

I Giordani cominciarono a frequentare casa nostra; venivano abitualmente alla sera a prendere il caffè. Divennero nostri amici; di più – complici. Giordani era antifascista, "perché ho il senso del ridicolo", spiegava modestamente. Non si era mai occupato di politica attivamente. Nell'ambiente italiano di Zurigo si muoveva con prudenza. Quello ufficiale non lo reggeva e quello antifascista, prima di conoscerci, non lo frequentava per cautela. Aveva il vecchio padre ed altri parenti ancora a Roma; desiderava poterli andare a trovare. Il signor Giordani era spiritoso, divertente e un raffinato buongustaio; gli piacevano la vita e Madame Lisy. Mio padre s'infastidiva quando sentiva dare tanta importanza al mangiare come faceva il signor Giordani. A scanso d'equivoci si rivolgeva a noi: "si mangia per vivere e non si vive per mangiare". Madame Lisy lo guardava divertita e "vous êtes un puritain" aggiungeva immancabilmente. Lei era un "cordon bleu". Ma era soprattutto una gran donna d'affari con una visione realistica della vita. "*Les affaires sont les affaires; l'amitié c'est l'amitié,*" diceva. Parlava chiaro e amava le persone schiette, franche. Quando ne incontrava una un po' contorta diceva: "la psychologie m'intéresse, mais de loin". La signora Lisy era misteriosa solo su un punto: la sua età. La sera quando venivano da noi, i Giordani parlavano soprattutto di politica e dell'Italia. Molto dell'Italia. I miei volevano sapere da loro che andavano due volte all'anno a Roma se Mussolini trovasse largo consenso fra la popolazione, di che cosa parlassero o che cosa pensassero del regime gli italiani. In casa aleggiava sempre un sottile struggimento per l'Italia. È attraverso la nostalgia dei miei genitori che ho imparato ad amare l'Italia. La nostalgia si concretizzava per loro nel desiderio di persone, cose, luoghi a cui avrebbero voluto tornare, situazioni che avrebbero voluto rivivere, suoni che avrebbero voluto udire ancora una volta. La dottoressa Kohberg, medico della mamma, diceva a mio padre: sua moglie soffre di "Heimweh", di "mal du pays". Allora mio padre accarezzava con tenerezza le chiome fulve della mamma chiamandola "Rondoncino" e dopo un attimo di silenzio: "reagire, reagire!" urlava, come se volesse interrompere la commozione alla quale rischiava di soccombere. La tristezza come stato d'animo duraturo non è mai entrata in casa nostra; tuttavia in famiglia non si facevano illusioni sul ritorno in Italia. "Il fascismo durerà vent'anni," continuava a ripetere il babbo.

Per venire da noi i Giordani dovevano attraversare la stazione; la prima domanda che poneva loro il babbo era sempre "che dicono le notizie della pancia?" Così erano chiamate tra di noi le ultime notizie, perché il venditore della "Neue Zürcher Zeitung" teneva un cartello con le ultime notizie, le "head lines" appeso proprio sulla pancia. Il babbo era un attento e assiduo lettore della "Züri Ziitig", come si chiama a Zurigo il giornale, con le sue tre edizioni quotidiane: "Morgen-, Mittag- e Abendblatt".

"Un grande giornale," soleva ripetere, "anche se conservatore." Dopo che il babbo l'aveva letto, il foglio mostrava una infinità di sottolineature rosse e blu. Quelle rosse riguardavano la politica, quelle blu la lingua; la sintassi tedesca non aveva più misteri per lui. In quel periodo le discussioni sull'orientamento politico della "Neue Zürcher" negli affari italiani erano frequenti con i Giordani. Il giornale di Zurigo aveva un corrispondente da Roma – Robert Hodel – che simpatizzava palesemente per Mussolini, e questo irritava il babbo, ma a Milano – e di questo si meravigliava – c'era Hermann Schütz che spesso contraddiceva quello che il suo collega scriveva dalla capitale. Il babbo, parlandone la sera con la mamma ed i Giordani, faceva risaltare tutto ciò con la meticolosità del vecchio giornalista e direttore di giornale. Madame Lisy non leggeva generalmente la "Zürcher Zeitung", ma "Le Temps" al quale era abbonata; lo passava al babbo e insieme commentavano i vari punti di vista. Madame Lisy non era quello che comunemente si definisce "di sinistra". Proveniva dall'alta borghesia di Lyon. Era anche lei decisamente antifascista e soprattutto era – francese. Una francese coraggiosa e patriota, come dimostrò più tardi. Condivideva la linea politica di "Le Temps", e in particolare quello che scriveva Madame Tabuis; ciò suscitava a volte accese discussioni con mio padre.

Anche l'"Osservatore Romano" circolava in casa; il babbo vi scopriva "fra le righe", come si esprimeva lui, notizie che non apparivano su altri giornali del regime. Del "Corriere della Sera" teneva la collezione. Gli altri giornali italiani e stranieri, nonché i periodici, li leggeva alla "Museumsgesellschaft", la celebre biblioteca privata di Zurigo sul Limmatquai, fondata nel 1834. Mi ci conduceva di tanto in tanto raccontandomi che l'avevano frequentata in passato uomini illustri come Francesco de Sanctis, Lenin e James Joyce – anche lui ex insegnante alla Berlitz. L'ambiente greve, ovattato, nel quale l'unico segno di vita era un fruscio, quello del voltar pagina da parte dei lettori, mi metteva in soggezione. I membri della Museumsgesellschaft erano seri e pensierosi, sprofondati nella lettura; non parlavano, semmai bisbigliavano fra loro; il più delle volte si intendevano a cenni. Mi guardarono con sospetto e disapprovazione quando entrai la prima volta in sala lettura accompagnando mio padre. Fissai il posto, indicatomi dal babbo dove Lenin usava sedersi quando veniva a leggere qui, a poche centinaia di metri dalla Spiegelgasse dove abitava. Ero convinta che i sogni del grande rivoluzionario avessero preso forma concreta lì, a quelle finestre che danno sulla Altstadt. Il babbo aveva bisogno di leggere numerosi giornali per le sue collaborazioni ai vari giornali antifascisti che uscivano in Francia, tra i quali "Giustizia e Libertà"; scriveva saltuariamente anche su alcuni giornali svizzeri, come "La Libera Stampa", però firmava con uno pseudonimo, Dino Giannotti, sempre in considerazione dell'"Arbeitsverbot" che ci perseguitava. Sulla "Libera Stampa" imparai a conoscere gli "errori di stampa"; il quotidiano socialista pubblicato a Lugano ne faceva di clamorosi, tanto che lo chiamavamo comunemente "Libera Stramba". Lo spoglio regolare della stampa italiana e internazionale era indispensabile per mio padre soprattutto per la sua "rivista parlata degli avvenimenti politici" che teneva ogni 15 giorni il martedì alle ore 20.15 al "Sonnenblick", alla Langstrasse. Il pubblico era composto in massima parte di emigrati italiani – aderenti a tutti i partiti –, alcuni dei quali non avrebbero neppure saputo leggere correttamente i giornali, ma anche di ticinesi. A questo scopo il babbo teneva ben aggiornata una vasta raccolta di ritagli di gior nali, l'archivio, come lo chiamava. Nessuno della famiglia era autorizzato ad accedervi: diceva che lo "scartabellavamo".

- La sera, quando venivano i Giordani a fare quattro chiacchiere, a volte Madame Lisy e la mamma si appartavano a parlare fra di loro. Fu Madame Lisy per prima a mettere al corrente la mamma degli usi e costumi degli Svizzeri. Indubbiamente erano molto democratici, lo ammetteva; ma non aveva simpatia per loro. Avvertiva irritata la mamma: "*Dans ce pays il ne faut s'étonner de rien. A un bal, cela peux vous arriver de danser avec votre boucher.*" E la cosa non la divertiva affatto. "*Chacun à sa place,*" concludeva.

Il fatto che fosse possibile andare allo Stadthaus di Zurigo e all'apposito sportello chiedere ed ottenere – pagando 50 centesimi – informazioni sul reddito di un qualsiasi cittadino la indignava. Sentiva minacciata la propria libertà personale. La solerzia con la quale molti Svizzeri si occupavano del prossimo – soprattutto se straniero – per verificare se rispettasse le leggi del paese e se pagasse le tasse in relazione al suo "train de vie", la esacerbava. "*Ah, de quoi ils se mêlent...*" soleva esclamare indignata.

La mania della pulizia raggiungeva limiti addirittura scabrosi, diceva Madame Lisy ancora alla mamma. E si riferiva a un fatto preciso: una sera, un signore, allievo della Scuola Berlitz, aveva avvertito un bisogno impellente. Si trovava alla fine della Bahnhofstrasse e non trovando un bagno pubblico aperto a quell'ora, si ritirò dietro un cespuglio di rododendri al Bürkliplatz. In mancanza di altro usò all'uopo una busta. Non fece caso al fatto che gli era stata inviata all'indirizzo della Berltiz School. Alcuni giorni dopo la direzione della scuola si vide recapitare dall'amministrazione delle poste di Zurigo un pacchettino con l'oggetto incriminato e una annotazione: "Si prega la direzione di consegnare il presente biglietto al destinatario facendo presente al suddetto signore che in Svizzera i luoghi pubblici vanno rispettati; essi sono un bene comune."

Inoltre a carnevale, raccontava Madame Lisy alla mamma, gli zurighesi si rifacevano della morigeratezza che ostentavano durante tutto l'anno scatenandosi e perdendo ogni inibizione e controllo. Sicché i bambini che nascevano 9 mesi dopo carnevale venivano chiamati comunemente "Fastnachtskinder". Io, ascoltando, non riuscivo a capire che cosa avesse a che fare il carnevale con la nascita dei bambini nel tardo autunno; nessuno me lo volle o seppe spiegare. Osservavo con particolare attenzione i miei compagni di scuola che festeggiavano il loro compleanno in quel periodo dell'anno e non vi scorgevo niente di particolare; non erano neppure più allegri.

Altre sere, quando arrivavano i Giordani, tutti insieme giocavano a scopone. A noi bambine era severamente proibito toccare una carta da gioco. Se era inverno e quindi c'era il nonno Chino tutto filava liscio. Il nonno era un patito dello scopone scientifico. Ma se non c'era e al gioco doveva subentrare la mamma erano guai. Alla mamma il gioco non interessava né la distendeva: era refrattaria. Lo considerava una perdita di tempo. Acconsentiva tuttavia a giocare per amabilità. Ma non sapeva neppure tenere correttamente le carte in mano – gliele vedevano tutti; fu fatica sprecata volerglielo insegnare. Immancabilmente giungeva il momento in cui il babbo esasperato emetteva un urlo: "Rondone, le carte!"

La mamma sussultava e dallo spavento, le carte le cadevano di mano. Il gioco doveva ricominciare. Madame Lisy e il signor Giordani, tutti e due accaniti giocatori, rassegnati e cortesi, sorridevano. Il babbo non ha mai chiamato la mamma per nome, si rivolgeva a lei col soprannome di Rondine. Le varianti erano – a seconda dello stato d'animo e delle occasioni – Rondone e Rondoncino. A Rondone il babbo ricorreva quando la mamma commetteva qualcosa – a parer suo – di riprovevole. Vale a dire quando era "brocciona". Essere "broccioni" significava per mio padre fare le cose – qualsiasi cosa – non per benino: lasciare sossopra un cassetto dopo avervi cercato qualcosa; non saper foderare un libro correttamente; tagliare male un pezzo di formaggio (in effetti la mamma lo amputava) o strizzare il tubo del dentifricio a casaccio. Una posata non perfettamente pulita nel cassetto, un piatto unto o un bicchiere appannato erano tutte "broccionate".

Vedevamo i Giordani regolarmente e pian pianino il Signor Ottò – con l'accento sulla seconda "o" si raccomandava, alla francese, perché non voleva essere chiamato "signorotto" – venne coinvolto nella regia di tutte le manifestazioni ricreative della Scuola Libera – soprattutto nel teatro. Lui era un ex direttore d'orchestra e pianista, un tipo d'artista pieno di spirito e di verve. Fu il Signor Ottò ad adattare la musica ai testi scritti da mio padre in incognito, di alcune rappresentazioni teatrali della Scuola Libera. Mio padre non aveva la più pallida disposizione alla musica. Per lui la musica era un rumore – anche se particolare. I guai tra Giordani e mio padre cominciavano quando si trattava di adattare la musica al testo. Vi furono discussioni interminabili tra i due in occasione della preparazione de "Il paese della felicità", operetta in tre atti andata in scena nel 1935. Il babbo non accettava di cambiare il testo di una canzone che cominciava con "... grazie signor Lorenzo..." Cantato con il ritmo imposto dalla musica risultava che il coro cantasse "... grazie signor Lorenzozo..." Quel "zozzo" finale non si poteva lasciare, asseriva Giordani; e mio padre era d'accordo. Solo che lui pretendeva che fosse la musica ad essere adattata al testo e non viceversa, come avrebbe desiderato il Signor Ottò. Il babbo non mollò e la musica dovette esser rivista.

Di lì a poco uscì anche il libro di lettura della Scuola Libera: "Umanità Nuova". Si trattava di una raccolta di letture per i figli degli italiani all'estero, edita dalla tipografia luganese. Un libro che voleva distinguersi nettamente dai libri di testo che venivano usati nell'Italia fascista e che potesse servire sia per gli allievi della Scuola Libera di Zurigo che per quelli di altre scuole libere diffuse nei maggiori centri dell'emigrazione italiana, come la Francia, le due Americhe ecc. La raccolta era divisa in tre parti. La prima, dedicata ai ragazzi delle elementari inferiori, la seconda agli allievi delle elementari superiori; la terza, ai giovani, particolarmente ai figli di operai, i quali appunto erano i genitori della grande maggioranza degli alunni. Soprattutto in quest'ultima parte trovavo molti dei pensieri e dei discorsi che udivo fare in casa. I compilatori della raccolta non erano nominati, in realtà l'avevano composta la mamma ed il babbo. Nell'introduzione a "Umanità Nuova" si legge fra l'altro: "... il nostro fine non è quello di insegnare l'italiano a scopo culturale o per un abbellimento dello spirito: noi vogliamo che i figli dei lavoratori italiani continuino a parlare e a intendere la loro lingua perché così soltanto essi potranno continuare a interessarsi delle cose del loro paese senza subire le suggestioni del facile egoismo che consiglia di acclimatarsi altrove in ambienti più facili ed umani. Occorre che i lavoratori italiani non disertino dal campo di lotta in cui possono meglio valere e che rimangano, nel settore oggi più difficile, i buoni combattenti per quella causa dell'emancipazione operaia che costituisce ovunque la condizione indispensabile per la formazione di un'umanità nuova." Su "L'Avanti" Luigi Cam-

stale

polonghi scrisse che "Umanità Nuova" è un "libro di emancipazione spirituale e intellettuale; è cioè un libro di battaglia, nel senso che i suoi compilatori non si sono preoccupati di trincerarsi nei limiti angusti di una neutralità quasi sempre ipocrita, mentre han voluto opporre un valido baluardo alla influenza nefasta esercitata all'estero dalla scuola fascista [...] Nella scelta delle pagine destinate ai lettori, i compilatori dell'antologia han dunque ricercato quello che, nella nostra letteratura, è veramente italiano, e cioè umano, rinunciando a tutto ciò che, sotto le parvenze di un patriottismo stantio e rancido, è nazionalismo clamoroso, ma miope e ottuso [...]" Per noi ragazzi la lettura veniva anche agevolata dal fatto che i brani riportati erano brevi. Prima di incontrare Ernesto Rossi personalmente, quando riparò in Svizzera nel 1943 dopo 12 anni di galera, io lo avevo incontrato nelle pagine di "Umanità Nuova". Fra l'altro vi è riportata una lettera di Ernesto Rossi a sua mamma, dalla prigione (nel gennaio del 1931). Mi fece grande impressione. "[...] Mamma carissima, ... tornato nella mia cella ho cercato di conservare più che ho potuto l'impressione del nostro colloquio, come quelle vecchine che tengono il 'veggio' sotto il grembiule e ogni tanto lo sbraciano con delicatezza adagino adagino, per conservare il calore più che possono. E ricordavo quel che si era detto, e mi rimproveravo di non avervi guardato con abbastanza attenzione per avervi poi più presenti, qua, vicino a me. Si vorrebbe che l'intensità dello sguardo fosse più forte, in modo da fissare nella nostra memoria ogni espressione della persona che si ama in ogni suo movimento, per ricordarla poi sempre [...] Povera, vecchia mamma! È vero. La cosa che più ammiro in te è quella di non aver mai ostacolato col tuo amore che pur è tanto grande – la vita che i tuoi figlioli sentivano di dover fare, senza tener conto dei sacrifici e degli apprezzamenti del mondo. Anzi, tu ci sei sempre stata di esempio, di aiuto, riconoscendo che ci possono esser dei valori superiori a quelli del mangiare e del bere e che era meglio accettare ogni pena piuttosto che vendere la propria anima rinunciando a se stessi. Anch'io avrei desiderato, dopo tanti dolori e tante sciagure, niente altro che una vita tranquilla vicino a te, studiando, senza ambizioni di nessun genere: mi sento vecchio, perché ho visto troppe cose per desiderare il successo in qualunque forma. Mi sarebbe bastato il tuo amore, l'amicizia di qualche persona che stimo, e rimanere in pace con me stesso. Ma anche questo, si vede, era pretender troppo, e per continuare a sostenere quella che è la mia verità ho dovuto rinunciare a te, agli amici, a tutto. Ed ora non c'è altra saggezza che nella rassegnazione e sperare solo di avere la forza di comportarsi in modo da potersi rispettare senza ipocrisie..." Quel riferimento al "mangiare e bere", quel "apprezzamenti del mondo" dei quali non si doveva tener conto, e quel comportarsi in modo da "potersi rispettare" – era un linguaggio che capivo perché lo vedevo vivere intorno a me. E non era lacrimevole.

L'anno in cui Hitler andò al potere persino i miei compagni di scuola ne parlarono, perché ne sentivano discutere nelle loro case. Il termine "Judenverfolgung" lo appresi a scuola e mi venne successivamente spiegato a casa. Il nostro pediatra, il dottor Dreifuss, era molto preoccupato. Le visite che ci faceva quando ero malata si protraevano; e anche quando veniva a prendere lezioni d'italiano rimaneva più del solito. Si fermava a parlare di politica. Diceva a mio padre che Mussolini non era come Hitler; era convinto che il primo fosse un fenomeno italiano e non una minaccia per l'Europa come Hitler.

I miei compagni di scuola cominciavano a chiedermi perché eravamo venuti in Svizzera. Si meravigliavano quando dicevo che eravamo profughi politici italiani.

"*Aber de Duce hät doch Ornig bracht* – ma il Duce ha messo ordine," era il commento più frequente; e pareva loro strano che ce ne fossimo andati proprio ora che i treni arrivavano in orario. Ovvio, queste cose le sentivano dire in casa. Ormai ero ferrata e rispondevo loro che in Svizzera i treni arrivavano in orario senza che ci fosse stato bisogno di un Duce. "*Min Vater hät gsait, dass d'Italiener en Duce bruchet, d'Schwizer nöd,*" mi riferivano. Vale a dire "il mio babbo ha detto che gli Italiani hanno bisogno di un Duce, gli Svizzeri no."

Ero indignata. Così come quando – quasi compiangendomi – mi dicevano "*Tin Vater isch en Idealischt*" – tuo padre è un idealista; e lo dicevano come se fosse sottinteso che era uno sprovveduto. Raccontavo l'accaduto a casa. Non ridevano.

3.
VIAGGIO IN ITALIA

"Mi raccomando, bambine, non ammalatevi perché non possiamo venirvi a trovare." Così ci disse la mamma allorché il dottor Dreyfuss le consigliò di mandare mia sorella e me al mare per ragioni di salute. Andare al mare significava andare dai nonni paterni: il nonno Ercole e la nonna Jole che stavano ad Antignano di Livorno. Il nonno Ercole Schiavetti, già questore di Livorno era andato in pensione e si era stabilito ad Antignano, un centro balneare alla base della collina di Montenero.

La mamma si recò al Consolato italiano, fece i passi burocratici necessari e richiese il passaporto per mia sorella e per me. Il console generale inviò un telespresso al R. Ministero dell'Interno e al Ministero degli Affari Esteri a Roma nonché al Prefetto di Livorno, in data 7 luglio 1933:

... pregiomi informare che il noto antifascista prof. Fernando Schiavetti ha chiesto il passaporto per le figliole su nominate... per mandarle in Italia per cura marina, ad Antignano (Livorno) presso i nonni Schiavetti. Ho concesso il documento richiesto... Prego segnalare la presenza di dette bambine ad Antignano ed il motivo del loro viaggio anche all'Ispettorato dell'O.G.I.E. per quell'azione che in favore di dette bambine esso credesse del caso. Quanto sopra si comunica per i provvedimenti del caso.

I primi "provvedimenti del caso" li presero la mamma ed il babbo. Fecero una meticolosa perquisizione dei libri che mia sorella ed io intendevamo portare con noi in vacanza. I miei preferiti allora erano quelli della Comtesse de Ségur, *Les malheurs de Sophie*, *Pinocchio*, alcune favole dei fratelli Grimm e di La Fontaine. Non erano i libri in sé che i miei genitori intendevano controllare; li sfogliarono tuttavia uno per uno nel timore che vi fosse rimasto dentro – usato da noi come segnalibro – qualche manifestino della Scuola Libera o di conferenze tenute dal babbo. E non facevano che raccomandarsi: "Non andate in un paese libero, ricordatevelo. Ascoltate ma tacete."

A parte il fatto che non ci si doveva ammalare, perché la mamma non sarebbe potuta venire ad assisterci, l'idea di andare in Italia mi piaceva. Non conoscevo i nonni paterni ed ero curiosa. E poi c'era il mare, il sole e c'era appunto l'Italia, questo paese di cui sentivo sempre parlare in casa e che avevo imparato ad amare attraverso la nostalgia della mamma e del babbo. Inoltre avevo di fronte a me la prospettiva di un lungo viaggio in treno e per di più di notte. L'idea in sé mi dava allegrezza.

Insieme a noi, dai nonni, venne anche Rosina Bertozzi. Ci accompagnò da Zurigo a Livorno un nipote di suo padre, Italo Bertozzi, mutilato di guerra, che si trovava temporaneamente a Zurigo. Italo lo vedevo per la prima volta; non era divertente; parlava poco, appariva timoroso e preoccupato. Aveva perso un occhio in guerra.

Partimmo di sera dal Hauptbahnhof; ci istallammo in uno scompartimento di seconda classe. Non vi erano estranei. Sul marciapiede del treno passò un uomo con un carrettino al quale erano appesi molti cuscini; la mamma ce ne diede uno per ciascuno. In un thermos aveva preparato per noi ovomaltina calda con panini e biscotti. "Il viaggio è lungo," ripeteva. Era commossa.

Salutammo la mamma e il babbo dal finestrino sventolando il fazzoletto sino a quando sparirono dalla nostra vista. La quiete che subentra in uno scompartimento quando ci si mette a sedere dopo tanta agitazione mi fece realizzare che avevo lasciato i genitori e che loro non sarebbero potuti venire a trovarci. Mi commossi pure io. Poi mi passò. Mi guardai attorno. Nei corridoi c'era molta gente che andava in vacanza; era allegra. Italo ci raccomandò di stare buone e di dormire. Era un po' agitato; pensavo che fosse perché aveva un occhio solo. Io non avevo sonno e volevo giocare. Tormentai Italo chiedendogli in continuazione di prendermi dalla valigia un oggetto dopo l'altro: la bambola, un libro, un gioco. Alla fine si spazientì e non mi diede più retta. Fuori non vedevo nulla e mi addormentai. Quando mi svegliai avevamo già passato il lungo tunnel del Gottardo. Il babbo mi aveva indicato precedentemente sulla carta geografica tutto il tragitto che avremmo percorso; sapevo che dopo Airolo ci si avvicinava a Chiasso, la frontiera con l'Italia.

"Italo, per favore, tirami giù la bambola o canto *Bandiera rossa*," intimai.

Italo si allarmò, era agitatissimo. Da quel momento fino a che non fummo giunti a destinazione esaudì ogni mio desiderio con sagace alacrità. Mi riaddormentai e mi svegliai solo alla stazione di Chiasso quando si presentarono due agenti; notai sul loro bavero l'insegna del fascio, la stessa che era anche sulle pagine del mio passaporto. La stessa riportata sui distintivi fascisti che per primo mi aveva mostrato Mario Casadei a Zurigo. Casadei andava a caccia di distintivi del PNF; li collezionava. Quando incontrava per le strade di Zurigo un italiano che lo esibiva, lo seguiva sino al momento che riteneva più propizio. Poi fulmineo gli si parava davanti e "se stai buono," gli diceva Casadei, "è come cavarsi un dente: uno strattone e – via," con mossa repentina gli strappava il distintivo dal bavero. Giunto a casa andava ad aggiungerlo alla sua già ricca collezione. Casadei aveva avuto qualche noia in più con le autorità consolari per questo suo irrefrenabile impulso quando per la strada avvistava uno con la "cimice"; ma lui se l'era sempre cavata. I fascisti italiani di Zurigo lo temevano; aveva la fama di violento. Lui si difendeva da questa accusa, spiegando che la sua era "un'iniziativa individuale nell'ambito dell'azione antifascista". Io sapevo quindi bene che cosa stesse a significare l'emblema del fascio, quando vidi entrare gli agenti di polizia. "Non andate in un paese libero," aveva detto la mamma.

I due signori in divisa chiesero a Italo i nostri passaporti, li osservarono attentamente e ci fecero scendere dal treno. Ci scortarono fin dentro alla stazione e ci fecero accomodare in una vasta sala spoglia e male illuminata. Vi erano solo alcune sedie e una scrivania dietro alla quale stava seduto un signore pure lui in divisa. Pose ad Italo una lunga serie di domande e successivamente altri agenti aprirono i nostri bagagli ed esaminarono uno per uno gli oggetti e i capi di vestiario. Trovarono anche i libri; li aprirono e li sfogliarono pagina per pagina, esattamente come avevano fatto poco prima la mamma ed il babbo. Non trovarono nulla di riprovevole. Ci riaccompagnarono al treno; salimmo. I viaggiatori al finestrino ci guardavano con curiosità. Formavamo uno strano gruppo: tre bambine e un signore scortati da tre agenti. Il treno ripartì con un'ora di ritardo. Alcuni viaggiatori svizzeri mugugnarono. Ero in Italia.

Il sole era già alto quando arrivammo in vista del mare. Faceva caldo. Dal finestrino aperto entravano il pulviscolo della locomotiva a carbone e il profumo della brezza marina. Grossi cespugli di oleandri rosa e bianchi lungo la strada ferrata si agitavano al vento – avevo ritrovato Marsiglia.

Ci avvicinavamo a Livorno. Italo sfogava la sua irrequietezza raccomandandoci in continuazione di non dimenticare nulla. Finalmente il treno si fermò alla stazione di Livorno; scendemmo. Italo consegnò le nostre valigie ad un portabagagli e rimanemmo qualche minuto fermi sul marciapiede in attesa. Così era stato convenuto con il nonno Ercole per consentirgli di identificarci subito. Il nonno non ci conosceva se non dalle fotografie che la mamma inviava regolarmente "ai nonni di Livorno". Da lontano vidi un signore che agitava un bastone. Si avvicinò. Era vestito tutto di bianco, portava una paglietta in testa e si appoggiava al bastone. Non conoscevo nessuno che si vestisse così. Ci chiamò per nome, ci abbracciò – era il nonno Ercole. Aveva i baffi brizzolati, le labbra turgide, la voce profonda. Non rassomigliava al babbo: era uno sconosciuto. Sbirciai subito il distintivo del PNF che spiccava sul bavero bianco della sua giacca. Pensai a Casadei.

Ci avviammo all'uscita della stazione. Il nonno incrociò dei signori: "buongiorno Commendatore", gli dissero alzando il braccio destro. Il nonno rispondeva alzando il braccio anche lui. Io sapevo che cosa significasse quel gesto; erano stati il babbo e Casadei a dirmelo un giorno che avevo visto su un giornale una fotografia di Mussolini col braccio alzato irrigidito. Ma il nonno non lo faceva così, non aveva irrigidito il braccio. Appariva piuttosto un gesto rilassato, abitudinario, senza importanza – pareva che volesse scacciare una mosca.

Giunti sul piazzale della stazione il nonno chiamò una carrozzella e ci fece salire. Il cavallo scuoteva in continuazione la testa; intorno agli occhi un'infinità di mosche che lo tormentavano. Il vetturino gli fece imboccare il viale della stazione, piegò a sinistra e prese la strada "via terra" per Antignano, la vecchia via Aurelia. Era piena di buche; la carrozzella sobbalzava ininterrottamente; era uno scuotimento continuo; mi divertivo. Grandi alberi di fichi con le foglie coperte di polvere fiancheggiavano il percorso. A Zurigo non c'erano alberi di fichi per le strade; vi erano per lo più platani e ippocastani e la polvere sulle foglie non l'avevo mai notata. Non faceva in tempo ad attecchire; la pioggia l'allontanava subito. Così gli alberi apparivano "sempre appena spolverati", diceva la mamma. Passata l'Ardenza giungemmo ad

Antignano. La carrozzella si fermò in via del Litorale 289, davanti ad un cancello che interrompeva un muro tempestato di pezzi di vetri "per impedire che ladri scavalchino il muro e vengano a rubarci i fichi" spiegò il nonno. I rami di un gigantesco albero di fico al di là del cancello sorpassavano il muro e davano sulla strada. Su una piccola targa a sinistra del cancello lessi "Villino Anna Franca": era lì che abitavano i nonni. "Villino, e non Villa – per evitare che la gente leggesse 'villana Franca'," scherzò il nonno. Sotto il pergolato che congiungeva il cancello con l'entrata della palazzina apparve la nonna. Neppure lei ci conosceva. All'infuori di un abbraccio non ci fece né moine né carezze; non era il tipo. Il babbo e la mamma ci avevano avvertito: la nonna Jole è una donna energica, risoluta; dai modi spicci. Lo era. Piuttosto alta e slanciata camminava impettita ed era svelta. Teneva i capelli grigi raccolti in una crocchia ed era vestita in modo sciatto; un mazzo di chiavi appeso alla cintura tintinnava ad ogni suo passo. In seguito appresi che erano le chiavi della dispensa di cucina. Le portava sempre con sé. Ci condusse su per la scala di marmo al piano superiore dove erano le stanze da letto e lo studio del nonno che dava sulla grande terrazza. A mia sorella ed a Rosina assegnò una bella stanza che dava sul davanti, sulla pergola e la strada, a me una che dava sull'orto; in fondo si scorgeva il mare. Vi erano due letti e mi disse che lei avrebbe dormito insieme a me. Rimasi male. Non credo che se ne accorgesse. O fece finta di non accorgersene. Il nonno dormiva in una stanza al piano terra; solo. A sinistra dalla porta d'entrata, accanto alla stanza da pranzo, c'era "il salotto buono", come lo chiamava la nonna. Non avevo mai visto un "salotto buono". La mamma e il babbo non dicevano "salotto"; dicevano "soggiorno". Vedendo quello dei nonni capii che serviva alla stessa cosa. Prima di farci entrare la nonna dovette spalancare le finestre. Mi colpì un odore di chiuso e stantio che mi fece capire che nel "salotto buono" non si entrava spesso. La nonna non aveva amiche che la venissero a trovare. Quelle finestre le vidi aprire solo rarissime volte: quando passava qualche vecchio collega del nonno con la moglie e prendevano il tè seduti sul divano di velluto rosso con le frange di perline. Era un salotto non solo buono; era anche triste. Accanto al divano rosso vi era inoltre un tavolinetto tondo di marmo con gli intarsi a scacchiera e le figure degli scacchi tutte a posto come se si dovesse incominciare a giocare da un momento all'altro; mancavano solo i giocatori. Le due poltroncine anche quelle rosse con le frange fatte di perline ai lati del divanetto erano coperte con federine bianche per proteggerle dalla polvere. Di fronte al divano: un cassettone di legno scuro. Alle pareti alcuni ritratti – uno a olio di mia mamma – e varie fotografie dell'Africa ornavano le pareti. Il nonno Ercole era stato due anni in Africa, precisava, quando era ancora ufficiale di carriera. Ricordava quei tempi con piacere e ci mostrava un grosso album di fotografie che lo ritraevano in una bella divisa bianca insieme ai suoi colleghi ufficiali attorniati da bambini negri. Sfogliando l'album, verso la fine, notavo anche fotografie, ritratti di bellissime donne bianche stranamente vestite di veli e copricapi con ricami ricercati e preziosi. Una di queste signore, dallo sguardo perduto lontano, era seduta su un'altalena; intorno alla corda si attorcigliavano foglie d'edera. Un'altra foto riproduceva una ragazza bene in carne con le braccia nude ed i capelli lunghi sciolti; era appoggiata languidamente con il gomito su un cuscino a sua volta posato su una specie di colonna mozzata. Non so che cosa facessero fra quei ricordi militari queste belle signore e quando lo chiedevo al nonno egli chiudeva repentinamente l'album cantarellando con il suo vocione: "... voulez-vous danser avec moi, ulla ulla ullalà..."

Andammo a pranzo nell'apposita stanza, anche questa al pianterreno. Di fronte c'era la cucina: grandissima con un fornello di maiolica bianca lungo tutta la parete; ci si cucinava ancora a carbonella. Il muro sopra al fornello era coperto da casseruole e tegami di rame di ogni grandezza; erano lucidissimi. ~~ognat~~

Serviva il pranzo una domestica: bassa e traccagnotta, aveva già una certa età, gentilissima con noi bambine. Ci dava del lei. In un primo tempo la cosa mi divertì, poi mi imbarazzò. I nonni le davano del tu. In cucina notai che la domestica mangiava pane nero; a noi in tavola veniva servito pane bianco. Il nonno con lei era cordiale, la nonna sbrigativa ed esigente.

"Lascia correre, Jole," le diceva il nonno, "ché altrimenti ci pianta anche questa."

Ci piantò; infatti: quasi subito dopo il nostro arrivo. Ne venne un'altra, e poi un'altra ancora. In quelle cinque settimane – tanto durano le vacanze estive nelle scuole svizzere – conobbi tre donne di servizio diverse. Se ne andavano per via della nonna, così dicevano.

Dopo pranzo il nonno mi fece fare un giro nell'orto; passammo davanti alla casa dei contadini che coltivavano il podere e vidi un ragazzo poco più grande di me che zappava la terra. Era Giorgio, il figlio del contadino. Salutò il nonno chiamandolo "signor padrone". Alla Scuola Libera i miei genitori insegnavano che "il padrone lo hanno solo i cani". Sotto un fico, in fondo all'aia, un mulo con gli occhi bendati, legato ad una pertica – a sua volta fissata ad una ruota in fondo al pozzo – girava ininterrottamente intorno alla cisterna. "Tira su l'acqua" spiegò il nonno. Il contadino annaffiava l'orto formando con la vanga, tra i rettilinei delle piante – fagiolini, pomodori, zucchine e melanzane – degli avvallamenti dentro ai quali faceva scorrere l'acqua che dal pozzo tirava su il mulo. Sarei rimasta sempre a guardare, ma il nonno non gradiva che io mi fermassi con i contadini. "Non sta bene," disse e quando tornammo nel giardino chiuse bene a chiave il cancello che divideva la nostra proprietà dall'aia. Il paradiso per me stava dall'altra parte, dietro al cancello chiuso a chiave. Mi era stato severamente proibito di varcarlo e di andare a giocare con Giorgio.

"Perché non sta bene?"

"Perché loro sono contadini," risposero i nonni.

Andai a letto preoccupata. Cinque settimane di vacanze mi parvero improvvisamente un'eternità. Mi venne da piangere. Prima di addormentarmi feci con la matita, all'interno del cassetto del mio comodino 5 volte 7 crocette = 35 crocette, una per ogni giorno in cui dovevo restare ad Antignano. Ne cancellai subito due, per il viaggio di andata e di ritorno. Rimasero 33 crocette; ogni mattina potevo cancellarne una; quando non ce ne fossero più state sarei tornata a casa. Non mi parve più un tempo infinito. Mi addormentai.

Ogni giorno alle undici, quando il sole batteva a picco, la nonna ci conduceva al mare, al mare libero, sugli scogli. Si passava davanti alla piazzetta del paese davanti ad una casa con l'intonaco mezzo stinto e scrostato; qualcuno vi aveva scritto a grosse lettere "Tireremo diritto – Mussolini". La nonna invece piegava a destra verso il mare. La gente di Antignano ci guardava e salutava. La nonna però non si fermava mai a parlare con loro. Quando usciva si vestiva con cura; non era sciatta come in casa. Il mazzo di chiavi lo riponeva in borsetta. Generalmente indossava un due pezzi di lino color crema, lungo, stretto in vita e portava l'ombrellino per ripararsi dal sole. Attirava gli sguardi su di sé. "Una bella donna," avevo sentito dire di lei. Lì al mare aveva fatto conoscenza con dei signori di Livorno; venivano regolarmente sulla spiaggia a fare il bagno insieme ai loro bambini. Si erano costruiti persino una capannina; i ragazzini ci invitavano a giocare con loro, ad andare a stanare fra gli scogli i "favolli", grossi granchi temuti dai bagnanti, a rimpiattarsi tra le rocce o ad andare a fare il bagno. La nonna appariva compiaciuta. Non disse mai "non sta bene": i genitori di quei ragazzi erano liberi professionisti e commercianti di Livorno.

"Bal-bo, Bal-bo, Bal-bo." Così si era improvvisamente messo a scandire, come impazzito, Sergio, un ragazzetto, mentre stava con me a cercare telline e ricci tra gli scogli. Guardava in aria agitando paletta e secchiello come fossero bandiere. Guardai anch'io: erano apparsi fulminei nel cielo, proprio sopra le nostre teste, a bassa quota e facendo un rombo infernale, squadriglie aeree in formazioni serrate. Tutti i bagnanti si fermarono con il naso all'insù: "Bal-bo, Bal-bo, Bal-bo." Anche i grandi ora si erano uniti al coro forsennato dei ragazzi e sventolavano tutto quello che capitava loro fra le mani: copricostumi le signore, asciugamani e accappatoi gli uomini: parevano d'un tratto ammattiti tutti. Nel cielo di Livorno era apparso Italo Balbo con le sue squadre aeree, tornava in Italia dopo aver concluso la sua trasvolata atlantica, un'impresa – come mi spiegò dopo il nonno – che conferiva onore e prestigio all'Italia fascista.

Era il luglio 1933. I signori sulla spiaggia parlavano della "centuria alata" che aveva fatto conoscere la gloria dell'Italia e del fascismo al mondo intero. Non avevo nessuna idea di cosa fosse una "centuria alata"; il termine per me era nuovo. Conoscevo invece il nome di Italo Balbo. Durante le manifestazioni antifasciste di Zurigo, tra i ritratti dei martiri e delle vittime della dittatura – figurava sempre anche quello di un sacerdote, un prete dall'espressione mite e decisa insieme, con un collettino candido intorno al collo. Il babbo mi spiegò che era Don Minzoni, un prete del Ferrarese che non si era fatto intimorire dalle camicie nere, e che per questo gli squadristi di Italo Balbo lo avevano ammazzato di botte. Per me Italo Balbo era associato a Don Minzoni e non alla "centuria alata". Non partecipai all'entusiasmo generale. "Le bambine vivono all'estero," spiegò la nonna ai suoi conoscenti di spiaggia.

A volte si presentavano all'improvviso, sulla riva, signori che non avevano l'aria di volersi godere il mare. Allora la voce si spargeva subito: "la polizia". I bagnanti raccoglievano i loro oggetti, costumi e accappatoi e si spostavano altrove ridacchiando fra loro: "arriva la Ciana". Avevano capito: dovevano sloggiare e lasciare libera la spiaggia. I bagnanti erano abituati a questa procedura e sapevano che stava per giungere Edda Ciano, la figlia del Duce. I Ciano erano di Livorno ed il padre di Galeazzo, Costanzo Conte di Cortellazzo, presidente della Camera dei Fasci, veniva spesso a trascorrere un periodo di riposo ad Antignano dove la famiglia possedeva una villa. Di lui sentivo parlare bene, anche se "si è arricchito col fascismo," commentava la gente. I barcaioli del porticciolo dicevano che era un simpaticone, generoso, esuberante e ridanciano; lo si poteva vedere a Calafuria dove andava a mangiare il cacciucco; era un gran pescatore, dicevano ancora di lui, e un buon bevitore. Anche dopo il matrimonio del figlio con Edda Mussolini non aveva cambiato i suoi rapporti con la gente di Antignano. Il Conte di Cortellazzo era considerato un uomo alla mano, cordiale. Invece Edda non godeva di alcuna simpatia, non solo perché metteva la spiaggia in subbuglio quando arrivava, ma anche – così dicevano gli Antignanesi – perché era prepotente e insolente.

Solo l'arrivo "della Ciana" poteva interrompere il programma balneare della nonna. Fare il bagno era comunque per me un'impresa. Mia sorella e la Rosina sapevano nuotare bene e prendevano il largo; ma io dovevo rimanere sotto gli occhi vigili della nonna. Con l'orologio in mano mi imponeva di stare nell'acqua un determinato spazio di tempo – non un minuto di più né uno di meno. E poi – paff – mi schiaffava al sole: dovevo rimanerci ferma, immobile per un periodo che a me pareva interminabile; i sassolini mi indolenzivano la schiena – non era una spiaggia sabbiosa; le mosche ed i tafani mi svolazzavano attorno e mi infastidivano; il sole scottava. La mia liberazione giungeva all'una in punto, quando la nonna dava il via per il ritorno. Stordita dal sole e affamata, ripassavo barcollante per la stradina vicino alla piazzetta davanti alla casa con la scritta "Noi tireremo diritto". Le abitazioni vicine, per lo più occupate da pescatori e contadini, avevano la cucina che dava sul vicolo; la gente teneva la porta aperta per far circolare meglio l'aria. Passando di lì giungevano sino a me l'allegro chiacchiericcio delle persone a tavola ed il tintinnare di bicchieri e stoviglie. Avrei preferito essere la nipotina di un pescatore o di un contadino piuttosto che del "Commendatore".

Il nonno ci teneva a quel titolo e precisava che la commenda di San Maurizio e Lazzaro era un titolo serio, come a dire che ve ne erano anche di meno seri. L'onorificenza conferitagli – una bella medaglia color oro, verde e bianco, il nonno la teneva nel suo studio insieme a molte immagini della sua partecipazione alla occupazione pacifica di Massaua nel 1885 e accanto ad una fotografia di mio padre in divisa da tenente degli alpini durante la prima guerra mondiale. Il babbo mandandogliela vi aveva scritto in calce: "Per la libertà prima – per la patria dopo". Il nonno Ercole colse l'occasione per farmi notare che "patria" andava scritto con la "p" maiuscola e per dirmi che mio padre era un fesso. Usò proprio questa parola. Se fosse stato furbo – aveva continuato il nonno – non sarebbe stato costretto a fare la vita grama all'estero, ma sarebbe diventato qualcuno. In ogni modo, se non si fosse occupato di politica ma avesse badato ai fatti suoi, oggi avrebbe una vita tranquilla e non quella che era costretto a condurre in esilio. Mi meravigliai di questo poco lusinghiero giudizio su mio padre, ma non troppo, perché già avevo sentito dire che i rapporti fra di loro erano tesi. Mi stupii molto, invece, del valore positivo che il nonno, in questo caso, attribuiva al termine "furbo"; in casa mi avevano insegnato che la furbizia era "uno dei maggiori difetti degli italiani". E per dimostrarmi il vero significato del termine il babbo come al solito mi aveva subito mandato a prendere lo "Zingarelli". Ogni pasto in casa nostra veniva ad un certo punto immancabilmente interrotto dall'ingiunzione perentoria del babbo: "va subito a prendere..." Il seguito variava, poiché doveva essere portato – a seconda della lingua – lo Zingarelli o il Langenscheidt oppure il La Rousse; più tardi si aggiunse l'Oxford Dictionary. Il babbo era irremovibile in questioni linguistiche, "altrimenti parlerete l'emigrantese, *Emigrantisch,*" diceva, intendendo con ciò che non avremmo parlato più nessuna lingua correttamente. La prospettiva lo faceva inorridire; significava per lui perdere radici e identità. O a mia sorella o a me toccava quindi sospendere immediatamente il pasto per correre a prendere quanto richiestoci. Nel caso in questione toccò a me, e lessi nello Zingarelli sotto la voce "furbo":

"*agg. – Di chi sa mettere in pratica accorgimenti sottili ed abili, atti a procurargli vantaggi ed utilità.*"

Non avevo quindi dubbi in merito. Il termine "furbo" usato dal nonno mi diede fastidio. Sapevo che il babbo non andava d'accordo con il nonno Ercole, soprattutto per ragioni politiche.

Il nonno era monarchico, cattolico e fascista. I dettagli e le ragioni più sottili della scarsa comprensione reciproca tra padre e figlio tuttavia li appresi man mano crescendo. Si trattava comunque di tutta la concezione di vita che era differente per ognuno dei due. Il nonno Ercole era un ufficiale di carriera, che aveva dovuto lasciare l'esercito ed entrare nella Pubblica sicurezza quando aveva sposato la nonna Jole, priva della dote che la legge esigeva allora, per ragioni di classe e di decoro, per le mogli degli ufficiali. Il nonno Ercole aspirava alla tranquillità nella vita; e non era furbo neppure lui. Era monarchico e fascista perché ci credeva.

Del questore aveva, se non *le physique*, indubbiamente *l'esprit du rôle*: scrupoloso nell'eseguire gli ordini ricevuti, fedele agli impegni assunti, retto, disciplinato, inflessibile alla pari di un ufficiale prussiano. Non aveva nulla della duttilità del mio nonno Chino. In quanto funzionario dello Stato poneva l'osservanza della legalità – di qualsiasi origine fosse al di sopra di ogni cosa o sentimento. Legge e ordine non erano per lui parole vane. Da qui i difficili rapporti con il figlio fuoruscito: una lacerazione interiore che procurò ad ambedue dolore e tristezza.

Dopo essere andato in pensione – e solo allora – vale a dire quando nessuno avrebbe potuto mettere in dubbio la sua buona fede – il nonno Ercole scrisse una lettera al capo dello Stato Benito Mussolini:

[...] *"Avevo rotto quasi ogni rapporto con il predetto mio figlio e comprimendo ogni sentimento di tenerezza che verso la creatura mia e la mia nipotina mi spingeva per quella che è legge naturale comune, lungi dal porre loro soccorso di qualsiasi genere, li abbandonai completamente al loro destino, perché in me prevalse e doveva prevalere la coscienza di Funzionario fedele, disciplinato, italiano, Fascista [...] Eccellenza, non voglio ripetere quanto l'animo mio in ciò ha dovuto soffrire, ma non vorrei che a tale mia sofferenza si aggiungesse quella di sapermi meno stimato dall'Eccellenza Vostra. Ecco la sola, l'unica ragione di questo mio scritto [...]"*

Dopo avermi detto che il mio babbo era un fesso, né il nonno né la nonna fecero, durante quelle mie prime vacanze ad Antignano, allusioni dirette al fascismo e all'antifascismo. La loro diversità dai miei genitori stava per me in alcuni fatti, come il non poter giocare con Giorgio perché era figlio di contadini o il chiamare "serva" la donna di servizio e il darle da mangiare pane diverso da quello che mangiavamo noi. Poi c'era stato quell'episodio per cui la nonna mi aveva dato della "citrulla" ed aveva chiamato in causa la mia mamma. Una signora aveva suonato al campanello; ero accorsa, l'avevo fatta accomodare su una panchina sotto la pergola ed ero andata subito a cercare la nonna avvertendola che c'era una signora che l'attendeva. Lei si era messa in agitazione; si era precipitata a cambiar abito, a rassettarsi i capelli e si era affrettata all'uscita. Quando da una certa distanza aveva avvistato la persona che l'attendeva sotto il pergolato si era rivolta a me in malo modo: "Oh citrulla – oh che è quella, una signora? Oh non te lo ha detto tua madre che le signore portano il cappello? È ora che ti svegli bimba – quella è una donna!"

Aveva gridato proprio così la nonna, e la signora aveva udito tutto. Si era alzata e se ne era andata in silenzio. Le corsi dietro per salutarla. Mi vergognavo.

Il nonno non mi ricordava il babbo – in nulla. Anche quando leggeva il giornale era diverso. Il nonno ne comprava uno solo, il "Corriere della Sera" o "Il Popolo d'Italia". Lo leggeva dal barbiere dove andava ogni mattina a farsi radere. Io l'accompagnavo prima di andare al mare con la nonna. Leggendo, il nonno annuiva sempre e "ha ragione, ha ragione" oppure "bene, bene" diceva. Il barbiere a volte interpellato rispondeva rispettosamente "se lo dite voi Commendatore"; oltre non era mai andato. Non c'era mai una volta che nascesse una discussione; tutti i presenti davano sempre ragione al Commendatore. Alla Copé di Zurigo gli amici del babbo, socialisti, anarchici, repubblicani e comunisti, si accapigliavano commentando quello che scrivevano i vari giornali: ognuno la pensava a modo suo e se lo dicevano.

Sulla via del mare a Livorno, in compagnia del nonno, avevo visto sfilare ragazzini in divisa, pantaloncini blu, camicia bianca, fazzoletto al collo. Cantavano: "evviva il Duce che ci conduce verso la luce..." Il nonno me li additava compiaciuto per l'ordine e la disciplina che dimostravano marciando. Si rabbuiò quando ad una sua precisa domanda risposi che no, non avrei desiderato essere una di loro. Certo, anche noi si marciava uniti per non perderci, andando in gite scolastiche o durante le manifestazioni della Scuola Libera a Zurigo, ma non portavamo né divise né distintivi, marciavamo liberi, sciolti, non compatti come un blocco.

La domenica i nonni ci conducevano a messa nella chiesetta di Antignano. Il nonno non nascose il suo disappunto nel notare la mia ignoranza in merito alla liturgia; il cerimoniale del culto per me era un mistero. Sapevo tuttavia recitare il "Padre nostro" e sapevo farmi il segno della croce perché me lo aveva insegnato il nonno Chino quando stavamo a Todi e perché lo faceva anche la mamma. Il nonno rimase tuttavia sorpreso nel constatare che non ero affatto digiuna in quanto alla storia biblica e volle sapere perché non andavo in chiesa a Zurigo la domenica.

"Perché il babbo dice che se Dio vede tutto, vede anche che rimango a casa ad aiutare la mamma."

Mi fece capire che disapprovava anche questo in suo figlio; ma per il momento non disse altro. Colse l'occasione per condurci su al santuario di Montenero. Là ci comprò una medaglietta d'oro con l'immagine della Madonnina che ci avrebbe sempre protetto; la portai a Zurigo. Fui affascinata dagli ex-voto. Le chiese cattoliche erano più allegre di quelle protestanti di Zurigo; lì non avevo mai visto immagini simili a quelle di Montenero, offerte dai fedeli per grazia ricevuta: come se lì la grazia non la ricevesse nessuno.

Preferivo di gran lunga la compagnia del nonno a quella della nonna. Lui era più affettuoso, più affabile, raccontava volentieri, anche se teneva alle distanze e non gradiva troppa familiarità. Nessuno prima del nonno Ercole mi aveva detto qualcosa sui nostri antenati. Lui diceva che la discendenza era una cosa importante; prendeva sul serio gli antenati in generale, ed i nostri in particolare. Mi rivelò con orgoglio, in base ad un albero genealogico che teneva nel suo studio, che gli Schiavetti erano romani da non so quante generazioni, per cui mi potevo vantare di essere "Romana de Roma", anche se la nonna Jole proveniva da Lucca e la mamma da Perugia; perché, così disse il nonno, "è solo la discendenza maschile che conta." Non avevo mai pensato di dover essere particolarmente orgogliosa per il fatto di essere romana. Peraltro anche il babbo teneva, a Zurigo, nella stanza dove scriveva e dava lezioni, l'immagine di un romano – bello e fiero, così mi pareva; ma non era Giulio Cesare, era Bruto. Stava accanto a due fotografie: una di Giuseppe Mazzini che si reggeva il capo, l'altra di Giacomo Matteotti, ambedue dall'espressione pensierosa. Sotto l'immagine di Matteotti c'era scritto "Bisogna prepararsi anche a morire".

L'andar a spasso per Livorno con un nonno che portava il distintivo fascista mi dava fastidio; e non ne aveva uno solo ma diversi, per comodità. Ogni sua giacca aveva già nell'asola il suo distintivo. Gliene sottrassi prima uno poi due; non potendoli portare a Casadei a Zurigo li buttai nel "botro" fra la nostra palazzina e la piazzetta di Antignano. Il nonno cercò a lungo i suoi distintivi ma non gli passò mai per la mente che potessi essere stata io a carpirli. Credo che andasse al di là della sua immaginazione. L'idea che una sua nipotina osasse commettere una simile azione non lo sfiorò neppure. Sarebbe stato non "portargli rispetto" oppure "prendersi delle confidenze" – due espressioni che ricorrevano spesso nel suo lessico, perché ritenuti comportamenti inammissibili.

"Commendatore, l'aspetto dunque con la signora e con le sue nipotine," così aveva detto una mattina un signore al nonno Ercole mentre tutti e due stavano dal barbiere in attesa di farsi radere. L'invito si riferiva alla corsa automobilistica di cui in quell'anno, ad Antignano, si faceva gran parlare; la corsa attraversava il paesino. Il signore che aveva invitato il nonno era proprietario di una casa nel cuore di Antignano vecchia. Era una bella casa tra le più antiche del piccolo centro balneare: bassa con una grande terrazza situata proprio dirimpetto ad un incrocio ad angolo retto di due anguste vie. Un incrocio ritenuto pericolosissimo già allora, quando a circolare non erano per lo più che biciclette, qualche motocicletta e carri tirati da cavalli o muli; di automobili ne transitavano pochissime. Che le Mille Miglia passassero proprio di lì e che dovessero superare quell'incrocio faceva sì che la casa del nostro ospite fosse il punto più ambito. Gli invitati erano persone privilegiate, appartenenti alle autorità cittadine, vecchi conoscenti del nonno Ercole quando era questore di Livorno e amici del segretario federale del fascio. Era una compagnia allegra e chiassosa; le signore erano elegantissime e ingioiellate, truccate con cura: le loro labbra disegnate a cuore e gli occhi protetti da lunghe ciglia, proprio come le teste delle bambole che faceva la mamma a Marsiglia per il profugo russo. A Zurigo non usava truccarsi così, tanto che quando passava per strada una signora con le labbra vistosamente tinte c'erano sempre ragazzini impertinenti che le gridavano dietro "frisch gestrichen" – dipinto di fresco.

Alle belle signore facevano cornice bambini dai cinque ai dieci anni vestiti come bambole. Le bambine erano sommerse da fiocchetti e fiocchettini, volants e volantini, fiori e fiorellini; i maschietti indossavano più sobriamente leggere camicie con le iniziali dei loro nomi ricamate e cravattine a farfalla. La padrona di casa mandò tutti i bambini sulla vasta terrazza al primo piano dove era stata imbandita una tavola: merendine, biscotti, e sciroppi di ogni tipo erano predisposti con cura e messi a nostra completa disposizione. Ai nostri ordini stavano anche un cameriere con i guanti bianchi e una bambinaia che non faceva che ricordare ai bambini di non sudare non sporcarsi non correre non saltare – "come vi ha detto la mamma". Mi chiesero dove fosse la mia mamma, risposi "all'estero". Ebbi l'impressione che mi invidiassero.

Alle finestre del piano terra avevano preso posto i grandi in attesa delle prime automobili da corsa che sarebbero passate di lì a poco. Erano persone importanti: si fregiavano di onorificenze varie e di distintivi e godevano delle riverenze e degli ossequi generali. Gli ospiti si accalcavano alle finestre sottostanti la terrazza lasciando i posti in prima fila ai personaggi più illustri. Le loro appassionate discussioni sui vari corridori giungevano sino a noi affacciati alla terrazza. Passò finalmente la prima automobile, un "bolide", come avevo sentito dire dal nonno, prese l'angolo retto con uno stridio di freni da far accapponare la pelle; dal piano terra echeggiò un boato: "Nuvolari!" Mi sporsi il più possibile dalla terrazza e vidi che il più scalmanato era proprio quel signore con le molte decorazioni e che era anche il più ossequiato. Suo figlio Pier Camillo, di sei anni, stava tentando di giocare con me sulla terrazza badando a non correre non sudare non saltare non sporcarsi. Dall'alto notai che suo padre aveva un inizio di calvizie e che faceva salamelecchi alla sua bella vicina. Tenevo in mano un bicchiere con lo sciroppo, me lo aveva appena servito il cameriere dai guanti bianchi. Si udì da lontano il rombo di un motore, cadde un silenzio tombale, la tensione era al massimo, il bolide stava per attaccare la famigerata curva – è a quel punto che rovesciai di scatto il bicchiere di sciroppo di mirtilli sul capo del signore pluridecorato centrandolo in pieno. Le sue imprecazioni si fusero con lo stridio dei freni del bolide di Varzi o Campari. Dal capo semicalvo il liquido scivolò dentro il collo della camicia e anche "più giù, più giù", come cercava di far capire il signore al piano terra alzando sempre più la voce. Tra la confusione generale scatenatasi ci volle un bel po' perché tutti si rendessero conto dell'accaduto e che le imprecazioni non erano rivolte al corridore appena transitato.

Salì in terrazza la nonna; me l'aspettavo. Aveva un buon intuito, si rivolse subito a me. Era furibonda per "la brutta figura", come disse, e voleva condurmi via subito "per punizione". Ma le vie di Antignano erano tutte sbarrate per via della corsa. Così rimasi sino alla fine. I bambini mi guardavano divertiti. Prima di andarmene feci le mie scuse; vennero accettate con sussiego. Arrivati a casa il nonno mi sgridò a sua volta. Come sempre fece ricadere la responsabilità per l'incidente dello sciroppo indirettamente sul babbo e sull'educazione che egli ci impartiva all'estero. Io pensavo a quante crocette nel cassetto del mio comodino dovevo ancora cancellare prima di poter ripartire. Non ne erano rimaste molte.

Fu verso la fine delle nostre vacanze che lo zio Carlo – quello che mi aveva trovato la balia per allattarmi – scrisse al nonno Ercole dicendogli che avrebbe voluto rivederci. Così il nonno Chino venne a prenderci ad Antignano e ci accompagnò a Roma dove abitava lo zio Carlo Zuccarini. Dopo la fuga della mamma non aveva più visto mia sorella; né me, dopo che avevo lasciato Todi.

Lo zio Carlo abitava in una palazzina nel quartiere di San Saba sull'Aventino dove aveva anche il suo ambulatorio medico. Lo legava ai miei genitori una lunga amicizia – gli Zuccarini erano antifascisti e repubblicani. All'amicizia si aggiunse la parentela allorché lo zio Carlo sposò la sorellastra di mia madre, Lina. Gli zii avevano un figlio di cinque anni, Sandrino. La zia Lina era una esaltata ammiratrice del Duce e aveva imposto l'iscrizione del figlio all'Opera Nazionale Balilla. La zia non aveva nulla in comune con mia madre – né nel fisico né nel carattere; in comune le due sorellastre avevano solo il padre, il nonno Chino: Lina era figlia della seconda moglie del nonno. Era alta, bruna, vistosa nei gesti e nel vestire, "un bel pezzo di donna", dicevano di lei. La mamma minuta, biondo-rossa di capelli, riservata nell'abbigliamento e nel comportamento; la sua caratteristica, diceva la gente, erano la dolcezza ed il garbo. Appena fummo arrivate – mia sorella, la nostra amica Rosina Bertozzi ed io – si presentò la polizia; era stata avvisata del nostro spostamento a Roma. Lo zio Carlo aveva dimestichezza con i tutori dell'ordine. Era un sorvegliato del Regime, non solo per l'amicizia e la parentela con dei fuorusciti come eravamo noi, ma anche in quanto fratello di Oliviero Zuccarini, deputato repubblicano fino all'avvento del fascismo. Lo zio Carlo non faceva mistero delle sue idee; non si è mai iscritto al Partito fascista anche se non si è mai occupato attivamente di politica. Così la Pubblica sicurezza lo lasciava più o meno in pace, tranne quando a Roma avevano luogo manifestazioni particolari del Regime oppure quando giungevano nella capitale illustri ospiti stranieri. Allora la polizia si presentava a casa dello zio e lo fermava per alcuni giorni, come precauzione; un modo per garantire l'ordine pubblico. Lo zio non era il solo. A Roma e nelle altre città italiane vi era un numero considerevole di persone sottoposte al medesimo trattamento. Lo zio teneva ormai pronta una valigetta con lo spazzolino da denti e gli effetti personali necessari per andare anche all'improvviso alcuni giorni "in villeggiatura", come diceva lui. Si strinsero così feconde amicizie tra le persone abituate ad incontrarsi in quelle occasioni e in quei luoghi di sorveglianza, amicizie che sopravvissero al fascismo. Lo zio raccontava divertito e soddisfatto del suo legame con Luigi Bartolini, pittore e acquafortista, che ebbe origine appunto da uno di quei "fermi". Gli uomini che si ritrovavano così di tanto in tanto non avevano in comune soltanto idee critiche verso il fascismo, ma anche interessi culturali e una buona dose di umorismo. Lo zio Carlo raccontava di aver riso poche volte in vita sua tanto di cuore e di essere stato così rilassato come in quelle occasioni di forzata "ricreazione". E non solo perché almeno lì la zia Lina lo lasciava in pace, aggiungeva. Non andavano d'accordo lo zio e la zia. Non ne facevano un mistero. La loro incompatibilità di temperamento e di vedute si manifestava apertamente in rapporto al figlio. Mentre la zia si entusiasmava dell'educazione fascista che veniva impartita a Sandrino, "figlio della lupa" prima e "balilla" poi, lo zio Carlo ne era infastidito, preoccupato e umiliato.

Appena arrivammo in casa dello zio Carlo mio cugino Sandrino ci accolse con un fucile-giocattolo puntato contro di noi e – "ta-ta-ta" – fece finta di ammazzarci tutti. Nei due giorni del nostro soggiorno a Roma Sandrino non fece che parlare di guerra, giocare alla guerra, sognare la guerra. Vedeva nemici dappertutto. Aveva in camera sua un numero incalcolabile di figurine raffiguranti bambini in camicia nera e soldati. Aveva imparato a memoria molti dei versetti riportati in calce alle figurine e li recitava in continuazione: "manganello – sei bello; dove ci sei tu, il nemico non c'è più." Ripeteva tutti gli slogan di Mussolini che leggeva sui muri; "credere, obbedire, combattere" era una delle sue frasi preferite. Non so se Sandrino credesse o combattesse; certo è che non obbediva. Quando il nonno Chino glielo faceva notare rispondeva: "me ne frego, come il Duce". A noi era proibito usare il termine "fregare." In casa non lo si tollerava perché "è un modo di dire volgare e sguaiato, e perché lo dice il Duce". L'atmosfera nella casa dello zio Carlo mi piaceva nonostante le "fanaticherie" della zia, come le chiamava lo zio, e la presenza di

Sandrino "guerrafondaio"; quando per un attimo cessava di sparare, dare ordini e mandare i suoi soldati all'attacco, era molto divertente. Del resto Sandrino sparava indistintamente su tutti, non solo su noi; il bersaglio preferito erano i pazienti dello zio, "gli invasori", come li chiamava, che venivano addirittura assaliti. Peraltro, il paziente che entrava, si accorgeva di non aver sbagliato porta più dall'odore che dall'accoglienza o dall'aspetto dell'ambulatorio. La stanza dove lo zio visitava i malati, in maggioranza bambini perché era specializzato in pediatria, ricordava piuttosto un'esposizione che altro. Sculture, quadri, stampe e acquaforti ornavano le pareti e in un angolo una vetrinetta con numerosi e rari reperti dell'epoca etrusca e romana. Su tutto aleggiava un odore di disinfettante che rassicurava. Il suo ambulatorio rifletteva bene le passioni dello zio. Non avevo mai visto un ambulatorio che rassomigliasse a quello dello zio Carlo. Quando la mamma mi accompagnava dal dottor Dreifuss a Zurigo, venivamo accolte da una Schwester con un immancabile sorriso e con quel saluto "willkommen", siate benvenuti, che a mamma – trattandosi della casa di un medico – piaceva poco, a dir il vero. Nella sala d'aspetto i bambini non osavano fiatare. Ognuno guardava per conto suo i libri che stavano a nostra disposizione o giocava con uno dei tanti giocattoli; tutti di buon gusto, "per educare i bambini sin dalla prima età al senso estetico," aveva spiegato la Schwester alla mamma. Chi dei bambini aveva bisogno di rivolgersi alla madre lo faceva bisbigliando. L'ambulatorio del dottor Dreifuss e quello dello zio Carlo non avevano nulla in comune, ma lo zio e il dottor Dreifuss, sì: ambedue avevano due passioni: la medicina e l'arte. La differenza stava nel fatto che l'amore per la pittura del dottor Dreifuss non lo si deduceva dalla sua "Praxis" alla Hottingerstrasse 16. Invece l'ambulatorio dello zio Carlo a San Saba tradiva questa passione. Passione ostacolata del resto dalla zia, nonostante lo zio avesse anche vinto negli anni trenta un premio alla Quadriennale. La zia non amava neppure gli amici dello zio: artisti, colleghi medici che la pensavano come lui e gente alla buona del quartiere – per lo più vecchi repubblicani con i quali lo zio giocava a carte. Mi piaceva molto stare con lo zio; non ci si annoiava mai; era pacato nell'esprimersi e appariva quasi flemmatico accanto alla furia bellicosa di Sandrino e al fanatismo della zia.

Vidi Roma per la prima volta in modo consapevole in tram, con lo zio. Egli non aveva un'automobile, benché gli Zuccarini fossero benestanti. Il tram cigolava, strideva e scricchiolava ad ogni svolta; mi dava l'impressione di dover cadere a pezzi alla prossima curva. Invece resse bene; lo ritrovai uguale anche negli anni seguenti. Il conduttore aveva di fronte a sé la solita scritta che vietava di parlargli, come a Zurigo. Ma tutti a Roma gli rivolgevano la parola e a tutti il "manovratore" rispondeva. Piazza Venezia era deserta; il babbo mi aveva detto che Mussolini governava da quel palazzo. All'angolo con via del Corso sostavano alcuni uomini e anche sotto il balcone di Palazzo Venezia ve ne erano due; ma sulla piazza nessuno – solo noi. Appena ci videro lì al centro guardare verso il palazzo si avvicinarono e con fare sbrigativo ci intimarono: "circolare, circolare". Lo zio disse calmo: "la polizia". Notai numerose persone con la camicia nera; non sempre erano uomini in divisa. Molto spesso gli uomini indossavano la camicia nera sotto una giacca normale. Al Pantheon, a piazza del Popolo e a piazza San Pietro vidi per la prima volta con i miei occhi gli obelischi di cui avevo sentito parlare. Lo zio confermò con la sua abituale ponderatezza: "sì, tutta roba rubata dai romani." Non ebbi più dubbi.

Ripartimmo per Livorno insieme con il nonno Chino. Ad Antignano ci trattenemmo solo pochi giorni. Giorgio, il figlio dei contadini, per festeggiare il mio ritorno ci fece, la sera, una sorpresa. Pose sul parapetto del ponte un grosso lampione ricavato da una zucca preventivamente svuotata con al centro una candela che faceva risaltare gli intarsi che Giorgio aveva inciso sulla "coccia", come avevamo fatto col babbo a Zurigo con la rapa. La zucca di Giorgio illuminava un sole che ride. Giorgio sapeva perché non giocavo con lui e non se la prese con me.

Ripassò la polizia per chiedere al nonno Ercole quando saremmo partite. Salutai Giorgio ed i contadini, colsi nell'orto basilico e rosmarino per la mamma, li chiamava "profumi nostri", e riposi un paio di manciate di terra in una scatoletta per portarla al babbo e alla mamma. La mattina della nostra partenza cancellai nel cassetto del mio comodino l'ultima crocetta. Ero felice. Al cancello i nonni ci abbracciarono tristi e commossi.

4.

RITORNO IN SVIZZERA

L'averci mandato dai nonni era servito a rompere il ghiaccio. Fra il nonno Ercole ed il babbo i rapporti si normalizzarono anche se ognuno dei due manteneva ferme le proprie convinzioni politiche; peraltro non ne potevano parlare per lettera perché la polizia fascista continuava a controllare la corrispondenza del babbo. Il primo risultato immediato dell'avvenuta distensione fu che ogni mese da Antignano di Livorno giungeva ora con vaglia postale una somma di denaro. Era destinata "alle nipotine affinché prendano lezioni di pianoforte". La nonna, quando ero in vacanza ad Antignano, mi aveva perentoriamente rivelato che fa parte della "buona educazione di una giovinetta" saper suonare il piano ed aveva al suo solito aggiunto "ma che non te lo ha detto tuo padre?" No, che non me lo aveva detto. Tornata a Zurigo glielo avevo riferito; il babbo aveva chiuso la questione con un "tutte bischerate" che come al solito non lasciava adito a repliche. Insieme al vaglia postale per le lezioni di musica giunse da Antignano anche una cifra corrispondente all'acquisto di un pianoforte. Di conseguenza entrò in casa nostra non solo un piano – era nero e all'interno del coperchio vi era la scritta in oro "Steinbeck" – ma al suo seguito anche un nuovo personaggio: l'insegnante di musica. Era figlio di un emigrato italiano veneto dall'aspetto mingherlino e dall'espressione perennemente afflitta. Non era tipo da saper dare una qualsiasi carica, meno che mai di musica; lo stargli accanto mi procurava sonnolenza. Per tenermi all'erta usava battermi il ritmo della musica sulla spalla mediante un righello. Senza volerlo contribuii ad approfondire il suo scoramento esistenziale perché dovette ammettere che non ce la faceva ad insegnarmi a suonare il piano. La mamma pensò che forse cambiando strumento sarebbe andata meglio; passai al violino. "Così la Franca potrà accompagnare Annarella al piano," scrisse con eccessivo ottimismo la mamma ai nonni per spiegar loro il mio dirottamento musicale. Per il violino venne interpellato Mario Casadei che promise di procurarmene uno al più presto ad un prezzo accessibile. Lo strumento che ottenni in breve tempo proveniva presumibilmente dalla stessa "ditta" dalla quale era uscita la mia slitta, la "capra", e anche l'epoca dev'esser stata più o meno quella. In quanto al violino – violino era – ma l'astuccio aveva forma e sembianze di una cassa da morto in miniatura: era di legno color nero opaco dall'impugnatura di metallo dorato, fissata sul coperchio e non di lato; anche malagevole da portarsi.

Per di più l'astuccio non era sagomato – nessuno poteva supporre che dentro vi fosse un violino e non un morticino. Si trattava di una semplice cassetta, un po' più larga a capo e un po' più stretta in fondo proprio come le casse da morto. Divenni lo zimbello di tutto il quartiere. "D'Franca chunt mit ihrem Sarg" – "arriva la Franca con la sua bara," sghignazzavano i ragazzini quando mi vedevano uscire e salire sull'autobus alla fermata Kornhausbrücke per recarmi a lezione. Mio padre non tollerava il mio imbarazzo ed il senso di vergogna che provavo di fronte alle risate dei ragazzi della Nordstrasse e come al solito mi esortava bruscamente: "Imbecillòmetro! Fatti valere con la tua bara!"

C'era poco da farsi valere – ridevano tutti al mio passaggio. Rideva il conducente dell'autobus quando salivo e rideva il bigliettaio porgendomi il biglietto; ridevano i viaggiatori e rideva – per una volta tanto – pure l'insegnante. La mamma non rideva: quando la salutavo con quella cassetta nera faceva i debiti scongiuri. Per rallegrare un po' il mio aspetto sostituì il solito berretto basco blu, che portavo, con uno rosso e vi aggiunse anche un pompon scarlatto; ma l'immagine di una bambina che andava in giro con una piccola bara nera rimaneva lugubre.

"Reagire, reagire – e non fare quella faccia da funerale!" continuava ad insistere il babbo. Non sopportava quello che lui seguitava a definire "timore riverenziale dell'opinione corrente". Come sempre, ne faceva una questione morale.

Quell'esperimento musicale comunque ebbe fine. Anche l'insegnante di violino decretò che non avevo la minima attitudine allo studio della musica. Fui sollevata. E lo furono anche i nostri vicini che da bravi cittadini svizzeri avevano già protestato con l'amministratore dello stabile, perché i miei esercizi "disturbavano la quiete". Da Antignano di Livorno il vaglia dei nonni continuò ad arrivare; ma da allora in poi servì per integrare l'affitto.

A parte la bara e lo scherno che dovevo subire, giocare con i bambini del caseggiato mi piaceva. Stavo spesso con loro sul piazzale antistante Nordstrasse 88.

"*Lueg emal: die beide da gaffed dich ständig a..*" (guarda quei due, ti stanno guardando con insistenza), mi disse all'improvviso una ragazzina durante uno dei nostri giochi con la palla. Mi voltai e vidi effettivamente una signora dai capelli rossicci, grassottella, che sussurrava qualcosa al suo accompagnatore. L'uomo era alto, bruno, dalla carnagione olivastra. Portava uno strano cappello: nero, di feltro, con la tesa larga; era insolito, in quanto la cupola del copricapo era acciaccata e formava una specie di scodella. Conferiva al viso una inquadratura strana che ricordava vagamente un'aureola. I ragazzini sul piazzale lo guardavano e ridevano. L'uomo fece un passo verso di me:

"Tu sei italiana – sai dirci dove abita Schiavetti? Io sono Tranquilli."

Tutto era fatto per insospettirmi. Primo: come aveva fatto a capire che ero italiana? Il mio zurighese era ormai diventato impeccabile. Secondo: perché cercava il babbo proprio qui, dove effettivamente abitava? Terzo: quel nome "Tranquilli". Mai sentito prima; sapeva tanto di un nome fittizio.

Rimasi di stucco. Mi guardai bene dal farlo vedere; memore delle auree regole impartitemi per simili circostanze non dissi né sì né no; feci finta di non aver capito e sgattaiolai via ad avvertire immediatamente il babbo.

Mi rassicurò subito. Tranquilli era un compagno – non lo conosceva di persona, mi disse, ma che lo conducessi da lui. Scesa nuovamente sul piazzale, trovai la coppia ancora lì, immobile, ad osservare i ragazzini che si erano rimessi a giocare a palla. Né lui né lei si sorpresero nel rivedermi apparire; mi sorrisero. Avevano capito tutto: il mio sospetto, la mia prudenza, il mio timore. Fu l'inizio di un'amicizia che durò una vita. Lui era Ignazio Silone, lei la sua compagna, Gabriella Seidenfeld. Era l'anno 1933.

Cambiammo nuovamente casa; l'affitto era troppo caro in quel quartiere; inoltre sia la Scuola Berlitz che la Scuola Libera Italiana erano troppo distanti. Ci trasferimmo alla Langstrasse 61, nel cuore del quartiere popolare di Zurigo, a due passi dalla Kanzleistrasse dove si tenevano i corsi della Scuola Libera. Quasi di fronte vi è la Helvetiaplatz, luogo d'incontro delle manifestazioni popolari di Zurigo e punto di raccolta dei cortei del Primo maggio e di ogni assembramento politico di sinistra; anche la Volkshaus, la casa del popolo, dà sulla Helvetiaplatz. Inoltre, la Cooperativa socialista e il ristorante "International" di Curzio Bertozzi si trovavano nello stesso quartiere. L'animazione nelle strade della zona e la rumorosità della gente che vi abita ne fanno il quartiere meno "svizzero" di Zurigo; vivere là fa sentire gli italiani meno lontani dal loro paese.

Cambiai nuovamente scuola. Il maestro, signor Ungricht, era anziano e faceva un po' fatica a tener a bada una scolaresca di circa trenta ragazzi che, in confronto con quelli dei quartieri borghesi o "alti", erano assai più indisciplinati. Ma anche il signor Ungricht non scherzava: mollava certi ceffoni da far barcollare i ragazzini se per caso non stavano seduti. I miei genitori, pur severi, non approvavano e si meravigliavano che ciò accadesse nel paese di Pestalozzi. Ne discutevano a lungo la sera, quando venivano i Giordani o Silone e Gabriella. Erano tutti d'accordo nel fare una fondamentale differenza fra "scapaccione" e "schiaffo": il primo – continuava a sostenere mio padre – "è un più o meno affettuoso richiamo all'ordine", l'altro "offende la dignità del ragazzo" perché colpisce il viso. Io non avevo mai preso uno schiaffo.

Ancora una volta, ero l'unica straniera della classe e, in più, l'unica che provenisse da un ambiente di intellettuali. I miei nuovi compagni avevano udito il maestro chiamare mio padre "Herr Professor": mi osservavano con circospezione, apostrofandomi alla prima occasione con "Tschingg", termine spregiativo per definire gli italiani. È un epiteto derivante dall'antico gioco della morra, molto in uso fra i primi emigrati italiani – per lo più muratori – giunti alla fine del secolo scorso in Svizzera. Gli svizzeri furono colpiti da questi italiani che stendendo alcune dita della mano gridavano contemporaneamente dei numeri: due, quattro, uno, cinque. Rimase acusticamente impresso soprattutto il "cinque". Dalla grafia tedesca di questo suono gli svizzeri trassero la parola di gergo che da allora serve loro per indicare spregiativamente un italiano: Tschingg. A me dava fastidio essere chiamata così, ma non lo diedi a vedere.

Seguitavo ad essere l'unica in classe ad avere una così strana connotazione religiosa: "battezzata cattolica attualmente senza confessione". Così mio padre continuava ad insistere che mi qualificassi al riguardo. I miei nuovi compagni mi divennero presto amici simpatici; cessarono di chiamarmi "Tschingg". Alcuni di loro li incontravo insieme ai loro padri nei cortei del Primo maggio o di altre manifestazioni, dove gli italiani della Scuola Libera sfilavano con un loro proprio cartello o dietro a quelli della "Lega della libertà" o degli "Antifascisti italiani". Nella nuova classe mi lasciavano in pace con Mussolini "che aveva messo ordine", con i "treni che ora arrivano in orario" e con il prosciugamento delle paludi pontine.

Andavo volentieri a scuola; mi piaceva leggere e scrivere e soprattutto mi piaceva la storia. Gli svizzeri mi apparivano persone calme, pacifiche e tutto sommato un po' noiose. La loro storia no. Scoprii che è fitta di guerre, di battaglie, di zuffe e anche di "Söldner", mercenari. Conoscevo il termine. Il babbo, quando parlava in pubblico – lo faceva spesso, le occasioni politiche non mancavano – non poteva trattenersi da infilarci verso la fine, la frase "... dato che noi siamo – non soldati della libertà, perché 'soldato' è una brutta parola, deriva da soldo, bensì noi siamo *militi* della libertà..." Quella chiusa non mancava mai di procurargli scroscianti applausi, tantopiù che alcuni tra i presenti emigrati italiani si erano sottratti alla prima guerra mondiale o erano addirittura disertori. Fu in quelle occasioni che il babbo mi spiegò le differenze che corrono tra milite e soldato e tra soldato e mercenario. Guglielmo Tell era un milite della libertà; ne seguii la storia con passione.

"Ragazzi, voi potete salvare la 'Hohle Gasse'," ci disse Herr Ungricht, distribuendo in classe una busta da consegnare ai genitori, con la preghiera di deporvi una somma secondo le disponibilità economiche. La 'Hohle Gasse' è per ogni svizzero un luogo sacro, lo era anche per me, che conoscevo la storia di Guglielmo Tell. È lì, nel cantone di Schwyz, in quel breve tratto che attraversa il bosco tra Küssnacht e Immensee, che l'eroe dell'indipendenza elvetica – secondo la leggenda – uccise ai primi del 1300 il tiranno Landvogt Gessler, governatore asburgico di Uri. Herr Ungricht ci raccontò che era in atto una vasta campagna nazionale per salvare la Hohle Gasse. Con fare grave ci espose i fatti: la

Hohle Gasse era minacciata dal traffico moderno. "Ormai sono già condannati alcuni alberi secolari; verranno abbattuti e i rulli compressori fra poco spianeranno il terreno della Hohle Gasse per farne una vera strada ed agevolare così l'aumentato traffico automobilistico..." Herr Ungricht si rendeva ben conto anche delle necessità e dell'importanza delle comunicazioni e anche del turismo, e spiegò che proprio in questo punto si rendeva necessaria una larga strada per deviare il traffico. "Perché non basta indignarsi, bisogna trovare una via d'uscita e da un lato soddisfare le esigenze di un traffico in costante aumento e contemporaneamente rispettare un luogo storico di così alto significato," ripeteva Herr Ungricht che da buon svizzero era previdente; nel 1934 transitavano per quei luoghi circa 1000 veicoli alla settimana ed era prevedibile che essi sarebbero aumentati. Si trattava quindi di salvare la Hohle Gasse dalla distruzione e dalla deturpazione del paesaggio che la minacciavano: occorreva realizzare un progetto di deviazione e chiudere la Hohle Gasse al traffico. Ma il cantone di pertinenza Schwyz, non aveva i fondi necessari. La conservazione di quel monumento storico interessava del resto tutta la Svizzera, quindi era giusto che vi collaborasse tutto il popolo, ci spiegò Herr Ungricht. Per sottolineare la solennità del caso ci tenne a leggere in classe l'appello lanciato da un settimanale svizzero, la "Schweizerische Illustrierte":

"...Popolo della Svizzera, non vuoi prendere l'iniziativa? Se ogni Eidgenosse, ogni confederato, vi contribuisce, la Hohle Gasse sarà salva..."

Questo proclama fece molta impressione a tutti in classe, anche a me che Eidgenosse non ero. I miei furono d'accordo sulla partecipazione e deposero nella busta da consegnare al signor Ungricht un loro contributo. "Non solo per rispetto del luogo storico, ma per solidarietà con gli svizzeri," osservarono.

"E gli svizzeri sono solidali con noi?"

Mi urtava infatti che a scuola, ogni volta che osavo fare un appunto a qualcosa di svizzero – foss'anche la continua pioggia – c'era sempre un compagno che se ne usciva con "...*Ihr münd ja froh sii, dass ihr überhaupt i der Schwiiz dörfed sii...*" (dovete essere grati per il solo fatto che potete stare qui). Ci rimanevo male; anche perché non sapevo bene come mettere a posto quel compagno.

"E va bene," spiegò mio padre quando glielo riferii, "noi siamo grati alla Svizzera per l'ospitalità che essa ci offre: è giusto non dimenticare. A scanso d'equivoci però di' a quel bischero del tuo compagno che non siamo qui in villeggiatura; siamo qui perché lottiamo per la libertà. Oggi per quella dell'Italia, ma un giorno potrebbe essere quella della Svizzera. Molti svizzeri lo sanno e quelli sono solidali con noi." Il ragionamento mi convinceva. In più mi dava l'impressione di ricevere, sì, qualcosa dagli svizzeri, ma anche di poterla restituire, sia pure, concretamente, in un ipotetico futuro.

Un momento critico nei nostri rapporti familiari era costituito dal risveglio e dai primi approcci mattutini che ne seguono. Mio padre aveva conservato, della sua vita militare, una visione mitica del ruolino di marcia, senza l'osservanza del quale – diceva – era pressoché impossibile portare degnamente a termine checchessia. Quando andavamo a scuola la sveglia il più delle volte la dava lui: con fare deciso e risoluto. "Poltrire nel letto" era per lui inammissibile, così come la non padronanza di sé appena svegli. Di questa visione dell'inizio di una giornata che doveva essere proficua, faceva le spese in modo particolare mia sorella, che la mattina non aveva i riflessi pronti. Aveva tempi e modi diversi dal babbo per risorgere dal sonno. Rimaneva un attimo in più del concesso imbambolata e smarrita. Il babbo con voce roboante e anche corroborante intimava: "bambine buon giorno – sveglia: È ora!" E accompagnava il comando spalancando le finestre, incurante del freddo o della corrente d'aria che provocava. A mia sorella poteva capitare di scordarsi di dargli il buon giorno. Altra cosa inammissibile per mio padre. Non perché l'offendesse la forma esteriore di una "mancanza di considerazione" nei suoi confronti – come avrebbe detto il nonno Ercole –, ma perché denotava una incapacità di dominio su se stessi, come lui invece esigeva anche da sé. La mamma cercava di spiegare l'atteggiamento di mia sorella asserendo che si trattava di "malinconia mattutina"; espressione inconcepibile per mio padre. Non per la "malinconia" in sé – perché tutti erano liberi di averla o di non averla, diceva, – ma perché da parte di un giovane non era lecito farla pesare sugli altri; equivaleva ad essere – "rammolliti".

Il secondo atto dell'inizio della giornata si svolgeva in cucina. Mio padre ha sempre portato il caffè a letto alla mamma. Di conseguenza mia sorella ed io l'avevamo fra i piedi anche davanti al fornello quando ci preparavamo l'ovomaltina. Mentre, durante la giornata, toccava a noi provvedere al caffè – in casa nostra non mancava mai perché la mamma ne aveva bisogno "comme Balzac", diceva per giustificarsi –, di mattina, alle sette, lo preparava mio padre. Lo considerava un omaggio alla mamma. Riempiva il macinino con impegno, badando a che non cadesse fuori neppure un chicco, poi a passi lunghi girava per la cucina e macinava – ogni passo corrispondeva ad un giro di macinino. Il babbo era alto, aveva le gambe lunghe, un bel portamento. La mamma gli aveva cucito una vestaglia lunga fino a terra, con dei risvolti, al collo e alle maniche, di velluto colore bordeaux. C'era qualcosa di solenne nel suo incedere attraverso la cucina, che neppure il macinino tenuto stretto all'altezza del torace poteva togliergli. Rassomigliava al re di coppe delle carte da gioco delle scopone. Aveva calcolato quanti passi corrispondevano ai giri di macinino necessari... Arrivato ad un determinato numero di passi – che contava del resto a voce alta – sapeva che il caffè fatto entrare nel macinino era anche stato tutto macinato; non c'era neppure bisogno di verificare. Allora riempiva la caffettiera napoletana minuziosamente, con l'indice pareggiava la polvere del caffè – senza premere ma senza neppure lasciare uno spazio vuoto –, chiudeva la napoletana, accendeva il gas badando bene a che la fiamma non oltrepassasse il cerchio della caffettiera – "è tutto gas sprecato" – e aspettava. Aspettava diritto, impettito come un generale che passa in rassegna le sue truppe, che l'acqua bollisse e poi, di scatto, rovesciava la napoletana portandola dal fornello all'acquaio affinché non si bagnasse la piastra del gas. "Tutto calcolato," commentava, mentre badava anche a me che trangugiassi l'ovomaltina "caldissima" – convinto che facesse bene. Poi usciva di scena, con il caffè già versato nella tazzina per la mamma e con quel suo risolino di sfottò sulle labbra che indicava come facesse, sì, tutto sul serio, ma contemporaneamente si divertisse. Successivamente, attraverso la pòrta socchiusa, lo sentivo rivolgersi alla mamma con voce carezzevole e suadente: "Rondoncino, eccoti il caffè." Non era trascorsa mezz'ora da quando il babbo ci aveva svegliate con quel tono da generale che manda le sue truppe all'assalto. Madame Lisy usava ripetere: "*Ah, ma petite, nous sommes pleins de contradictions...*"

Il terzo atto dell'inizio della giornata era riservato a me fino a quando ho frequentato le elementari: consisteva nell'avvio a scuola. Dire "avvio" è un eufemismo. Era piuttosto un catapultarmi. Mio padre non desiderava che "bighellonassi" per strada andando a scuola, o che "ciondolassi". Era tutto tempo perso secondo lui; si facevano pettegolezzi e basta. Si trattava di non arrivare tardi a scuola, bensì puntuali, vale a dire "al momento giusto": come i treni svizzeri. Lui si divertiva a calcolare quando bisognava uscire di casa per raggiungere un determinato luogo, considerava ogni minimo particolare e vi includeva anche possibili imprevisti, come lo strappo improvviso del laccio delle scarpe. Salire su un vagone mettendo il piede sul predellino un attimo prima che il convoglio si mettesse in moto era per lui una grande soddisfazione. Pretendeva che lo fosse anche per gli altri: non lo era. Con questo criterio aveva calcolato quando esattamente io dovevo lasciare casa per arrivare "al momento giusto" in classe senza prima "ciondolare" per strada. Così si ripeteva ogni mattina la scena: io fremente con la cartella in mano, sulla linea di partenza – costituita dalla porta di casa. Il babbo dietro di me in funzione di mossiere con lo sguardo fisso sulla lancetta del suo orologio "Omega". Stavo in attesa spasmodica del suo "via!": scattare con un balzo in avanti, precipitarmi con impeto repentino giù per le scale significava guadagnare alcuni secondi preziosi per vincere quella corsa ad ostacoli – tale diventava per me quello che era una semplice *Schulweg* (strada verso la scuola) per i miei compagni e arrivare al "momento giusto", vale a dire contemporaneamente al suono della campanella. Quando tornavo a casa mio padre mi chiedeva con un sorrisino sornione "come è andata?" Ed io – per non dargli troppa soddisfazione – rispondevo con apparente indifferenza: "ho bighellonato." Era sorta fra noi una tacita complicità: un gioco.

"Ma tu conosci Ignazio Silone?" mi chiese il signor Buss, uno degli allievi "illegali" di mio padre. Era solito arrivare in anticipo a lezione e in attesa del suo insegnante fare un po' di conversazione con me. "Così nel frattempo mi esercito in italiano," diceva (Herr Buss, da bravo svizzero, era alquanto parsimonioso). Dalla sua domanda dedussi che Ignazio Silone era diventato famoso. Il libro *Fontamara* era uscito un anno prima a Zurigo, in tedesco. Io ne avevo sentito parlare in casa, molto, e con ammirazione. Negli ambienti svizzeri e dell'emigrazione tedesca *Fontamara* divenne l'opera letteraria antifascista tout court. Quella domanda "ma tu conosci Silone?" mi veniva posta sempre più frequentemente. Avvertivo che Silone era visto un po' come una curiosità, quasi una stranezza.

"Un buon segno," commentavano i miei che mal sopportavano il cliché risultante dall'idea che molti avevano allora degli italiani: simpatici ma poco seri, allegri ma superficiali, svegli e intuitivi ma furbastri e in generale poco inclini all'introspezione, buoni parlatori ma retorici. Non che fossero tutte balle, diceva il babbo, anzi – proprio l'azione esercitata dal fascismo contribuiva a tirar fuori questi difetti nazionali, li esaltava, li diffondeva. Citava allora Gaetano Salvemini che era stato suo professore alla Scuola Normale di Pisa e che sulla sua formazione aveva esercitato una profonda influenza: "gli italiani hanno intelligenza da vendere, quello che manca loro è il carattere." Da noi figlie il babbo esigeva quindi un comportamento – a scuola e nei rapporti con gli amici – che smentisse l'immagine cialtronesca incollata ai nostri connazionali. Così che alla fine sentirmi dire dagli svizzeri "ma tu non sei una tipica italiana," per significare che ero e venivo giudicata seria, diventava il massimo dell'aspirazione e contemporaneamente il massimo dell'offesa. Non che il babbo e la mamma avessero nulla contro l'allegria, anzi. Loro nonostante tutte le difficoltà – economiche, politiche, di salute della mamma e dei rapporti con i nonni di Livorno – ridevano. A scanso di equivoci ripetevano però che "solo le persone serie sanno ridere". E questo mi rimetteva l'animo in pace.

Silone dunque non rappresentava dal punto di vista caratteriale "l'italiano" secondo gli svizzeri: corrispondeva piuttosto al loro ideale fisico del meridionale. Sentivo dire da mio padre che Silone a Zurigo aveva la fama di gran bell'uomo: bruno, il portamento fiero, lo sguardo languido. Mio padre riferiva i commenti delle sue allieve della Scuola Berlitz, in prevalenza signore dell'alta borghesia facoltosa e colta, le quali aiutavano spesso generosamente i profughi politici, specie tedeschi. Queste signore rimanevano affascinate dalla personalità di Silone: misteriosa, da bel tenebroso interiormente combattuto, artista, idealista e fisicamente piacente. Lo scrittore italiano frequentava assiduamente in quel periodo l'ambiente di C.G. Jung, il maestro svizzero di psicoanalisi. Del cenacolo faceva parte un gruppo di signore intellettualmente raffinate, chiamate, non senza malizia, le "Jung-Frauen", le seguaci di Jung. In tedesco il termine "Jungfrauen" ha anche un altro significato: le vergini. Tra le "vergini", così sentivo dire, Silone aveva un numero particolarmente folto di patite, come se la cosa facesse parte della cura.

Silone veniva spesso a trovarci insieme alla sua compagna Gabriella Seidenfeld. Non mi fu simpatico a prima vista: – ma mi incuriosì subito. Mi colpirono la sua parlata – strascicata, dai toni smorzati –, il suo tossire – colpettini di tosse appena accennati ma continui, brevi, rauchi –, l'incessante moto delle palpebre con battito di ciglia – che metteva in evidenza i suoi occhi umidi –, i movimenti ponderati che riflettevano l'immagine di un uomo cauto. Mi turbava il modo di porgere la mano che aveva Silone. Ci si ritrovava nella propria una mano floscia, molle, incapace di stringere quella dell'altro, come se gli mancassero le forze. Sapevo che Silone era anche lui un "milite della libertà": certo non ne aveva l'aria, piuttosto quella di un prete. Quando, durante una conversazione fra socialisti svizzeri alla Cooperativa, sentii chiamare Silone un ex "Berufsrevolutionär", un ex rivoluzionario di professione, rimasi sorpresa. Tuttavia mi ricordai di una loro osservazione peraltro espressa con grande ammirazione: "...Lenin pagava puntualmente le tasse e la pigione della sua abitazione alla Spiegelgasse." Imparai così che anche Lenin appariva diverso da quello che era.

La mamma mi disse che Silone era malato e pensai che per questo egli avesse quell'aria sofferta, come se l'allegria in lui fosse rimasta imbrigliata. Quando seppi della sua infanzia, del terremoto negli Abruzzi, di come a 15 anni aveva perduto in un istante tutto quello che costituiva il suo mondo – famiglia, amici e casa –, allora immaginai che sotto a quelle macerie fosse stata seppellita per sempre anche la sua allegria. Non era loquace; ma, se sollecitato da domande precise, rispondeva senza farsi pregare. Raccontava come "Fontamara" fosse un nome preso dalla via di Pescina in cui aveva vissuto sino al terremoto: il Municipio l'aveva ribattezzata Via Poppedio Silone, ma i contadini avevano sempre continuato a chiamarla Fontamara, perché appoggiata ad una collina da cui esce una piccola sorgente d'acqua. Quell'acqua Silone l'aveva bevuta fino all'età di 15 anni. Quando era piccolo – dai cinque ai nove anni –, vicino alla sorgente passava intere giornate, da solo o con la capra, o con il porco. La sorgente non è amara, ma la vita dei contadini di quella contrada è amarissima, raccontava Silone.

Spesso, fra un colpetto di tosse e l'altro, gli sfuggiva un sospiro: "com'è stato lungo difficile faticoso diventare un uomo," diceva.

Di tutti gli altri amici italiani che frequentavano casa nostra sapevo se erano socialisti, comunisti, repubblicani o anarchici.

Silone allora non apparteneva a nessuno di quei gruppi. Mi spiegavo così il fatto che in quei primi anni non lo incontravo spesso né alla Cooperativa, né alle manifestazioni della Scuola Libera Italiana. Silone faceva vita appartata, ritirata, un po' per ragioni di salute – era appena stato in un sanatorio a Davos per curarsi – ma soprattutto perché era uscito da poco dal Partito comunista italiano. "Dal Partito comunista non si esce come da un altro partito," disse mio padre perché – così gli aveva detto Silone – "il partito diventa famiglia scuola chiesa caserma..."

Gabriella e Silone si erano incontrati a Fiume, ad un convegno di giovani comunisti. Il partito aveva invitato a Fiume Silone – allora funzionario di partito a Roma – in qualità di delegato della Federazione giovanile comunista. Il suo nome di battaglia allora era Sereno. Gabriella Seidenfeld era una ebrea fiumana di origine ungherese. Si era iscritta da poco al Partito comunista, insieme alle due sorelle Serena e Barbara, più per un impulso romantico-rivoluzionario che per convinzioni ideologiche. Quando incontrò Silone faceva l'impiegata di banca a Fiume. Lui le chiese se sapeva il tedesco perché l'Internazionale giovanile comunista aveva sede a Berlino e cercava una compagna che conoscesse bene sia l'italiano che il tedesco e fosse disposta a trasferirsi a Berlino. Gabriella decise di lasciare la sua città, andò a Roma dove per un breve periodo lavorò insieme a Silone, e successivamente partì per Berlino. Le vicende sentimentali di Gabriella e Silone si intrecciarono con quelle politiche, caratterizzate da un susseguirsi di attività clandestine, arresti, fughe, galera, documenti falsi, cambiamenti di nomi, soggiorni all'estero, esilio. Solo a Mosca Gabriella non andò mai, e dell'albergo Lux era solo Silone a raccontare. Gabriella aveva un modo inconsueto di rievocare avvenimenti drammatici. L'aspetto florido, l'espressione sorridente e i suoi modi affabili contrastavano con le storie emozionanti di cui era stata protagonista. Le raccontava alla mamma e al babbo con distacco e semplicità fra un sorso di caffè e un cioccolatino. Mi piaceva stare ad ascoltarla anche se sembrava che narrasse fatti capitati ad altri e lontani nel tempo. Li evocava con l'umorismo inconfondibile degli ebrei mitteleuropei.

Allorché il partito inviò nel 1921 Silone a Trieste come redattore del "Lavoratore" Gabriella lo raggiunse. In analogia al nome di battaglia di Silone, Sereno, quello di Gabriella divenne Serena come la sorella. Furono i tempi in cui le aggressioni e le spedizioni punitive fasciste erano all'ordine del giorno. Quando nel 1923 soppressero il "Lavoratore" "Serena" e "Sereno" si trasferirono a Berlino. Willy Münzenberg, allora dirigente tedesco dell'Internazionale giovanile, incaricò Silone di andare in Spagna per svolgere un'attività politica di carattere assistenziale. I due avevano appena fatto in tempo a prendere contatto con i compagni comunisti spagnoli che Primo de Rivera operò il colpo di Stato. Silone venne arrestato e poco dopo, separatamente, anche Gabriella. Lei raccontava quasi divertita alla mamma di quella sua esperienza nel carcere femminile di Madrid dove rimase rinchiusa per alcuni mesi: "... mi ci avevano condotto di notte. Le monache mi assegnarono un letto in una grande sala con una cinquantina di altre donne. Erano tutte detenute per reati comuni. La mia vicina era una prostituta, accusata di aver ucciso la sua padrona di casa per rubarle i gioielli. Ma per mancanza di prove, poco dopo il mio arrivo, la presunta assassina dovette esser scarcerata. La mattina della sua partenza mi svegliai di buon'ora e udii bisbigliare due detenute e contemporaneamente mi colpì uno strano tintinnio come di metalli vari... Si trattava della mia vicina, quella che sarebbe stata scarcerata di lì a poco, che avvolgeva dei gioielli in un fazzoletto per affidarli temporaneamente ad un'altra detenuta sua amica. Richiusi subito gli occhi – per prudenza..."

Gabriella riferiva alla mamma come ogni mattina facessero scendere in chiesa tutte le detenute fra le loro imprecazioni e i canti soavi delle monache... Poiché le carcerate erano quasi tutte analfabete, Gabriella divenne la loro scrivana. Le prostitute, le presunte assassine, ladre, criminali di ogni sorta le dettavano le loro lettere. E lei scriveva, scriveva anche se il contenuto – riferiva alla mamma – sarebbe irripetibile.

Gabriella uscì da quella galera grazie al suo vecchio padre rimasto a Fiume. Egli era riuscito a far pervenire alla direzione del carcere un documento autentico della figlia: "uno dei pochi che io abbia esibito in quegli anni convalidato effettivamente da un'autorità," commentava Gabriella sorridendo. Così venne liberata e come al solito contemporaneamente espulsa. Al momento del commiato si commosse. A modo suo si era affezionata alle sue compagne. Le lettere dettate da loro e trascritte da lei le avevano aperto uno spiraglio attraverso il quale aveva avvertito un mondo che era – fra l'altro – da commiserare a causa della sua estrema infelicità e il suo infinito squallore. Io non udii mai un'espressione di disprezzo da parte di Gabriella nei loro confronti. Dopo i suoi racconti la mia attrazione per chi stava in galera crebbe ancora.

Davanti al portone della prigione, stretta fra due agenti venuti a prelevarla, Gabriella avvertì subito il conforto della solidarietà: un gruppo di compagni comunisti spagnoli era giunto alla chetichella di fronte al carcere per vederla uscire e salutarla; alcuni di loro alzarono timidamente la mano per non farsi notare dalla polizia. Erano stati avvisati da quell'oscuro tam-tam delle carceri che nessuna polizia potrà mai sopprimere del tutto. I due agenti l'accompagnarono in treno fino a San Sebastiano e da lì Gabriella proseguì per Hendaye e successivamente per Parigi. "Mi recai all'unico indirizzo a me noto: il Soccorso rosso. Infilai il portone mentre stava per uscirne Silone..." Anche lui era stato espulso dalla Spagna. La loro riunificazione durò poco. Silone venne nuovamente arrestato e rinchiuso in prigione; questa volta ebbe il conforto di finire in un luogo scomodo ma almeno storico: la Conciergerie. Dopo il processo, tutto il gruppo di comunisti di cui egli faceva parte venne espulso dalla Francia. "Regolarmente", il giorno seguente si trovarono tutti di nuovo a Parigi; avevano ripassato la frontiera illegalmente...

Nel 1925 il Partito comunista italiano richiamò Silone in Italia. Gli era stato affidato il lavoro di "agitazione e propaganda". Gabriella lo raggiunse. Poco dopo vennero emanate le leggi eccezionali alle quali seguirono gli arresti del novembre 1926. Il gruppo di comunisti di cui Silone e Gabriella facevano parte si trasferì a Genova, in quella villa isolata passata alla storia del PCI, col nome di "Albergo dei Poveri". Era lì che Camilla Ravera aveva organizzato la sede clandestina della segreteria del Centro interno del PCI, e fu lì che si riordinò il lavoro degli organi direttivi comunisti italiani. Pochi mesi dopo l'Albergo dei Poveri venne abbandonato precipitosamente da tutti "i suoi ospiti". Un funzionario che lavorava alla direzione del Soccorso rosso, Guglielmo Jonna, arrestato, aveva parlato.

Dopo un certo periodo durante il quale sostarono nel Vicentino (fra Quarto e Quinto) dedicandosi al lavoro di stampa e propaganda del PCI, Silone e Gabriella nel 1927 dovettero riparare in Svizzera clandestinamente: si stabilirono a Basilea. Raggiunsero gran parte del Centro Interno che si trovava già in quella città. Fu Gabriella a tenere, fra l'altro, i contatti fra Togliatti e Silone e con altri dirigenti del PCI clandestino. Seguì l'ennesima espulsione; i due tornarono clandestinamente in Francia sistemandosi a Veaucresson, presso Parigi. Ma in seguito ad uno strano incidente avvenuto nei pressi di Veaucresson, durante il quale per pura coincidenza venne scoperta da parte della polizia francese una spia dell'OVRA, Eros Vecchi. Silone e Gabriella per prudenza abbandonarono nuovamente il paese.

La salute di Silone, da tempo minata, peggiorava a vista d'occhio. Dovette ricoverarsi in sanatorio, a Davos. È in quel periodo, come lo scrittore ha riferito in *Uscita di sicurezza*, che si consuma la sua crisi politica e il suo distacco dal Partito comunista. Erano gli anni 1930-31.

La crisi coinvolse in modo drammatico anche Gabriella. Rimase a Zurigo, sola, senza documenti, senza conoscenze e senza mezzi finanziari. Fra i pochissimi che cercarono di aiutare Gabriella, benché neppure lei facesse più parte del Partito, vi fu una coppia di comunisti svizzeri. Willy e Käthe Trostel, che l'ospitarono. Gabriella divenne così anche amica del loro figlio affiliato Fritzli, in realtà figlio di Fritz Platten, già segretario del Partito comunista svizzero, noto per aver accompagnato Lenin sul treno diretto in Russia. Per "discrezione politica" nonché personale, Gabriella non rimase a lungo dai Trostel e si "sistemò" in un appartamento vuoto, messo a sua disposizione dalla prima moglie di Einstein. "Senza luce e senza riscaldamento, fornito solo di un sacco a pelo e di una candela," raccontava Gabriella. "Ogni mattina mi recavo alla Biblioteca Sociale, compravo strada facendo mezzo litro di latte e una pagnotta e rimanevo lì al caldo tutto il giorno. Divorai libri di ogni genere, preferibilmente di avventura; mi portavano lontano dalla realtà..." Aveva 33 anni.

Ogni anno si celebra a Zurigo una ricorrenza molto suggestiva: il "Sechseläuten". Una festa storica legata strettamente allo sviluppo moderno della città, iniziato – così ci insegnavano a scuola – nel 1336 con la rivolta delle corporazioni, il cui capo Rudolf Brun infranse il dominio delle famiglie patrizie di Zurigo e portò al potere il ceto artigiano. La costituzione voluta da Brun stabiliva un equilibrio di potere fra le corporazioni degli artigiani e la nobiltà, costituita dai grandi commercianti, i banchieri e i latifondisti riuniti nella "Constaffel". Pur non potendosi ancora parlare di "democrazia", l'esito della Zunftrevolution diede un preciso orientamento: maggior potere alle corporazioni e – a partire dal tardo medioevo – sempre minor influenza dei nobili sui poteri pubblici. La particolare impronta borghese di Zurigo deriva da questo sovvertimento avvenuto nella vita pubblica della città agli sgoccioli del medioevo.

Il "Sechseläuten" rappresenta la festa annuale delle corporazioni e si celebra per dare l'addio all'inverno. È una festa molto attesa da tutta la popolazione e dai bambini in modo particolare, esteticamente stupefacente per il gran numero di persone che sfila nei costumi tradizionali lungo tutta la Bahnhofstrasse sino al Bellevueplatz. Sfilano carri e carrozze riproducenti le botteghe delle varie corporazioni e i "Zünftler" indossano i loro costumi antichi. Secondo una remota usanza pagana l'inverno – rappresentato al "Sechseläuten" da un enorme uomo di neve, il "Böögg", un pupazzo fatto di ovatta pressata, viene dato alle fiamme. Alle sei di sera quando incomincia lo scampanio di tutte le chiese, il "Böögg", posto in cima a un immenso rogo vicino al Bellevueplatz, viene incendiato. È l'inizio della primavera di Zurigo. Generalmente quel giorno fa un freddo birbone. Gli svizzeri sfilano, sfilano imperterriti nei loro leggeri costumi tradizionali, incuranti del freddo, della pioggia e del vento. "Tutto sta ad abituarsi," ripeteva la mamma che ad abituarsi non ci pensava proprio. Sarebbe stato per lei come un arrendersi per sempre all'esilio.

Il punto più ambito per assistere alla sfilata del Sechseläuten è ovviamente un balcone che dà sulla Bahnhofstrasse. La Berlitz School of Languages ne aveva uno, lunghissimo, dal quale si dominava con lo sguardo tutta la mitica via dal Bahnhofplatz sino quasi al Paradeplatz. Madame Lisy e il signor Ottò ci invitavano ogni anno offrendoci rare e a me sino allora ignote leccornie come l'"île flottante". Le gustavamo sotto gli occhi vigili del babbo, guardandoci bene dal "dare troppa importanza al mangiare".

Un anno Madame Lisy invitò anche Gabriella. Fu proprio quando ci trovavamo per strada insieme ai nostri genitori, avviati verso la Bahnhofstrasse cercando di aprirci un varco tra la folla già assiepata nei dintorni, che Gabriella improvvisamente si arrestò: "Scusatemi, ho visto mio marito: là, sull'altro marciapiede. Devo andarlo a salutare".

Era un signore apparentemente di mezza età che dava nell'occhio per una lunga barba nera svolazzante sulla sciarpa intorno al collo. "Non può essere un clandestino," ne dedusse mia madre. Apprendemmo così come Gabriella aveva risolto dopo l'uscita dal Partito comunista il suo problema esistenziale: sopravvivere in Svizzera da straniera.

Fu Fritz Brupbacher, prima a consigliarla in tal senso e poi a trovarle marito. Gabriella Seidenfeld aveva bisogno di un marito svizzero – e subito. Brupbacher le mostrò un album di fotografie – raccontava – e dopo averlo sfogliato a lungo "scegliemmo un vecchio con la barba alla Carlo Marx il quale, benché scapolo impenitente, a lui Brupbacher, non avrebbe potuto negare questo servizio." Si chiamava Eduard Maier, era tipografo, socialdemocratico ed aveva 56 anni – 23 più di Gabriella. Si fece prima pregare e successivamente cercò di svignarsela: preso dal panico, non giunse all'appuntamento come aveva promesso e "i due testimoni – Brupbacher e Silone – ed io – la sposa – aspettammo invano." Brupbacher non demordeva: "quel matrimonio s'ha da fare." E si fece: nel giugno del 1933 al municipio di Zurigo. Gabriella Seidenfeld divenne Frau Maier, cittadina svizzera a tutti gli effetti. Poteva lavorare – era finalmente libera.

Dopo la cerimonia ognuno andò per la propria strada. Fu uno dei non pochi matrimoni "pro forma" che si celebrarono in quegli anni in Svizzera; assicurarono l'esistenza a quelle ebree e a quelle profughe politiche che ebbero la fortuna di incontrare svizzeri disponibili. Tant'è che la legge divenne in seguito più severa al riguardo. Gabriella tuttavia ottenne il divorzio l'anno seguente, nell'ottobre del 1934: per 'incompatibilità' di carattere.

Brupbacher era un medico, figlio di un albergatore zurighese. Raccontava che la scelta professionale per lui era stata facile in quanto suo padre l'aveva messo di fronte all'alternativa: "o medico o *Bratwurster* (produttore di salsicce) poiché ambedue le professioni sono ugualmente redditizie." Così aveva scelto medicina. Brupbacher era tra le più singolari personalità del movimento operaio svizzero: un socialista sui generis, "anarcoide comunisteggiante", puntualmente espulso dai partiti ai quali aderiva: prima, nel 1914, dal Partito socialdemocratico svizzero; poi, nei primi anni trenta, dal Partito comunista. Aveva fatto in tempo a conoscere Lenin e Trotzky, Radek e altre personalità dell'epoca e dell'ambiente: Brupbacher ne ha lasciato ampie testimonianze in una sua autobiografia "Eretico per 60 anni".

Infatti l'accusa ricorrente, che gli lanciavano i suoi avversari era appunto "Ketzer". Diede grande scandalo tra i suoi connazionali allorché sostenne la necessità di un consultorio medico per le donne e la distribuzione gratuita di profilattici, organizzando vari giri di propaganda a questo scopo. Era l'anno 1901 e Brupbacher aveva 27 anni. Riteneva il controllo delle nascite una delle prime condizioni per la liberazione della donna. Nei primi anni venti pubblicò insieme alla seconda moglie, Paulette – anche lei medico e russa di nascita – un opuscolo dal titolo forse poco rassicurante per i paciosi svizzeri: *Mit Pistole und Pessar* (con la pistola ed il pessario). Nessuno mi spiegò che cosa fosse un "Pessar". Sino al mio matrimonio l'ho ritenuto un'arma, sinonimo di "Pistole".

Il cantone di Glarus emise un divieto di parola, *Redeverbot*, contro Paulette – era effettivamente la più radicale dei due nel modo di esprimersi, anche in età avanzata – e il cantone di Solothurn le vietò ogni conferenza o riunione sul proprio territorio cantonale "nell'interesse dell'ordine pubblico e della morale." Fritz Brupbacher non fu soltanto una delle più significative personalità del socialismo svizzero dall'inizio del secolo sino alla seconda guerra mondiale, egli era e rimase fino alla sua morte, avvenuta nel 1944, un punto di riferimento sanitario, politico e umano per tutti i bisognosi. Così, anche Gabriella si era rivolta a lui.

Silone frattanto era tornato apparentemente guarito da Davos. Ormai era famoso. Andò a vivere allo Zürichberg, alla Germaniastrasse, nella villa del mecenate Marcel Fleischmann, che lo ospitò – tranne le brevi parentesi del suo arresto e del suo soggiorno obbligatorio a Baden – sino al ritorno nella Roma liberata nel 1944. Grazie a Fleischmann, Silone poté scrivere e studiare in pace. Le preoccupazioni tuttavia permanevano; egli era entrato a far parte della schiera di coloro per i quali – nella migliore delle ipotesi – il provvisorio, durava: i *Schriftenlosen*. Ad ogni scadenza del permesso di soggiorno – della *Auftenhaltsbewilligung* – si riproponeva il problema della permanenza in Svizzera, vale a dire dell'esistenza stessa.

Gabriella Maier si era stabilita alla Pensione Comi, Eckehardstrasse, nel quartiere 6 di Zurigo. Una modesta ma decente pensione gestita dalla famiglia Friedmann in cui confluivano gli sradicati politici di tutto il mondo. Intorno alla proprietaria polacca Pawka e al suo compagno ucraino Volodia, si raggruppavano profughi politici, ebrei, artisti e studenti. Avevano un denominatore comune: tutti squattrinati.

Silone pensò subito di investire parte della somma proveniente dal successo di *Fontamara*, in una nobile quanto ardua impresa. Aprì una libreria alla Langstrasse allo scopo di diffondere fra i nostri connazionali la letteratura del paese d'origine, con l'intenzione di elevare il livello culturale degli emigrati. La libreria si chiamava "Libreria Internazionale" e venne affidata a Frau Maier. I miei genitori presero vivamente parte a questa impresa incoraggiando e sostenendo l'iniziativa. Li sentivo parlare del "problema di una letteratura italiana popolare che anche nell'immigrazione non era cambiato." Nella vetrina facevano bella mostra di sé Dante e Petrarca, Boccaccio e Ariosto, Alfieri e Foscolo – fino a Verga, Fogazzaro e Pirandello. Non mancava nessuno. Mancavano solo i clienti. A dir la verità non mancavano neppure quelli. Entravano in numero considerevole, ma invece di essere attratti da una delle opere classiche messe in vista da Frau Maier, richiedevano autori di cui lei non conosceva neppure l'esistenza, come Carolina Invernizio, Mastriani ecc. e opere di cui non aveva mai sentito parlare come *Il bacio di una morta*, *La sepolta viva*, *La vendetta di una pazza*, *La cieca di Sorrento*, *La muta di Portici*. Gabriella era smarrita; sprofondò in una crisi "letteraria" – una in più – e chiese aiuto ai miei genitori e al nonno Chino che continuava ogni anno a passare un periodo da noi, nonostante le angherie che gli procurarono: il Consolato italiano in Svizzera e le autorità di polizia in Italia. Di comune accordo gli amici tutti consigliarono a Gabriella un corso accelerato. Si trattava, non di adattarsi ai gusti letterari più diffusi, ma di "aggiornarsi".

Fu incaricato il nonno Chino. Questi si assunse il compito con vivo piacere. Gabriella gli era simpatica: era una giovane donna piacente, affabile ed egli era nonostante l'età tutt'altro che indifferente alla grazia femminile, sentivo dire di lui. "Aggiornò" Gabriella e le suggerì di mettere in vendita subito uno di quei settimanali illustrati che piacevano tanto alla gente, come notava quando stava in Italia, ma che in casa nostra non ho mai visto circolare: "La Domenica del Corriere". Sarebbe servita un po' da specchietto per le allodole, disse il nonno. Molti connazionali sarebbero entrati per comprarla e intanto, guardandosi attorno, sarebbero magari stati attratti da opere più consistenti. Insomma – Gabriella avrebbe potuto vendere loro qualche buon libro. Mio padre era contrario a "escamotages" culturali di questo tipo e colse l'occasione per ricordarci che "i mezzi non giustificano il fine".

Fu così che scoprii "La Domenica del Corriere". Gabriella la affiggeva fuori del negozio, sulla Langstrasse. Si formava immediatamente un capannello di italiani: si urtavano e si spingevano per meglio vedere la prima pagina a colori, dando così l'impressione – da lontano – che il negozio fosse affollato. In realtà era deserto.

Nella rubrica della "Neue Zürcher Zeitung" "Unglücksfälle und Verbrechen", (incidenti e delitti) che io leggevo avidamente, non vi erano mai riportati avvenimenti così strabilianti come quelli riferiti sulla prima e sull'ultima pagina della "Domenica del Corriere"; come se fatti stupefacenti avvenissero solo in Italia. Quella della "Züriziitig" era una rubrica breve, redatta in modo conciso, serrato, stringato e il babbo la additava ad esempio di giornalismo serio. Le tavole di Beltrame sulla "Domenica del Corriere" invece riproducevano spesso atti di eroismo spettacolare, dei quali erano quasi sempre protagonisti o un carabiniere – immancabilmente in alta uniforme – o una "umile madre". "Tutte bischerate," diceva mio padre, tanto più che da quando era stato combattente in guerra e aveva visto "atti di eroismo" da vicino, nutriva alcune riserve sugli "eroi". Il fatto che egli stesso fosse stato decorato di medaglia d'argento al valor militare io lo attribuivo a una di quelle *contradictions en nous*, alle quali si riferiva tanto volentieri Madame Lisy per spiegare cose altrimenti inspiegabili. In più, mio padre era anche irritato per il fatto che io fossi attratta dalla "Domenica del Corriere". Secondo lui questo settimanale poteva soddisfare persone di un livello culturale medio-inferiore, al limite dell'analfabetismo. Non era edificante che vi fossi anch'io fra queste, diceva. Tant'è: "La Domenica del Corriere", che avevo scoperto grazie all'operazione culturale tentata da Silone, mi affascinava. A parte "gli atti eroici", le tavole a colori di Beltrame riferivano anche di incidenti tragicamente singolari, quasi inverosimili: un aeroplano che si schianta piombando nel bel mezzo di una tovaglia stesa su un prato da un gruppo di turisti che stavano facendo allegramente colazione all'aperto. Oppure, il crollo del tetto di un convento, che sfondando i pavimenti di tre piani sottostanti, travolgeva nella valanga di macerie numerose suore, seppelliva confessionali e arredi e sbriciolava travi secolari come fossero fuscelli – lasciando intatto il crocifisso appeso ancora ad una parete.

Nonostante tutti questi miracoli non avvenne quello atteso: gli affari della "Libreria Internazionale" non fiorirono. Gabriella dovette chiudere il negozio, concludendo così con una sconfitta la sua prima ed ultima impresa commerciale.

5.
L'ABISSINIA

Cominciai a sentir discutere di Etiopia, in casa, assai prima che Mussolini attaccasse l'Abissinia e che quindi se ne parlasse a scuola fra compagni. A giudicare dai discorsi e dalla partecipazione dei miei genitori e dei loro amici sembrava che la guerra d'Africa fosse una nostra questione di famiglia. Lo era. Tutti gli antifascisti furono mobilitati contro l'impresa etiopica. Il babbo intensificò la sua attività spostandosi da un angolo all'altro della Svizzera tedesca, per riunioni, comizi e conferenze "contro la guerra in Abissinia" – a Biel, Grenchen, Kreuzlingen, Wallisellen – ovunque vi fosse un nucleo di emigrati italiani. Per gli stessi motivi e con lo stesso scopo girava invece il Ticino in lungo e in largo Egidio Reale, avvocato repubblicano. Reale, amico dei miei genitori già da quando abitavamo a Roma tutti quanti, fu uno dei primi antifascisti a lasciare l'Italia, seguito poi dalla moglie Tina e dai due figli Antonietta e Attilio. Fermissimo nelle sue convinzioni repubblicane, egli si era sottratto all'arresto da parte della polizia fascista nel dicembre 1926 con una fuga avventurosa attraverso le Alpi, nei pressi di Buchs. La famiglia – una volta riunita – si stabilì in esilio a Ginevra. Egidio Reale era pugliese, di Lecce. Io conoscevo a quel tempo pochissimi meridionali. Mi colpì il fatto che egli si presentasse come l'opposto di ciò che i miei compagni di scuola dicevano dei "Südländer". Loro avevano l'immagine del meridionale tutto "mandolino e *O sole mio*". Io allora cercavo di spiegar loro ciò che i miei genitori dicevano dei meridionali, ma non sempre i compagni mi credevano. I meridionali, asserivano la mamma e il babbo, sono spesso persone taciturne, riservate, meditative, aliene dall'eccesso e anche melanconiche. Il nostro sud, spiegava il babbo, è una terra che ha prodotto uomini di pensiero. Egidio Reale per me era un prototipo di questo sud. Quando nel 1947 egli fu nominato primo rappresentante in Svizzera della Repubblica Italiana io fui felice anche per questo.

A Ginevra si era costituito durante gli anni dell'esilio un importante centro della colonia italiana, con tradizioni e associazioni sue proprie. Le sue istituzioni culturali, soprattutto le scuole e l'"Associazione Dante Alighieri" avevano resistito al fascismo e avevano sottratto queste due istituzioni al controllo delle autorità consolari fascistizzate. Furono i contributi volontari degli italiani di Ginevra, a mantenere le scuole italiane e la "Dante", di cui Reale era presidente.

A Zurigo, al Volkshaus, si tenne un comizio "contro la guerra in Abissinia": parlarono vari oratori fra i quali mio padre. Era più facile per me capire l'argomento dato che sul tema avevo già sentito, in casa, abbastanza, e per di più con le stesse parole. Ero quindi preparata. Gli antifascisti stavano contro la guerra etiopica "perché è una guerra, perché è una guerra imperialista, perché è una guerra fascista", a parte il fatto, dicevano, che era preferibile migliorare le condizioni sociali ed economiche del nostro Mezzogiorno che andare a "civilizzare" l'Abissinia. Questo era il riassunto dei vari discorsi. In pubblico mio padre parlava senza retorica – la esecrava –, però con grande eloquenza ed efficacia. La differenza che notavo fra il suo parlare in pubblico e quello in privato, sempre sobrio, era la passione che ci metteva. In casa non la mostrava – penso per pudore o per quel suo accentuato senso del ridicolo.

In compenso quando parlava in pubblico rinunciava a quella sua aria di sfottò. Quando alla fine i presenti l'applaudivano ero sempre in dubbio se farlo pure io, o no. Né la mamma né il babbo mi hanno mai dato un "codice di comportamento" al riguardo. Ma ne discutevamo: loro affermavano che stava a me decidere: era per me più importante sottolineare con un gesto esteriore il mio consenso alle cose esposte dal babbo, – sempre premesso che le capissi – o davo invece più peso al mio contegno? A quel tempo, io decidevo per il no: mi sarebbe parso poco elegante applaudire un familiare. Ma mi costava. Dopo, le cose cambiarono: divennero determinanti, per me, le idee da sostenere, qualora ne condividessi la validità, più che la preoccupazione formale dell'opportunità di un gesto esteriore.

Il tema affacciatosi con la probabile aggressione di Mussolini all'Abissinia mi aprì nuovi orizzonti geografici. In casa cominciarono a circolare grandi carte del continente africano, in parte tracciate da mio padre. Con la sua abituale meticolosità delimitava i confini dei vari paesi usando una matita di colore più acceso; dovevano potersi distinguere anche da lontano, perché il babbo aveva bisogno di queste carte geografiche per la sua "rivista parlata degli avvenimenti" del martedì sera (ogni quindici giorni) al "Sonnenblick". Appendeva la carta geografica dell'Africa orientale al muro dietro di sé affinché fosse ben visibile a tutti. Fu poco prima dello scoppio della guerra d'Abissinia che io incominciai a frequentare la "Rivista parlata" di mio padre. Se avevo finito i compiti e se avevo fatto la mia parte nell'aiutare la mamma nelle faccende di casa, egli mi conduceva con sé. Dopo la "lezione" in quanto tale, veniva il dibattito con i presenti, in media dalle 50 alle 60 persone. Era più o meno la stessa gente che incontravo alla Copé e alle manifestazioni della Scuola Libera; ad essa si aggiungevano però anche svizzeri. Le discussioni scorrevano allora per lo più tranquillamente; non vi erano sull'argomento opinioni tanto contrastanti da essere dibattute fra gli appartenenti ai vari gruppi politici. L'atmosfera incominciò invece a riscaldarsi e surriscaldarsi con la guerra di Spagna e raggiunse il suo culmine con il patto Molotov-Ribbentrop e l'attacco alla Finlandia da parte dell'Unione Sovietica. Allora vi furono violenti diverbi durante i quali – presi dalla passione politica e da spirito di parte – ad alcuni intervenuti saltarono non solo i nervi ma anche tutte le regole della sintassi e degli accenti fonici e tonici, e si udivano strafalcioni che facevano rizzare i capelli a mio padre, purista per educazione, principio e convinzione.

Durante quell'anno, il 1935, improvvisamente sulla scrivania di mio padre incominciarono ad apparire fogli di carta da scrivere nuovi, con una intestazione mai vista prima di allora: "ARS" – la sigla era in rosso e in corsivo. ARS era una parola nuova che si propagò nell'ambito familiare a tra gli amici. Soprattutto con gli amici repubblicani come Mario Casadei e Curzio Bertozzi, ma la sera anche con Madame Lisy e il signor Ottò e Silone. ARS stava per "Azione Repubblicana Socialista" ed era un nuovo movimento sorto nella galassia dei gruppi antifascisti. Mio padre ne fu l'inventore. Egli era repubblicano sin da quando frequentava il liceo. Nel 1913, all'età di 21 anni, tra gli studenti della Scuola

111

Normale di Pisa aveva fondato un "Circolo repubblicano-sociali-
sta". Anche in quanto repubblicano, mio padre era "sui generis",
come ammetteva sorridendo. Era collocato alla sinistra del Partito repubblicano italiano fin da quando aveva assunto la direzione
del giornale del partito "La Voce Repubblicana" a Roma nei primi anni venti. Con la fondazione dell'ARS mio padre si separò
definitivamente dal Partito repubblicano. Le "Dichiarazioni di
idee" dell'ARS circolavano in casa; il babbo ne discuteva lungamente con i suoi amici repubblicani. Io non le capivo, ma le spie-
gazioni del babbo al riguardo erano sufficienti: siamo di sinistra
sempre, diceva, non siamo comunisti ma si può lavorare insieme
a loro – intendendo naturalmente nella lotta contro il fascismo.
Di queste precisazioni io avevo gran bisogno, anche perché sempre più frequentemente c'era chi, tra i genitori dei miei compagni
di scuola o amici – per lo più socialisteggianti, "socialisti all'acqua di rose" diceva la mamma –, mi chiedeva di che partito mai
fosse mio padre, a parte il fatto di essere antifascista. Mi trovavo
in imbarazzo. "Republikanische Partei" non significava proprio
nulla per loro. Allora riferivo loro quanto mi avevano spiegato e
quanto avevo vagamente afferrato: "mio padre è antifascista di
sinistra, ma non marxista; socialista ma non del Partito socialista;
non è comunista ma non è anticomunista; liberale ma non liberale nel senso classico; repubblicano in quanto antimonarchico, ma
non proprio repubblicano."

"*Ach sooo...!*" commentavano confusi e sconcertati questi
svizzeri.

Solo pochi anni dopo, le "Dichiarazioni dell'ARS" mi divennero chiare: in pratica l'ARS identificava "la lotta contro il fascismo nella lotta contro il capitalismo". All'ARS aderì solo una minoranza dei membri del Partito repubblicano. Mio padre aveva
un "penchant" per le minoranze; continuava ad inculcarmi che
nella vita "non è tanto importante vincere quanto giocare bene e
non mollare". L'esortazione a "non mollare" fu un caposaldo del
suo metodo educativo; un leitmotiv, uno sprone morale con "base storica". Si riferiva al primo foglio clandestino antifascista
"Non mollare", uscito il 3 gennaio 1925 a Firenze, per mano di
Carlo Rosselli insieme con Ernesto Rossi e Gaetano Salvemini. In
seguito all'intervento massiccio della polizia fascista la stampa
del foglio di battaglia dovette venir interrotta, ma i suoi fondatori
continuarono a "non mollare" la lotta per la libertà: Gaetano

Salvemini si rifugiò in esilio, Ernesto Rossi finì in carcere e ne uscì solo dopo la caduta di Mussolini, luglio 1943; Carlo Rosselli finì a Lipari al confino, donde evase nel 1929, con una fuga divenuta leggendaria, insieme con Emilio Lussu e a Fausto Nitti. Carlo Rosselli fu in seguito assassinato su ordine di Mussolini insieme con suo fratello Nello dai "cagoulards" francesi nel giugno 1937 a Bagnoles-de-l'Orne. Aveva 38 anni. Quando il babbo ricorreva all'esortazione "non mollare" erano momenti decisivi, anche se a volte, per noi figlie, circoscritti ai rapporti con persone o eventi del nostro mondo di ragazzi e della scuola. Era un atteggiamento di principio che bisognava assumere di fronte alle avversità della vita; quelle avversità – mutatis mutandis – di fronte alle quali il babbo gridava "reagire, reagire!" "Non mollare!" – non si trattava di un'esortazione: era un comando. E per i nostri genitori era una scelta di vita. Aveva il suo effetto: esso veniva dato da chi tale comando viveva.

Di primavera e d'autunno facevamo spesso brevi puntate a Grenchen, ai piedi del Giura bernese, ospiti della famiglia Bulletti. Alfride e Lino Bulletti, coetanei dei miei genitori, erano emigrati nei primi anni venti e avevano impiantato una sartoria al numero 35 della Centralstrasse. Lino Bulletti era toscano, di Ronta, vicino a Borgo San Lorenzo. Del luogo natio aveva conservato inalterati la parlata e lo spirito scanzonato toscano.

Grenchen è un centro dell'industria dell'orologeria svizzera e come tale aveva attratto sin dall'inizio del secolo molti italiani in cerca di lavoro. Tra questi, alla fine degli anni venti, si era costituito un gruppo di antifascisti, il cui centro gravitava intorno ai Bulletti. Gli emigrati di fede fascista invece, avevano fondato, a Grenchen come altrove, un Fascio locale. La sartoria dei Bulletti divenne presto il punto di riferimento per molti esiliati politici provenienti dalla Francia e – più tardi – dalla Spagna. Alle autorità ufficiali italiane la cosa dava fastidio. Sin dal 1931 Lino Bulletti venne segnalato nella rubrica di frontiera "elemento sovversivo" come "socialista da fermare e perquisire". A partire dal 1939 il provvedimento fu tramutato in "arresto".

Mio padre andava spesso a Grenchen, per conferenze e riunioni, cosa che il segretario del Fascio locale segnalava regolarmente alla Legazione italiana di Berna, e questa a sua volta ne informava il Ministero dell'interno a Roma. Quando andavamo in vacanza a Grenchen, la mamma viaggiava in treno, mentre il babbo, mia sorella ed io raggiungevamo la meta – distante da

Zurigo 110 chilometri, in bicicletta. Anche in questi trasferimenti il babbo rispettava scrupolosamente il "ruolino di marcia": dopo ogni 50 minuti ci concedeva 10 minuti di riposo.

I Bulletti avevano due figli, Fernando e Liana, più o meno nostri coetanei; ci si divertiva insieme. Fernando aveva ereditato molto dello spiritaccio toscano del padre. Sin da piccolo si era perfezionato nella tattica del "mordi e fuggi" e la esercitava sui bocciofili fascisti di Grenchen. Questi usavano incontrarsi per giocare a bocce nel giardino di un noto ritrovo del luogo. Fernando appariva all'improvviso nel bel mezzo della partita e – fulmineo – mentre i giocatori seguivano con lo sguardo rapito la boccia appena lanciata, gridava tutto d'un fiato:

> Un, du, tri – boccia pallin
> Mussolin è un assassin!

E poi, via, se la dava a gambe. Nessuno riuscì mai ad agguantarlo.

A parte i Bulletti, Grenchen era cara ai miei genitori anche per un'altra ragione. Fu lì infatti che Giuseppe Mazzini si rifugiò nel 1835, dopo il fallito tentativo di insurrezione in Savoia contro il Re Carlo Alberto, al fine di realizzare lo Stato unitario e la Repubblica. Il babbo mi condusse più volte a Bachtelenbad, alla periferia di Grenchen, dove Mazzini aveva soggiornato, ospite dello svizzero Josef Girard, suo compagno di fede liberale. Proprio a Bachtelenbad Mazzini fu assalito da quella crisi interiore che egli definì nelle sue note biografiche "tempesta del dubbio". Sono pagine di cui io conoscevo l'esistenza perché i miei genitori le avevano inserite nel libro di lettura della Scuola Libera Italiana, "Umanità Nuova". Mazzini vi descrive le sofferenze morali da lui patite quando, di fronte ai numerosi morti che era costato il suo sogno di un'Italia unita e repubblicana, ebbe una crisi di scoraggiamento e di incertezza. Il babbo colse l'occasione per "iniziarmi" al valore morale del "dubbio".

Anche al tempo di Mazzini l'attività degli esuli era seguita dal governo della Confederazione con viva attenzione. Le polizie di tutta Europa – salvo la Gran Bretagna – esercitavano pressioni continue sulla Svizzera allo scopo di far espellere il cospiratore Giuseppe Mazzini. Furono proprio gli abitanti di Grenchen, per lo più contadini, che riuscirono in un primo momento ad evitarne l'espulsione, conferendo a Mazzini la cittadinanza del luogo. I "Grenchener" erano in maggioranza liberali e sostenevano le idee politiche che Mazzini professava. La delibera comunale non ebbe seguito perché il governo cantonale di Solothurn la annullò. Mazzini, pertanto, fu costretto a rifugiarsi a Londra.

"Mi raccomando bambine, non ammalatevi, ché non possiamo venirvi a trovare," disse la mamma. Capii subito: ci rimandavano in vacanza in Italia. In effetti il dottor Dreifuss aveva ribadito che l'aria marina ci avrebbe fatto un gran bene. Del resto i rapporti fra i nonni di Livorno ed i miei si erano più o meno normalizzati. Anzi, in quell'anno in cui tanto si parlava di Abissinia e di guerra, fu il nonno Ercole a venirci a prendere a Zurigo. Non vedeva il proprio figlio da dieci anni circa, da quando il babbo si era "ritirato in esilio per meglio combattere," nel 1926. Il nonno stette alcuni giorni con noi. Dai discorsi che facevano i miei genitori capii che il nonno aveva tirato un sospiro di sollievo: suo figlio faceva una vita· "decorosa" in esilio, sia pure in povertà.

Quando il discorso cadeva sulla politica – era inevitabile che accadesse – ambedue tenevano un comportamento dignitoso pur rimanendo arroccati ciascuno sulle proprie posizioni. Mio padre ad un certo punto, concludendo questo scambio di vedute, non poteva trattenersi dal dire: "il fascismo significa guerra: per l'Italia quest'avventura va a finire male, credimi." Il nonno Ercole a sua volta ribadiva il suo dovere di fedeltà verso lo Stato. E poiché l'autorità costituitasi – attraverso il Re – era il fascismo, lui da monarchico non poteva che rispettare il Regime. Imparai così nell'ambito dei rapporti fra mio padre e mio nonno il significato pratico di capacità di sopportazione. Non mi era parso sino allora che mio padre ne fosse particolarmente dotato con mia sorella e con me.

Mi fece piacere rivedere il nonno Ercole, anche se il "vero nonno" rimaneva nel mio cuore uno solo: il nonno Chino. A Zurigo, nel nostro ambiente familiare il nonno Ercole mi appariva meno "diverso"; o forse ero io, a sentirmi più protetta. Sbirciai subito il suo bavero: non c'era il distintivo fascista. Per opportunità, cortesia e riguardo, suppongo. Forse anche per prudenza, pensai. Lo accompagnai a vedere "le meraviglie di Zurigo", città che non conosceva. Per prima cosa volle vedere la mia scuola. Chiesi al signor Ungricht di farlo assistere, ove fosse possibile, a una lezione e di fargli visitare l'edificio scolastico: nulla lo vietava. Molti aspetti lo sorpresero. Non vi era l'obbligo di indossare un grembiule: ognuno si vestiva come voleva. Non si iniziava la lezione con una preghiera; né un crocifisso né altre immagini religiose ornavano le pareti; i banchi erano impeccabili, la palestra attrezzatissima, i gabinetti lindi e beneodoranti e gli alunni disciplinati per natura. Non si scattava in piedi quando entrava il maestro. Si diceva semplicemente: *"Grüezi Herr Lehrer"*. A lezione ultimata lo si salutava, alla spicciolata, passandogli davanti e porgendogli la mano; ma non era obbligatorio. Il nonno notò con un certo raccapriccio che alcuni miei compagni erano scalzi; eravamo in estate e alcuni venivano a scuola senza scarpe, cosa che il nonno Ercole definì "mancanza di rispetto". A scuola come in chiesa si doveva andare con le scarpe, disse. Lo *Schularzt*, il medico scolastico, ci aveva raccomandato di camminare il più possibile a piedi nudi: "fa bene alla colonna vertebrale," aveva detto. Spiegai al nonno Ercole che in Svizzera il "rispetto" non si misurava dai piedi. Egli non cambiò opinione.

Quando si presentò per caso l'occasione di passare dallo "Städtisches Fundbüro" l'ufficio comunale degli oggetti smarriti al Werdmühleplatz, dietro la Bahnhofstrasse, per verificare se fosse stato consegnato un pacchetto dimenticato dalla mamma in tram, il nonno Ercole mi accompagnò. Prima di giungere al reparto pacchi, avemmo modo di vedere centinaia di orologi, spille, portamonete, portafogli, cappotti, ombrelli, e cartelle, rinvenuti e tempestivamente consegnati dai cittadini, ed anche subito catalogati dall'addetto, con i dovuti cartellini sui quali venivano indicati data e luogo di ritrovamento e data di consegna. Il nonno rimase strabiliato. Io mi accorsi che di fronte a lui avevo assunto – per la prima volta – un atteggiamento come di "orgoglio svizzero". Ebbi poi modo di fargli notare tutte le biciclette lasciate per strada, semplicemente addossate ai muri, senza lucchetti. Nell'Italia fascista – che il nonno difendeva, sia pure per la sua ossessionante "fedeltà allo Stato" e per "amor di patria", – queste cose non esistevano. Ed io non nutrivo dubbi che in un'Italia libera, come la sognavano e per la quale combattevano gli antifascisti, si sarebbe automaticamente verificato lo stesso comportamento da parte dei cittadini.

Nonostante questa volta fosse il nonno Ercole ad accompagnarci in Italia – venne nuovamente con noi Rosina Bertozzi, la figlia del repubblicano Curzio – il consolato di Zurigo avvertì come al solito con un telespresso, datato 10 luglio 1935, il Ministero per gli affari esteri e il Ministero dell'interno a Roma, nonché per conoscenza il Prefetto di Livorno, il Prefetto di Forlì e il Questore di Roma, che:

"... in questi giorni partiranno da qui per l'Italia le bambine in oggetto, figlie rispettivamente dei noti antifascisti Prof. Fernando

Schiavetti e Bertozzi Curzio" facendone seguire nome, data di nascita ecc. La differenza tra il primo viaggio e il secondo fu che alla frontiera di Chiasso non ci fecero scendere dal treno né ci perquisirono. Dopo tutto ci accompagnava un questore in pensione.

Antignano di Livorno, che rividi dopo due anni, non mi parve cambiata. Vedevo o notavo un maggior numero di manifesti con il Duce, un maggior numero di enormi fasci littori bianchi di cartapesta innalzati sul lungomare fra Antignano e Livorno e un maggior numero di scritte sui muri. Così mi sembrava; ma forse era una mia impressione, perché essendo cresciuta, avevo acquistato una maggiore capacità di osservazione – anche delle "esteriorità propagandistiche". C'era sempre quel "Noi tireremo diritto" sull'intonaco stinto e scrostato della casa all'entrata del paese. Proprio sotto vi era stato apposto un segnale stradale: "Rallentare".

Al mare ritrovammo lo stesso gruppo di persone conosciute due anni prima, c'erano ancora la medesima cabina ed i medesimi ragazzi – cresciuti –, sempre più vivaci e chiassosi, divertenti e intraprendenti, le medesime signore ed i medesimi mariti che verso sera venivano a riprendersi le famigliole. La nonna continuava a condurci al mare passando per le solite viuzze del paese, con il suo ombrellino e la veste di lino bianca, allo stesso orario, con il sole che batteva a picco. Adesso però il modo di fare il bagno era cambiato anche per me: sapevo nuotare. Me lo avevano insegnato a scuola, facendomi nuotare nel lago di Zurigo e nella Limmat. Tutti sapevano nuotare in Svizzera. Potevo sfuggire alle grinfie della nonna andando al largo. Lei mi riagguantava quando tornavo a riva e continuava a schiaffarmi al sole, come due anni prima. "Meno nell'acqua e più al sole," diceva la nonna, "perché tu hai i reumatismi articolari." Era vero; me li aveva riscontrati il dottor Dreifuss a Zurigo. Così la nonna continuò a pretendere che rimanessi al sole immobile con le mosche che mi ronzavano attorno, il sole che mi scottava e i sassolini che premevano sotto l'asciugamano e mi indolenzivano la schiena. Ascoltavo i discorsi che facevano i grandi attorno a me. Quelli, sì erano cambiati. I grandi parlavano prevalentemente di "Africa orientale" e io rizzavo le orecchie. Avevo in mente le carte geografiche del babbo per le lezioni al "Sonnenblick" e mi era facile tener dietro ai loro discorsi. La guerra non sembrava far loro paura; non erano preoccupati. Una signora, in particolare, abbinava la guerra al caffè. Il caffè sarebbe diminuito di prezzo una volta che l'Italia avesse conquistato l'Etiopia, diceva. Era un argomento nuovo per me; a Zurigo non avevo mai sentito parlare di caffè insieme all'Abissinia. Eppure in casa nostra esso costituiva un piccolo problema dato il gran consumo che se ne faceva. I signori al mare parlavano della probabile guerra in Africa in modo del tutto diverso da come ne parlava la signora Dezza alla Cooperativa socialista, quando diceva: "la guerra d'Abissinia sarà come una chiave che apre le porte a tutte le guerre."

Ancora non mi fu permesso di giocare con Giorgio, il figlio dei contadini. Come due anni prima passavo più tempo possibile col naso appiccicato al grande cancello che dava sull'aia dei contadini, e da lì potevo sbirciare – sia pure da lontano – il mulo con gli occhi bendati che continuava a tirar su l'acqua del pozzo occorrente per annaffiare l'orto.

La novità di quelle vacanze consistette nella nostra comunione. Anzi, la "prima comunione", come diceva il nonno; come a dire che ve ne sarebbero state altre. Mia sorella aveva già quattordici anni; io dieci. Il sacerdote al quale il nonno si era rivolto e che aveva accettato l'incarico si presentò a casa subito dopo il nostro arrivo. Era di modi gentili, parlava con un fil di voce, era magrissimo; la lunga sottana nera che gli svolazzava intorno quando camminava, sempre frettolosamente, gli si attorcigliava alle gambe modellandole e facendo sembrare lui ancora più rinsecchito. Era tanto esile che quando soffiava il libeccio io speravo che lo spazzasse via. Non perché mi fosse antipatico. Ma perché veniva ogni pomeriggio alle quattro ad impartirci il catechismo. Ci consegnò un libricino contenente le dottrine fondamentali cristiano-cattoliche in forma di domande e risposte. Chiesi al nonno Ercole se il babbo e la mamma ne fossero al corrente. Rispose di no. Non era forse il caso di dirglielo? No. Non era il caso, rispose.

Feci la mia prima comunione nel Duomo di Livorno in Piazza Grande. La confessione mi fece impressione. Provavo un vago senso di disagio. Mi pareva che la confessione fosse una specie di concorrente della coscienza, una rivale. Ero confusa; c'era qualcosa che non capivo e non afferravo. Senza che me ne rendessi conto, lo spirito del grande riformatore svizzero Huldrych Zwingli, di cui tanto spesso sentivo parlare a scuola e da mio padre, aveva lasciato un'impronta. Quando passavamo dal Limmatquai, vicino alla Wasserkirche sotto al Grossmünster, dove gli Zurighesi hanno eretto a Zwingli quell'imponente monumento, mio padre soleva dirmi, metà scherzando e metà sul serio: "andiamo a salutare quel grand'uomo," cogliendo così l'occasione di parlarmene. Io sostavo rispettosamente davanti a quella statua raffigurante il grande riformatore, con Vangelo e spada, lo sguardo rivolto lontano, oltre il lago di Zurigo, verso Kappel, ove trovò la morte in battaglia, rifiutando il confessore che i cattolici vincitori volevano imporgli.

Quando dovetti stare a digiuno prima di fare la comunione, mi ricordai di Zwingli. Mi rammentai di aver sentito che egli, scagliandosi contro il divieto ecclesiastico di non mangiare certi cibi, ebbe a dire durante una sua predica, scherzando una volta tanto: "*Ein Christ darf alles essen; Verstand von allem, sonst wär'er ein untrüwlicher Frass.*" E traducevo mentalmente il tedesco dell'epoca: "Un cristiano può mangiare tutto, di tutto con criterio, altrimenti sarebbe un insaziabile ingordo". Non era il momento più adatto per ricordarmi di Zwingli. Non dissi nulla e mi attenni disciplinatamente al digiuno. Ma continuavo a non capire.

Non ci furono per noi né festa, né abito lungo, né regali. Dopo la cerimonia in chiesa ci condussero in una pasticceria di Via Grande a mangiare le paste e ci ricondussero ad Antignano in carrozzella, concessione riservata abitualmente solo all'arrivo e alla partenza dalle nostre vacanze. Accadde tuttavia un fatto che rese per me la comunione indimenticabile. Mia sorella possedeva un braccialetto di ambra; alcuni giorni prima della nostra comunione lo ruppe. Per timore che la nonna la sgridasse – rompere o sciupare qualcosa per la nonna Jole era una specie di dramma: era tirchia – mia sorella consegnò il braccialetto spaccato in due a me con la preghiera di nasconderlo. Lo riposi in fondo al cassetto del mio comodino, lo stesso dentro il quale due anni prima avevo disegnato le crocette per vedere meglio quanti giorni ancora mi separavano dall'agognato ritorno a casa. Rientrati ad Antignano, dopo la comunione, la nonna mi chiese se avessi visto il braccialetto di ambra di mia sorella che evidentemente doveva aver già trovato frugando nel mio cassettino. Dissi di no. "Hai mentito il giorno della tua prima comunione," disse sobbalzando dallo sdegno e accompagnando il suo biasimo con una smorfia di raccapriccio e di orrore. Avevo mentito. Sapevo bene che era riprovevole, ma perché mai dovesse essere più grave mentire quel giorno lì, non lo capii, né – ci riuscì la nonna, a farmelo capire. Forse l'insegnamento di catechismo era stato troppo accelerato.

La mia prima comunione ebbe uno strascico imprevisto. Appena tornata a Zurigo misi al corrente i miei genitori su quanto accaduto: "i nonni mi hanno fatto fare la comunione". "Imbecillòmetro, e tu perché non ti sei ribellata?" fu l'immediata reazione di mio padre. Decise di farmi frequentare, come per bilanciare di nuovo la situazione, l'ora di religione che alla nostra scuola impartiva un pastore protestante. A differenza del nonno Ercole, il babbo chiese il mio parere. Gli toccò poi il compito di spiegare alle autorità scolastiche competenti perché egli desiderava che sua figlia, "battezzata cattolica ma senza confessione" frequentasse adesso l'ora di religione protestante. Fu quello l'esito tangibile della mia prima comunione.

Ogni anno la Scuola Libera Italiana organizzava una gita familiare a Gontenbach, presso l'omonimo parco naturale, nella valle della Sihl vicino a Zurigo. Ci si riuniva tutti, – allievi della scuola, genitori, parenti e amici – alle 9 alla Helvetiaplatz e si proseguiva, in corteo, sino alla stazione Selnau dove un trenino conduceva a Gontenbach. Là si passava una giornata di "allegria politicizzata" la quale – tra discorsi, volantini a articoli – si trasformava inevitabilmente in una manifestazione antifascista che dava fastidio alle autorità consolari. Si trattava di una grande festa campestre con giochi e divertimenti di ogni genere: corsa nei sacchi, pentolaccia, gioco degli anelli, *Völkerball* eccetera. Inoltre, si faceva colazione al sacco. Anche gli adulti partecipavano al divertimento generale, con il gioco delle bocce, le gare a scopone, il tiro al bersaglio e anche "tre palle un soldo" – dove cercavano di colpire sagome che rappresentavano il Duce e i gerarchi più noti. Molti ballavano all'aperto – suonava "La filarmonica Ticinese" – in una cornice di allegra sagra paesana che ricordava a molti anziani l'Italia; allora si commuovevano. Vi erano anche gare con lancio di palloncini ai quali venivano appese cartoline che facevano pubblicità alla Scuola Libera Italiana. C'era sempre chi, trovato uno di questi palloncini, rispondeva. Assistevo a volte a lunghe discussioni tra i compagni di mio padre sul tipo di gas che bisognava impiegare affinché i palloncini potessero tener l'aria il più a lungo possibile. Non si trattava solo di un gioco. Questo sistema di propaganda venne effettivamente tentato nel 1935 da tre giovani antifascisti appartenenti al movimento di "Giustizia e Libertà". Essi lanciarono i palloncini dal territorio svizzero nei pressi di Chiasso. La polizia elvetica riuscì ad individuare i tre – Magrini, Piatti e Brungo Lugli – e li trasse in arresto.

Verso sera si ripuliva tutto il prato e il bosco affinché per terra non rimanesse traccia della festa – non si doveva poter dire che gli italiani antifascisti erano privi di senso civico, ci avvertivano.

Concludeva la festa un discorso di mio padre che, salito su un tavolo, riassumeva la situazione politica del momento, ricordando ai presenti l'impegno degli antifascisti italiani all'estero nella lotta contro il fascismo, di noi che eravamo "non soldati, perché soldati è una brutta parola, viene da soldo, bensì siamo militi della libertà..." Come lui scendeva dal tavolo, io gli sussurravo all'orecchio: "ti ripeti!" E ridevamo tutti e due....

Una entusiasta di queste gite, nonostante l'età, che a me allora pareva avanzata, era la signora Bedoni; non mancava mai di salire su verso il Naturpark di Gontenbach. Era un'anarchica di Ferrara unitasi con un falegname veneto, Giovanni. Non era bella – anzi era decisamente brutta. Bassa, tracagnotta, le gambe corte come due colonne mozze, il viso color giallo-verdastro scuro nel quale spiccavano due occhi sporgenti e vivacissimi, la bocca larga, come gonfia. La signora Bedoni era divertente, sapeva tutto di tutti e non lo teneva per sé. Il suo "parlar male" si limitava in fondo a questioni amorose; in questo campo non ammetteva "distrazioni" di sorta, né da parte dell'uomo né della donna. Non pretendeva di imporre i suoi principi morali agli altri, ma si arrogava il diritto di raccontare le "distrazioni" del prossimo: la chiamavano "il gazzettino". Ogni tanto veniva a trovare la mamma la domenica pomeriggio, e io cercavo di ascoltare. Non erano mai racconti banali quelli della signora Bedoni; mi piaceva quello su Libero, l'anarchico. Egli era un muratore, giunto in Svizzera con la prima grande ondata di emigrati, alla fine del secolo. La signora Bedoni lo chiamava "fratello", non perché lo fosse, ma perché gli anarchici, mi spiegò, chiamavano così i loro compagni. Rimasto vedovo andò a vivere con la figlia che si era sposata e che non condivideva le idee politiche del padre. Quando il padre morì ritenne bene rivolgersi a Don Pietro della "Missione cattolica", il sacerdote che curava le anime della "comunità italiana" di Zurigo, affinché seppellisse il padre secondo il rito religioso. Tutto era stato predisposto in quel senso; senonché, al momento della cerimonia in un cimitero di Zurigo, quando il prete con gli stretti congiunti di fronte alla bara accanto alla fossa, si vide farsi avanti un gruppo di persone: i "fratelli" anarchici del defunto. Raccontava la signora Bedoni, che giunti davanti alla bara uno di loro tirò fuori la bandiera anarchica, nera – che in un primo momento al sacerdote dovette essere sembrata appropriata – e lì davanti al sacerdote allibito ed i presenti interdetti, gli anarchici si misero ad intonare il loro inno "Addio Lugano bella". Don Pietro confuso e atterrito rimase immobile con il capo chino sul suo aspersorio, facendo capire che se rimaneva lì era per non lasciar solo quel povero defunto. Finita la prima strofa Don Pietro ebbe appena il tempo di iniziare la sua predica che gli anarchici fecero capire che no, non avevano finito, che vi erano ancora sei strofe da cantare. Così per la prima e probabilmente l'ultima volta in un cimitero svizzero – che per clima, colore e atmosfera fa più "cimitero" dei nostri – riecheggiarono i famosi versi:

"... *Elvezia il tuo governo/schiavo d'altrui si rende/di un popolo gagliardo/le tradizioni offende/e insulta la leggenda del tuo Guglielmo Tell...*"

Uno dei collaboratori più preziosi per i miei genitori nell'ambito delle attività ricreative della Scuola Libera Italiana era in quegli anni, accanto al signor Ottò, Mario Mascarin. Era un comunista veneto, il suo nome di battaglia da clandestino: Simone. Mario, o Simone, era diplomato in ragioneria – si fa per dire. Infatti Mario raccontava che al momento della consegna del diploma di ràgioniere, il suo insegnante, preso da un impulso di commiserazione per lui – era l'ennesimo tentativo che Mario faceva di diplomarsi – gli rilasciò quel "pezzo di carta", ma ad una condizione: Mario doveva solennemente promettergli che mai e poi mai avrebbe esercitato la professione di ragioniere. Si trattava di una questione di coscienza, per l'insegnante. Mario infatti si era rivelato, sia durante il corso di insegnamento che nel corso della sua vita, incapace di distinguere con esattezza un debito da un credito. Addizioni e sottrazioni, moltiplicazioni e divisioni erano per Mario operazioni incomprensibili, incompatibili con la sua indole artistica. Mario era anche stato temporaneamente segretario di Angelica Balabanoff.

La Balabanoff venne varie volte a trovare i miei genitori. Mi sembrò una strana donna, di fisico piuttosto infelice, somigliava a un tappo di spumante, bassa e tracagnotta, ma con un viso dallo sguardo intenso e penetrante, di acuto ingegno e molto colta, sentivo dire di lei. Aveva un forte accento straniero, anche se parlava benissimo l'italiano. Era russa, veniva da una facoltosa famiglia, ma sin dalla prima infanzia, raccontava, aveva "sentito una profonda simpatia per i diseredati e provato un martoriante disagio nel vivere tra i privilegiati". Così, raccontava, aveva lasciato presto la famiglia e la Russia per venire in Europa a condividere le pene e le lotte degli "oppressi". Visse un certo tempo in

Svizzera, con gli emigrati. Fu allora che conobbe Benito Mussolini, socialista e ne divenne l'amante, come sentivo dire dagli amici della Copé, perché fu proprio in quel periodo che lei e Mussolini frequentarono la Cooperativa di Zurigo. Era stata amante anche di Lenin, così raccontava. Un giorno mostrò a mia madre un pezzettino di stoffa. Era un ritaglio di federa di un cuscino di Lenin. A me parve un pezzo di stoffa qualunque. La Balabanoff si trasferì poi in Italia, paese da lei amato più di ogni altro, ma dovette lasciarlo a causa dell'avvento del fascismo. Mario Mascarin, essendo stato come già detto per un breve periodo il segretario di Angelica, disse che lei su Mussolini "ne raccontava delle belle", ma non mi precisarono mai di che cosa si trattava. Sapevo che non si poteva fare domande. Bisognava riuscire a capire da soli. Io allora non capii.

Mario Mascarin era povero in canna. Si era appena unito ad una giovane donna, Cosetta – una ticinese – dalla quale aspettava un figlio. Come i protagonisti omonimi dell'opera di Victor Hugo, Marius e Cosette, anche essi erano "miserabili". Cosetta viveva per lo più presso i suoi parenti in Ticino, ma lui, Mario, giunto in Svizzera come profugo politico dal Veneto, doveva risolvere i suoi problemi più urgenti di sopravvivenza fisica, doveva nutrirsi: scelse i gatti. Asseriva che i gatti svizzeri erano i gatti migliori del mondo, perché non solo grassottelli, ma anche ben nutriti, nel senso della qualità oltre che della quantità del cibo. Gli svizzeri sono grandi amanti degli animali e, se ne tengono in casa uno, lo curano a tutti gli effetti. All'imbrunire, quando le strade in certi quartieri di Zurigo si fanno meno frequentate, Mario partiva per le sue "spedizioni". "Se sapeste come sono buoni in salsa salmì," spiegava. Io allora gettavo uno sguardo furtivo sul gatto che in quel periodo tenevamo in casa. Non era tanto grassottello e in più non lo nutrivamo scientificamente come Mario diceva che facevano gli svizzeri. Ma al mio gatto volevo bene. Purtuttavia non mi preoccupai. Ero convinta che mai Mario avrebbe mangiato un nostro gatto: perché altrimenti gli sarebbe sembrato di macchiarsi di cannibalismo. Per fortuna non mi sbagliavo.

Mia madre, mossa sempre da comprensione umana per il prossimo, prese a cuore la sorte di Masearin. Anche per una questione di congenialità. Mario aveva l'estro artistico e il rifiuto delle scienze esatte, proprio come lei: per tutti e due una semplice addizione era "scienza esatta".

"Mario non può continuare a mangiare gatti," decretò un giorno in modo perentorio mia madre mentre eravamo seduti a tavola. "Gli ho chiesto che cosa sapesse fare all'infuori del ' ragioniere mancato'," continuò mia madre. "Ho saputo che Mario aveva svolto, nel suo peregrinare per il mondo, anche una certa attività di ceramista in una fabbrica norvegese. Assicura di "cavarsela" e di aver acquistato dimestichezza con i forni, le cotture, gli smalti. Ora lo presento a D'Altri," comunicò perentoriamente la mamma a mio padre allibito. D'Altri era un noto ceramista ticinese che al Waid, uno dei boschi di Zurigo, aveva una piccola fabbrica di ceramiche. La mamma lo aveva conosciuto tramite altri ticinesi.

"Ma se non sai neppure se Mario è capace di maneggiare la creta!" ribatté mio padre costernato. "Creta o non creta, quell'uomo non può continuare ad andare per gatti, tanto più che aspetta un figlio," chiuse la discussione mia madre. E poiché, con tutta la sua innata mitezza, la mamma era, come diceva il babbo, di una "dolce caparbietà", la spuntò. Condusse Mario da D'Altri e lo presentò come "un famoso ceramista, ora profugo italiano". Ebbe inizio così la carriera di Mario Mascarin ceramista. Alcune sue opere figurano attualmente in vari musei del mondo.

Nell'ambito della Scuola Libera Italiana, Mario Mascarin fece di tutto: dall'attore, al poeta, allo scenografo e regista per le nostre attività teatrali. Come tale, era insostituibile. Divenne uno di famiglia.

"Non comprate le arance provenienti dall'Italia; c'è appiccicato il sangue degli Abissini" – così dicevano le donne al mercato della Helvetiaplatz, indicando invece le bancarelle che vendevano agrumi provenienti da altri paesi. L'atmosfera in quel quartiere popolare di Zurigo era decisamente contraria all'aggressione di Mussolini all'Etiopia. A scuola i miei compagni mi indicavano a dito e parlando male del Duce che aveva attaccato un piccolo popolo inerme dicevano "voi italiani". Quell'identificazione fra "italiani" e "fascisti" mi irritava. I miei compagni ridevano del Duce, delle sue pose, delle sue frasi roboanti che i giornali riportavano. Io non ne potevo ridere con loro. Mi sentivo profondamente italiana; ero umiliata. La mamma e il babbo, dopo esser andati al cinema, raccontavano della reazione differente degli spettatori durante il cinegiornale, a seconda che apparisse Hitler o Mussolini. Quando appariva il Führer, diceva la mamma, nella sala si faceva un silenzio profondo: lo scrutavano attentamente;

ne avevano paura. Quando sulle schermo invece appariva il Duce la sala scoppiava in una sonora risata liberatoria: l'Italia non era presa sul serio. E anche i miei genitori, se da un lato se ne compiacevano, dall'altro ne soffrivano. Io, da bambina non vidi mai Mussolini al cinema. In Svizzera era severamente proibito che ragazzi sotto i 18 anni andassero al cinema, se non per assistere a film per bambini come "Biancaneve e i sette nani" o "Heidi" della Johanna Spyri; perfino riguardo a questi film vi erano limiti d'età precisi, che tutti rispettavano. Anche i nonni non mi avevano mai condotto al cinema quando ero da loro ad Antignano. Non avevo mai visto Mussolini muoversi, quindi; ma ne vedevo le fotografie. Quelle stesse alle quali alludevano i miei compagni di scuola ridendo e riferendosi ad esse con l'espressione "voi italiani" intenzionalmente offensiva. Io però avevo "La Domenica del Corriere" esposta fuori della libreria di Gabriella Maier, libreria che a quell'epoca per mia fortuna ancora esisteva. Il babbo non doveva sapere che vi andavo per "La Domenica del Corriere" e per quelle tavole di Beltrame che illustravano le battaglie degli italiani contro gli abissini. Gli uni rappresentati con le frecce come selvaggi, gli altri coi fucili e i caccia che bombardavano i neri. Già c'era stato uno scontro fra il babbo e il nonno Chino che poco dopo l'inizio della guerra d'Africa era venuto, come al solito, a svernare a Zurigo. Il nonno aveva appeso una grande carta dell'Etiopia al muro nella sua stanza e seguiva l'avanzata delle truppe italiane marcandola con bandiere colorate. Quelle bandierine se le era portate dall'Italia, e a me piacevano molto. Partecipavo anch'io all'avanzata spostandole da un luogo all'altro. Fino a che un giorno il babbo mi colse in flagrante. Da dietro mi mollò uno "solenne scapaccione", come lo chiamava lui quando lo dava sul serio, ed io finii col naso contro le bandierine già infilzate rivoluzionando tutta la linea del fronte. Il nonno si arrabbiò. "Non è un gioco questo," urlò mio padre e mi trascinò via.

Manifestazioni di italiani contro la guerra d'Abissinia se ne ebbero un po' dovunque in Svizzera. Ma i fascisti cantavano la canzone che allora imperversava in Italia, "Faccetta nera", e la distribuivano anche in Svizzera tra gli italiani:

> *Se tu da l'altipiano guardi il mare*
> *moretta che sei schiava tra le schiave*
> *vedrai come in un sogno tante navi*
> *e il tricolor sventolar per te.*

Faccetta nera,
bell'abissina
aspetta e spera che già l'ora s'avvicina!
Quando saremo
vicino a te,
noi ti daremo un'altra legge e un altro re.

La legge nostra è schiavitù d'amore
ma è libertà di vita e di pensiero
vendicheremo noi camice nere
gli eroi caduti liberando te.

Faccetta nera,
bell'abissina
aspetta e spera che già l'ora s'avvicina!
Quando saremo
vicino a te,
noi ti daremo un'altra legge e un altro re.

Faccetta nera piccola abissina
ti porteremo a Roma, liberata
dal nostro sole tu sarai baciata,
sarai camicia nera pure tu.

Faccetta nera
sarai Romana
e per bandiera tu ci avrai quella italiana
noi marceremo
insieme a te
e sfileremo avanti al Duce e avanti al Re.

Il babbo, insieme alla mamma e agli amici riscrissero la canzone a "nostro uso" per le manifestazioni indette dalla Scuola Libera contro la guerra in Abissinia. La "Faccetta nera" degli antifascisti diceva così:

Il villaggetto etiopico tripudia,
ché la più bella ha preso per marito
il giovane più forte e più ardito:
tra canti e danze in festa è la tribù.

Faccetta nera,
bella abissina,
il tuo cor spera, il futuro non divina:
la stessa sorte
che tocca a te
dolore e morte donna bianca avrà per sé.

E lo stranier sbarcò nella tua terra,
col ferro vuole imporre la sua legge,
rubarti il casolar, la terra, il gregge,
il popol tuo ridurre in schiavitù.

Faccetta nera,
bella abissina,
nube foriera di tempesta s'avvicina:
la stessa sorte
che tocca a te
dolore e morte donna bianca avrà per sé.

Partì lontano il giovane guerriero,
col suo bambin lasciò Faccetta nera;
passò l'inverno e poi la primavera,
ma babbo a casa non ritornò più.

Faccetta nera,
forte abissina,
sai chi è vera cagion di tua rovina?
È Mussolini
che guerra fa,
e gli abissini e gli italian rovinerà.

Al seguito della guerra d'Abissinia entrò in casa nostra un oggetto nuovo che da allora in poi concentrò su di sé l'interesse generale e che ci fece vivere le più intense emozioni: la radio. Era una specie di scatolone alto, rettangolare, di legno, al centro aveva un intarsio dal quale si intravedeva un tessuto dorato – e da quella "finestra" uscivano i suoni. Era una Philips. Posava su un mobiletto e dominava tanto più la stanza da pranzo in quanto questa era ammobiliata con francescana semplicità, come del resto tutto l'appartamento. Per immortalare l'evento il signor Giordani ci fece una bella foto di famiglia tutti intorno a lei, la radio, come fosse il Gesù Bambino. Non sapevamo chi c'eravamo messi in casa, diceva in seguito spesso mia madre. Con l'avvento della radio mutarono anche alcune abitudini della famiglia che io ritenevo inveterate. Non si cominciavano più i pasti con la domanda posta da mio padre che noi chiamavamo "interrogatorio di terzo grado": "bambine, che cosa avete fatto a scuola?" Domanda alla quale mia sorella usava rispondere con reticenza e a monosillabi, suscitando discussioni e polemiche. Ascoltare le notizie durante i pasti divenne una imposizione alla quale mio padre non rinunciò più. Si incominciava con "Radio Sottens" della Svizzera francese, per continuare – se gli eventi erano tali da richiedere un confronto – con quella che trasmetteva l'EIAR – Ente Italiano Audizioni Radiofoniche – la radio del regime. "Affinché notiate la differenza," spiegava mio padre quando la mamma sbuffava perché il tempo del dialogo e della conversazione tra noi a tavola si era ridotto. Con l'introduzione della radio si ridimensionò anche l'importanza che i vocabolari avevano avuto sino allora alla nostra mensa. Essendoci meno tempo per parlare ve ne era anche meno per fare errori. Non che il babbo avesse perduto la sua abitudine a reazioni violente di fronte a errori linguistici. "Asino!" gridava all'improvviso, quando prendeva in fallo lo "speaker", rischiando di farci andare di traverso il boccone. Ma si era un po' rallentata quella corsa allo Zingarelli o a Larousse o al Langenscheidt che aveva sino allora caratterizzato i nostri pasti.

Grazie alla radio udii per la prima volta parlare il Duce e udii la selva di applausi che gli italiani gli riservavano. Quando parlava Mussolini il babbo non gridava "asino", ma lui e la mamma scrollavano il capo sconfortati e diventavano pensierosi. Imparai in occasione della guerra d'Abissinia il termine "sanzioni". I miei genitori ne parlavano animatamente sia fra di loro che con gli amici. Mio padre aveva assunto, nell'ambito dell'antifascismo ufficiale, un atteggiamento diverso da quello della maggioranza, particolarmente dei socialisti. Era contrario alle sanzioni contro l'Italia. Diceva che – a parte gli altri argomenti che non riuscivo allora a capire bene – Mussolini avrebbe accusato gli antifascisti di essere "nemici della patria", perché si schieravano con "lo straniero" e con la Società delle Nazioni, che negavano "un posto al sole" all'Italia. Ma di sanzioni parlavano molto anche gli svizzeri perché la Svizzera faceva parte della Società delle Nazioni. Per non trasgredire la neutralità tradizionale la Confederazione Elvetica decise solo l'embargo delle armi e non accettò di limitare gli scambi con l'Italia. Vi furono tra i partiti svizzeri aspre polemiche che rimbalzarono fino a casa nostra. Mio padre sottolineava più che mai con la matita rossa le corrispondenze dall'Italia della "Neue Zürcher Zeitung". Il giornale liberal-conservatore era, tutto sommato, nella questione abissina a favore di Mussolini come notava mio padre, mentre la maggioranza dell'opinione pubblica svizzera sembrava solidarizzare con gli etiopici.

Da Roma la zia Lina inviò una lettera alla mamma; al suo solito, la zia scriveva in modo esaltato, con enfasi patriottarda; ci comunicava che pure lei, seguendo l'esempio della Regina Elena, si era recata "nella giornata della fede", 18 dicembre, ad offrire – commossa ed entusiasta – la vera nuziale per la patria. In calce alla lettera, in piccolo, lo zio Carlo vi aveva aggiunto due righe: "... tutte fanfaronate. La Lina ha consegnato alla patria una vera d'oro fasullo..."

Nonostante gli eventi politici e i rapporti con le autorità svizzere di polizia che determinavano la nostra esistenza – sempre "sospesa" –, la mamma e il babbo si adoperavano affinché conducessimo una vita di famiglia il più possibile normale. Esteriormente lo era. Ma lo "spirito" di questa unione familiare, lo avvertivo chiaramente, era diverso di quello delle famiglie in cui vivevano i miei compagni di scuola. Vivevamo in terra straniera, in situazioni precarie e spesso incresciose – in qualche modo eravamo allo sbaraglio. La famiglia acquistava di conseguenza non solo un'importanza maggiore ma anche un significato diverso: di difesa, di cittadella, dove ci si sentiva sicuri mentre al di fuori di quelle mura – entro le quali erano naturalmente inclusi gli amici, "i compagni di fede", come sentivo affermare, – ci si sentiva privi di protezione, senza rete per così dire.

Da quando ho conosciuto mia madre non l'ho mai vista con le mani in mano. Anche quando stava con gli amici o sola con il babbo a chiacchierare o a bere il caffè, le sue mani erano sempre in movimento: ricamava, cuciva, lavorava a maglia o all'uncinetto. Nessuno le aveva mai insegnato questi lavori manuali, né lei li aveva mai visti fare in casa sua. Furono le necessità familiari a farle scoprire il proprio estro e la propria inventiva. La mamma ci cuciva i vestiti e non seguiva mai le istruzioni e le indicazioni riportate sulle varie riviste femminili. "Mi confondono," diceva. Lei prendeva le misure "a occhio"; faceva tutto "a occhio" e "a istinto".

Il rifiuto di un "metodo" da parte di mia madre aveva in compenso il pregio dell'unicità e dell'originalità. Comportava tuttavia qualche inconveniente. Il collettino bianco che ogni sera lei mi cuciva sul grembiulino o sull'abito non era mai "centrato". L'allacciatura con un bottoncino sul davanti era sempre, rispetto al punto di mezzo del collo, spostato sulla sinistra o sulla destra: mai al centro, sotto il mento, come l'avevano gli altri bambini. Questi a scuola mi canzonavano. Ma avevo capito che era assurdo sperare in una rettifica della situazione. Così fui io ad adattarmi: a scuola sedevo nel banco girando il capo a seconda del bottoncino che segnava il centro del colletto: leggermente un po' sulla sinistra o un po' sulla destra; in pratica costantemente di "profilo". Ogni tanto qualcuno mi chiedeva se avessi il torcicollo.

Le feste – come Natale, il Capodanno, i compleanni, gli anniversari del matrimonio della mamma e del babbo – in casa nostra si festeggiavano sempre. Ma, mentre per gli svizzeri il Natale era una festa ristretta ai componenti di un nucleo familiare i quali si incontravano quel determinato giorno anche se durante l'anno si ignoravano o quasi – talvolta il Natale serviva proprio a questo: a rivedersi –, per noi invece era l'occasione di ritrovarci insieme anche con gli amici che una famiglia vera non avevano, come Silone e Gabriella, o come Mario Mascarin e Cosetta, o Giuseppe Delogu, e con gli amici profughi di passaggio in Svizzera, come Emilio Lussu che in quegli anni venne spesso anche per ragioni di salute. In tali occasioni l'Italia era presente più che mai nei discorsi, nei ricordi e nelle tradizioni. La mamma teneva molto a che si rispettassero il più possibile gli usi e i costumi del nostro paese. Il nonno Chino l'aiutava; anche lui teneva alle tradizioni. Preparare un pranzo italiano di Natale in Svizzera, allora, era un'impresa: la Vigilia si mangiava di magro; non per motivi religiosi, ma per tradizione. Era un cenone "riveduto e corretto", poiché i ravioli d'erba non si facevano con la ricotta, che a Zurigo allora era sconosciuta, ma con un Quark; non si usava il parmigiano che costava troppo, ma un suo surrogato indegno per un palato italiano – lo *Sbrienz* – e il pesce era sempre pesce di lago o di fiume.

Preparare la pasta era un'azione memorabile. Impastare a regola d'arte richiede forza ed energia; il babbo ne aveva a bizzeffe, e lo dimostrava. Si preparava arrotolandosi le maniche della camicia meticolosamente fino a scoprire il gomito, intorno alla vita si legava uno "zinale" e poi – via!, agguantava la pasta che la mamma aveva amalgamato e incominciava a calcare, pressare, schiacciare, pigiare, tirare a destra e sinistra, avanti e indietro e a strappazzarla come se si trattasse del nemico ereditario. L'ultimo tocco era quello di sbattere questo ammasso con violenza sulla tavola – una, due, tre volte. Allora tremava il tavolo e vibrava la credenza, oscillava la lampada, tintinnavano i bicchieri e i vetri alle finestre: pareva il terremoto. Soddisfatto, mio padre a quel punto modellava la pasta a mo' di palla e vi affondava l'indice in profondità per vedere se la pasta fosse ormai stata sufficientemente lavorata, vale a dire se era diventata "elastica" a furia di manipolarla. La prova inequivocabile la forniva l'avvallamento prodotto dall'indice calcato nella pasta: se l'avvallamento non rimane tale, ma "risale", significa che la pasta è pronta. Allora, e solo allora, riconsegnava la palla di pasta alla mamma come se fosse un trofeo e lei cominciava a stenderla. Poi toccava a noi bambine entrare in azione: con una rotellina apposita ritagliavamo un riquadro di pasta, ci posavamo sopra la dovuta quantità di ripieno e richiudevamo ogni tortello per benino. Tutto sommato era una gran faticaccia: ma ricordava "un Natale del nostro paese". Non era una "Stille Nacht" la nostra; era totalmente priva di quell'alone di sentimentalità che avvolge i Natali svizzeri. Era un Natale di profughi italiani all'estero; apparentemente allegro. L'albero di Natale lo abbiamo sempre avuto, conservando contemporaneamente l'usanza della Befana e aggiungendovi quello del Sankt Nikolaus degli svizzeri. Anche la Befana era una grande faticata, perché si trattava di una delle manifestazioni della Scuola Libera Italiana, introdotta tra l'altro per contrapporla alla cosiddetta "Befana fascista" che festeggiavano gli ambienti ufficiali italiani in Svizzera.

Ma, di tutte, il Capodanno era la festa più significativa nella nostra famiglia. Mentre gli svizzeri trasformavano la fine dell'anno in una specie di carnevalata durante la quale professori abitualmente severissimi si applicavano grossi nasi finti e signore pudibonde indossavano *mises osées* e andavano a ballare, noi lo festeggiavamo sempre in casa nostra insieme agli amici d'esilio a noi più vicini.

Tutti i riti delle superstizioni italiane venivano osservati. Mia madre, insuperabile in materia, aveva trovato un valido sostegno nel signor Ottò. I due messi insieme erano, in quanto a usanze, costumi e riti superstiziosi, imbattibili. A Capodanno vanno mangiate le lenticchie: "portano denaro"; spiluccare qualche chicco d'uva: "porta abbondanza"; indossare qualcosa di rosso: "porta salute"; sulla tavola vanno messe alcune spighe di grano, in numero dispari: "allontana la miseria"; sopra la porta d'entrata va appeso un mazzo di vischio: "porta fortuna". A mezzanotte va aperta la finestra per guardare chi è la prima persona che si intravede: se è un uomo, insegnava il signor Ottò "porta bene"; se è un giovanotto: "porta benissimo"; una donna: "era meglio non vederla"; una donna vecchia, poi: era foriera di guai; un prete: era meglio richiudere subito gli occhi e toccare ferro o legno.

Se poi si fosse visto un gobbo, avrebbe significato la fortuna delle fortune: saremmo tornati in Italia durante quell'anno. Mai e poi mai festeggiare il Capodanno in 17 persone. Il 17 porta male, malissimo: è l'anagramma di VIXI, ho vissuto (XVII = 17). Mio padre subiva; non poteva tuttavia esimersi dal borbottare "tutte bischerate". "Sarà," osservava il signor Ottò un po' risentito, "ma io rispondo come il filosofo Benedetto Croce, allorché un americano gli chiese: ' Maestro, ma il malocchio esiste davvero?' E Croce rispose: ' Macché – non esiste; ma io ci credo'."

C'è un'usanza svizzera che non si conosceva e che adottammo subito: *Bleigiessen*, fondere il piombo. Consiste nel porre dei piombini in un cucchiaio e farli fondere sopra la fiamma di una candela. Una volta fuso gettare il piombo di scatto in una bacinella d'acqua fredda. Il gioco consiste nell'interpretare la forma che ne risulta; è un modo per scrutare il futuro. I partecipanti al gioco traevano uno alla volta il loro piombino dall'acqua divenuto un piccolo ammasso contorto, bitorzoluto e frastagliato; lo giravano e rigiravano nelle mani, lo esaminavano attentamente per poi uscirne con un grido gioioso: "ma è lo stivale d'Italia", oppure: "è lo stellone d'Italia". La lingua batteva sempre lì – perché era lì che il dente doleva.

La sensazione che i miei genitori con l'esilio avessero subito una lacerazione cominciai ad avvertirla in occasione delle "feste".

Madame Lisy, che andava spesso in Francia e frequentava laggiù gli ambienti conservatori della sua *sainte famille* come la definiva lei, riferiva ai miei genitori delle reazioni al *Front Populaire. Plustôt Hitler que Blum*, sentiva dire. In quegli ambienti non si avversava Blum solo in quanto fautore del fronte popolare con socialisti e comunisti, ma anche in quanto ebreo. Riappariva in termine *juif*. Madame Lisy era piuttosto preoccupata dal fatto che tra quella gente della media e alta borghesia francese non si prestasse sufficientemente attenzione all'occupazione da parte dei soldati di Hitler, della zona smilitarizzata della Renania. Lei avvertiva nei tedeschi una continua minaccia; in privato li chiamava solo *boches*.

Non è che questi discorsi e questi temi stessero al centro della mia vita di bambina e di ragazza. Convivevano con me. Io spartivo gli interessi dei miei coetanei e partecipavo alla vita collettiva, anche se la nostra precaria situazione economica costituiva ostacoli invalicabili: non avevamo i vestiti che avevano gli altri, non facevamo viaggi con i nostri genitori, non avevamo i giochi che avremmo desiderato, a Carnevale non avevamo le maschere ed i costumi che avevano gli altri. Ma non lo avvertivo come un'ingiustizia. Piuttosto notavo come un dato di fatto che nella nostra famiglia tutto era diverso da quello dei miei amici: il mangiare, il vestire, il rapporto con i maestri, con le autorità, con i genitori, i metodi educativi in generale e quelli del parlare e leggere in modo particolare, così anche il valutare eventi apparentemente estranei alla politica. Allorché in un incidente automobilistico morì, nel 1935 a Küsnacht nella Svizzera centrale, la regina Astrid del Belgio, l'evento suscitò grande impressione nell'opinione pubblica svizzera; tanto più che al volante c'era il marito, il re del Belgio. Gli svizzeri, che hanno sempre un debole per le famiglie reali – degli altri – presero parte alla tragedia con viva emozione e anche a scuola se ne parlò a lungo, sia fra di noi che con il maestro. Riportai a casa l'eco di quei discorsi. Mio padre si inalberò e sostenne che non c'era ragione per commuoversi di più che se fosse rimasta uccisa una qualsiasi altra persona; egli non ne voleva più sentir parlare. Io rimasi della mia opinione: se muore una regina non è la stessa cosa, perché di regine ve ne sono poche, e glielo dissi. Lui ritenne valido il mio argomento; ma era la partecipazione emotiva maggiore che l'irritava e che non ammetteva. Casi come questi mi facevano intravedere l'angolazione diversa dalla quale si valutavano gli eventi nella nostra famiglia.

Quando il re d'Inghilterra Edoardo VIII rinunciò al trono per sposare Wallis Simpson l'opinione pubblica svizzera partecipò emotivamente compiaciuta all'avvenimento. Scoprire in un sovrano la capacità di privilegiare l'amore rispetto alla ragion di stato riempiva di ammirazione tutti i miei compagni di scuola e conoscenti. Non mio padre. S'infuriava nel notare il diletto con il quale anch'io seguivo l'affare: "Imbecillòmetro! Un personaggio pubblico deve ad ogni costo tener fede all'impegno derivatogli dalle proprie funzioni e rinunciare ai vantaggi della gente comune," gridava. Imparai in quell'occasione l'espressione *noblesse oblige*.

L'Italia aveva vinto la guerra contro l'Abissinia e il *Duce aveva fondato l'Impero*. A scuola i miei compagni di classe mi prendevano in giro. Ascoltammo tutti in famiglia alla radio EIAR il discorso che Mussolini tenne a piazza Venezia davanti ad una folla osannante. Il "Corriere della Sera" riportava con titoli a lettere di scatola il discorso di Mussolini integrale; servì a mio padre durante una lezione alla Scuola Libera Italiana. Egli non perdeva occasione per prendersela "con gli aggettivi superflui", tipici della retorica fascista diceva, e comunque indice di una scarsa padronanza della lingua. Le "ostilità" del linguaggio fascista, ci faceva notare, erano sempre "aspre"; le proposizioni: "irrevocabili e definitive"; le vittorie: "folgoranti"; le decisioni: "inesorabili e intrepide".

Anche durante quell'"estate dell'Impero" mi toccò andare in vacanza al mare ad Antignano di Livorno, per ragioni di salute. Ora mi dava fastidio che il nonno continuasse a chiamare il suo bellissimo cane lupo "Negus". Quel nome lo portava già prima che noi avessimo un Impero, a dire il vero. Il nonno me ne aveva anche spiegato il senso: Negus era la traduzione letterale e stava a significare "Re dei Re"; quell'appellativo gli era stato imposto per la sua bellezza. Ma dopo la guerra d'Abissinia esso acquistava un significato diverso – così mi pareva. Chiesi al nonno se non fosse il caso di cambiare nome al cane. Egli si stizzì come se gli avessi chiesto di cambiare il suo. Per nessun motivo io però chiamavo il cane con il suo nome quando ero per strada; mi vergognavo.

L'unica novità che notai quell'anno in casa dei nonni ad Antignano, fu che la nonna non aveva più le sue belle pentole di rame appese in cucina. Le aveva dovute dare, insieme alla sua fede in oro, "alla patria", quando vi era stata la raccolta dei metalli a seguito delle sanzioni. E la nonna la diede veramente – anche se a malincuore – e non fece come la zia Lina. Ebbi l'impressione che le dispiacesse più per le pentole che per la vera. La nonna non era una sentimentale. A parte la scomparsa delle pentole, non notai nulla di diverso nonostante ora avessimo un Impero. Le nostre vacanze scorrevano monotone e programmate come ogni anno: visita al santuario di Montenero, sosta mattutina dal barbiere, andata al mare con bagno e successivo mio "tormento al sole". I signori della cabina sulla spiaggia parlavano dell'Impero in modo borioso ed erano contenti. Il nonno diceva che "il regime si era rafforzato, consolidato" e pareva soddisfatto. Una mattina, poco dopo il nostro arrivo – avveniva sempre in luglio e il soggiorno durava fino ad agosto – accompagnando il nonno dal barbiere, notai davanti all'edicola della piazzetta di Antignano, giornali con titoli vistosi. Appresi così che in Spagna vi era stata una rivolta militare. Lessi per la prima volta il nome del generale Franco. Chiesi al nonno con insistenza di che cosa si trattasse – non riuscivo a raccapezzarmi. Ricevetti risposte vaghe: esse mi diedero l'impressione che non aveva capito bene nemmeno lui. Io mi chiedevo tra me e me: "... chissà da che parte stiamo noi?..." Essere indifferenti o neutrali era per me inconcepibile. Poi, alcuni giorni dopo, sul "Popolo d'Italia" che il nonno leggeva dal barbiere colsi il termine "miliziani"; erano quelli che sparavano contro i soldati del generale Franco. Mi si aprì uno spiraglio: ricordai il modo di dire del babbo "noi siamo militi della libertà..."

Verso la fine delle vacanze il nonno, il barbiere e anche i signori della cabina avevano capito quello che stava succedendo in Spagna: era scoppiata la guerra civile. Mi sembrava che nessuno ci facesse gran caso; il fatto non riguardava l'Italia, pensavano. E comunque nessuno appariva preoccupato.

6.

LA GUERRA DI SPAGNA

Al ritorno della nostra vacanza trovai una situazione assai diversa. I miei genitori mi parvero tesi, preoccupati, irrequieti. Gli eventi spagnoli stavano al centro dei discorsi tra loro, con gli amici in casa, alla Cooperativa. Il babbo e la mamma ci spiegarono che il colpo di stato del generale Franco era, sì, una contesa di quel paese, ma contemporaneamente una questione dell'antifascismo tutto, dalla quale poteva dipendere anche il destino di Mussolini e dell'Italia: la guerra di Spagna era dunque da considerarsi una cosa anche nostra. Volontari antifascisti di tutti i partiti italiani accorsero subito in difesa della libertà spagnola minacciata dal generale Franco e il "Battaglione Garibaldi" divenne l'unità per eccellenza dell'antifascismo italiano. Carlo Rosselli – capo di "Giustizia e Libertà" – fu il primo antifascista italiano ad avere l'idea di intervenire immediatamente. "Oggi in Spagna – domani in Italia" divenne lo slogan degli antifascisti. Tutti i partiti italiani in esilio avevano preso contatto tra loro e con il governo repubblicano di Madrid per costituire una legione italiana. Il comando militare fu affidato a Randolfo Pacciardi, a quell'epoca esule a Parigi. Lo conoscevo da quando ero piccola; era un amico repubblicano dei miei genitori. Nel 1923 – a 25 anni – aveva fondato il movimento di ex combattenti antifascisti "Italia Libera". Le sole dimostrazioni di piazza che prima e dopo il delitto Matteotti si ebbero in Italia – così sentivo dire – furono organizzate dai giovani dell'"Italia Libera". Dopo le leggi eccezionali del 1926 Pacciardi si sottrasse all'arresto fuggendo dalla terrazza sui tetti dei palazzi attigui alla sua abitazione di via Gregoriana a Roma. In seguito anche lui attraversò le Alpi clandestinamente insieme a Egidio Reale. Prese la medesima via che aveva preso mia madre e furono aiutati dalla stessa persona: Gigino Battisti.

Randolfo Pacciardi era maremmano, di Grosseto; avvocato e giornalista, gran parlatore, alto, bello, bruno. Era figlio di un ferroviere e Pacciardi padre raccontava che suo padre lo avrebbe visto volentieri capostazione con il berretto rosso a dare il via ai treni. Ora, come comandante, Randolfo avrebbe dato il via alle battaglie; chissà quanto sarà soddisfatto suo padre, pensavo. Imparai la geografia della Spagna seguendo sulla carta i luoghi dove "i nostri" combattevano e dove morivano. Il primo di tutti a cadere, tra coloro che conoscevo, fu il repubblicano Mario Angeloni. Era venuto spesso a trovare i miei genitori a Zurigo; gli piaceva intrattenersi con noi bambine. Aveva l'aria ardita e spensierata ed era allegro. Faceva l'avvocato, era perugino come mia madre. Lo conobbi quando avevo sette anni e si abitava ancora alla Nordstrasse 88. La mamma era intenta a tagliarmi i capelli quando Angeloni entrò insieme a sua moglie, la signora Giaele, bella e ridente. Di lei sapevo che era presente allorché le camicie nere a Perugia avevano aggredito il marito. Gli squadristi usavano allora infliggere ai loro avversari antifascisti una "punizione" crudele quanto sprezzante: far bere loro in pubblico un bicchierone di olio di ricino tra il sollazzo generale. La signora Giaele, sapendo che il marito soffriva di stomaco propose di bere lei la pozione al posto del marito; gli squadristi accettarono sghignazzando. Giaele Angeloni tranguggiò di fronte a tutti quel bicchierone con grande orgoglio e fierezza, come sentii raccontare.

Tra i pregi di mia madre non spiccava quello della precisione. A furia di pareggiare la frangetta dei miei capelli a destra e a sinistra e poi di nuovo a destra rischiai di rimanere spelacchiata. Fu allora che Mario Angeloni, notando la mia aria afflitta, si intromise. Chiese una ciotola e me la pose rovesciata sul capo; seguendo il bordo della scodella gli fu facile tagliare i capelli in modo diritto. Quel giorno Angeloni mi rese felice.

Ora cercavo sulla carta geografica l'indicazione "Monte Pelato"; era lì che Angeloni era caduto, il 2 agosto del 1936 "mentre conduceva la sua colonna all'assalto", come diceva il comunicato che ci lesse mio padre. Angeloni aveva 37 anni.

Imparai molti nomi di città, pianure, montagne e valli di Spagna perché molti furono gli amici che caddero in quella terra. Il secondo fu Fernando De Rosa, quel giovanotto gaio, conosciuto a Marsiglia. Mi aveva trasmesso – raccontandoci dei pensieri che lo avevano assalito nei pochi istanti precedenti al suo attentato contro il principe Umberto di Savoia – le prime sensazioni del termine "dovere": Fernando De Rosa cadde un mese dopo Mario Angeloni, alla testa del suo battaglione "Octubre", sul fronte del Guadarrama.

Le foto che ritraevano i combattenti nella guerra di Spagna a me noti perché amici di casa, e che vedevo pubblicate sui giornali antifascisti, mi affascinavano. In modo particolare quella che ritraeva Pietro Nenni in trincea durante la battaglia sul fronte del Jarama, nell'atto di medicare Randolfo Pacciardi ferito alla testa. Nenni era stato tra i primi italiani ad accorrere in Spagna dalla Francia dove risiedeva. Nel corso della guerra civile fu nominato commissario di divisione dell'esercito repubblicano.

Non ricordo né dove né quando abbia visto Pietro Nenni per la prima volta: mi pare che ci sia sempre stato, nel nostro ambiente familiare. I miei genitori lo conoscevano già prima dell'avvento del fascismo. Era stato repubblicano e volontario nella prima guerra mondiale, come il babbo. In seguito anche Nenni espatriò clandestinamente; con i miei genitori e mia sorella si rividero così a Parigi. Nenni che era stato corrispondente dell'"Avanti" a Parigi nel 1921 e parlava già il francese, anche in esilio continuò a fare il giornalista. Veniva spesso a Zurigo e teneva discorsi applauditissimi, come quello alla Volkshaus in occasione del Primo maggio. Era un oratore di grande efficacia, pieno di vigore; si faceva capire da tutti, non usava parole astruse, diceva pane al pane e vino al vino, come osservava il nonno Chino che aveva per Nenni una particolare simpatia, anche perché Nenni era romagnolo come lui. Un gran giornalista, sentivo dire di Nenni in casa.

Di tutti i profughi politici, Nenni era con noi bambine il più paterno. Anche il più bonario. Raccontava spesso delle sue quattro figliole, e allora si rattristava e sospirando: "poverine, devono crescere nell'amarezza dell'esilio," diceva guardando anche noi. Mi metteva a disagio: non mi sentivo "poverina" e non provavo "amarezza". Nenni ogni tanto raccontava della sua infanzia infelice. Suo padre, un lavoratore agricolo, era morto quando lui aveva cinque anni e la madre aveva dovuto metterlo in un orfanotrofio. Ricordava che il senso di diffidenza verso gli uomini gli veniva da quell'esperienza, che definiva "l'inguaribile piaga della mia vita". Parlava volentieri e lungamente di sua moglie e delle quattro figlie. Diceva che la famiglia era il grande amore della sua esistenza. Ed è a proposito della famiglia Nenni che intesi per la prima volta il detto emiliano "in quella famiglia c'è Fran-

cia", intendendo che in casa comandava la moglie. Lui confermava il costume romagnolo dicendo con un sorriso: "io parlo sulle
piazze e a casa sto zitto."

Pietro Nenni non aveva potuto studiare come la grande maggioranza dei nostri amici profughi: non era un "intellettuale". Si
era istruito e aveva ampliato la propria cultura senza avere frequentato scuole regolari. Sentivo dire di lui "è un autodidatta", e
provavo per lui una grande ammirazione.

Ogni tanto alla Copé vi erano alcuni socialisti che, pur volen-
dogli bene, sollevavano critiche nei suoi confronti. Erano i cosiddetti "riformisti". Lui, Nenni, così sentivo dire, era rimasto
"massimalista" e il babbo mi spiegava di cosa si trattasse: delle
due anime del socialismo italiano.

Una critica mi colpì in modo particolare, quella espressa da
Giuseppe Emanuele Modigliani un giorno che venne a trovare i
miei genitori. Modigliani era un noto giurista di Livorno, parlamentare socialista già prima del fascismo e fratello del pittore
Amedeo Modigliani. Risiedeva in esilio a Parigi ed era più vecchio di mio padre di una generazione. Aveva nel portamento una
maestosità che la lunga barba grigia accentuava. Apparteneva alla corrente riformista e "moderata", come diceva il babbo.
"Nenni sarà l'affossatore del Partito socialista," ripeteva con enfasi. A me quell'immagine di Nenni becchino non piaceva.

La tensione che avvertivo in casa, per la prima volta non era
solo una mia impressione. Dai discorsi che potevo cogliere qua e
là e da quello che i genitori ci dicevano più o meno esplicitamente, appresi che mio padre aveva deciso di recarsi a combattere in
Spagna. Dalla sua partecipazione alla guerra egli aveva conservato una certa esperienza di organizzazione e di comando militare.
Lo si avvertiva del resto da certi suoi metodi educativi. Ma le difficoltà di indole economica e familiare furono insormontabili. La
Scuola Libera Italiana non poteva garantire a mia madre, se fosse
rimasta solo lei ad insegnare, un reddito sufficiente. Inoltre proprio in quel periodo si aggiunse una seria malattia della mamma,
che dovette lasciare Zurigo e ricoverarsi in una casa di cura. La
rinuncia a partire per la Spagna fu una decisione sofferta e lace-
rante per mio padre. Coinvolgeva nel profondo tutta la tematica
del dovere in senso mazziniano come i miei genitori l'avevano
sempre intesa: vale a dire verso l'umanità, verso i propri ideali e
verso la famiglia. Per la prima volta mi sorpresi a riflettere sulla

compatibilità tra doveri diversi. Quando ne parlai con mio padre mi rispose al suo solito, che l'ultima istanza è sempre la propria coscienza.

L'opinione pubblica svizzera era tutt'altro che indifferente alla guerra civile di Spagna: era divisa, a seconda dell'appartenenza politica. Negli ambienti conservatori e nella stampa che li rappresentava, traspariva apertamente il timore di trovarsi a dover fare i conti con la presenza della Russia in Spagna. Le sottolineature di mio padre sulla "Neue Zürcher Zeitung" non si contavano più. Il governo svizzero ribadì la più stretta neutralità della nazione. Con un emendamento apposito vietò a ogni cittadino svizzero e a ogni residente in Svizzera la partecipazione alle ostilità scoppiate in Spagna; fatta debitamente eccezione per i cittadini spagnoli. Vietò anche ogni appoggio o sostegno – di qualsiasi genere – alla Spagna, che partisse dal territorio svizzero. Persino alla direzione generale delle Poste fu espressamente raccomandato di rifiutare versamenti in denaro destinati a questo scopo. L'emendamento suscitò nel paese una vasta polemica che naturalmente rimbalzò nell'ambiente antifascista italiano, noi la seguivamo con passione. Le associazioni dei partiti socialdemocratico e comunista svizzeri, si adoperarono con tutti i mezzi e trovarono le vie per inviare aiuti di ogni genere ai repubblicani spagnoli. Noi italiani collaboravamo soprattutto con l'"Arbeiterhilfswerk" svizzero, fondato e diretto dalla socialdemocratica Regina Kaegi-Fuchsmann nel 1933, allorché cominciarono ad affluire in Svizzera gli emigrati tedeschi perseguitati da Hitler. Il medico svizzero Hans von Fischer fondò "La Centrale Sanitaire Suisse", che organizzò l'invio di medicinali e strumenti chirurgici di cui i repubblicani avevano particolarmente bisogno tanto più che tutta l'organizzazione sanitaria dell'esercito spagnolo era caduta in mano ai franchisti. Inserite nella "Centrale Sanitaire Suisse" partirono anche due squadre di medici svizzeri. Per la Spagna a Zurigo e nel resto della Svizzera si raccoglieva di tutto: abiti nuovi e usati, sapone, latte in polvere, coperte, frutta secca – imparai allora che essa aveva un alto apporto vitaminico e calorico – e naturalmente denaro. Fummo mobilitati tutti. Le donne aderenti alla Scuola Libera selezionavano uno per uno i capi di vestiario consegnati, li lavavano, li rammendavano. Eravamo tutti impegnati in questa grande gara di solidarietà che incominciava ad assomigliare ad un'industria. Mia sorella, poco adatta a questo tipo di lavoro ma considerata "l'artista" di casa, veniva incaricata a mansioni più "nobili": disegnare vignette sui manifestini di propaganda. Anch'io però facevo carriera: da garzone al ciclostile a furia di ciclostilare ero avanzata "aiuto di bottega": mi pareva che le occasioni nascessero come funghi.

Si era anche costituito un "Comitato Femminile della Scuola Libera". Mi chiedevo a volte come facessero i miei ad avere tante idee. Le lezioni di attualità politica di mio padre al Sonnenblick erano più frequentate di prima. La sensazione che ciò che stava accadendo in Spagna sarebbe stato determinante per il futuro anche dell'Europa, era molto diffusa.

Circa 800 svizzeri sfidarono il divieto governativo e andarono a combattere in Spagna. Alcuni, in numero insignificante, aderirono alla causa di Franco. Tutti gli altri sostennero la lotta a fianco dei repubblicani spagnoli. Partirono diversi anche dall'ambiente della Scuola Libera Italiana: Albertoni, Sabatini, Pietro Poletti. Quest'ultimo non tornò più e lasciò a Zurigo la moglie e due bambine. Le figlie continuarono a frequentare la Scuola Libera. Gli svizzeri che non lasciarono la vita sui campi di battaglia, tornando in Svizzera dovettero affrontare processi, galera e anche privazione temporanea dei diritti civili. Essi furono soprannominati "Spanienfahrer". Per gli stranieri residenti in Svizzera, che avevano partecipato alla guerra di Spagna, la procedura era più semplice – venivano espulsi. Il diritto d'asilo svizzero parlava chiaro: la Svizzera concede diritto d'asilo ai perseguitati politici di tutti i partiti e paesi, a patto che se ne dimostrino degni standosene tranquilli. E chi si era allontanato dalla Svizzera per arruolarsi "non era stato tranquillo".

Gli eventi spagnoli fecero aumentare il numero delle persone di passaggio dalla Svizzera, persone che andavano ospitate, "dirottate" altrove o accompagnate in determinati luoghi.

In questi casi bisognava osservare un decalogo preciso, sul quale con noi ragazzi insisteva in modo particolare Emilio Lussu che di cospirazione se ne intendeva come nessun altro. La stazione ferroviaria era sempre da evitare se non si doveva esser visti. Nel trambusto degli arrivi e delle partenze dei viaggiatori nulla di più facile per un informatore, diceva Lussu, che osservare senza esser notato. In tutte le stazioni del mondo, egli mi rivelò – esistono spioncini ritagliati sapientemente dentro le immagini pubblicitarie. Da questi spioncini la polizia fotografa agevolmente chi arriva, chi parte, quando e con chi. La stazione di Zurigo non faceva eccezione. Di fronte ai marciapiedi 1 e 2, che all'epoca erano quelli dai quali arrivavano e partivano i treni da e per l'Italia, c'era la pubblicità di un grande magazzino che copriva un vasto spazio. Cercai attentamente tra le figure della pubblicità uno di questi spioncini e lo individuai. Quanto fosse reale il pericolo che mi aveva segnalato Emilio Lussu lo appresi molto dopo quando ebbi occasione di leggere nelle carte della polizia a Roma un "telespresso" che riguardava il mio nonno Chino. Era stato inviato in data 26 maggio 1939 dal Consolato Generale d'Italia a Zurigo al "Regio Ministero dell'Interno e per conoscenza al Regio Ministero Affari Esteri" e informava:

"... Persona degna di fede ha riferito a quest'ufficio di avere visto più volte Bondanini Domenico, specialmente gli ultimi tempi della sua permanenza a Zurigo, alla stazione ferroviaria di quella città, per lo più nelle ore delle partenze dei treni per l'Italia, a confabulare con persone dal contegno che poteva anche apparire sospetto..."

Per i profughi illegali in Svizzera vi è una complicazione supplementare: la particolarità climatica del paese. Una persona "per bene" o che voglia apparire tale possiede sempre e comunque un ombrello. Lo porta spesso con sé anche se non piove; perché potrebbe diluviare da un momento all'altro. Una persona con l'ombrello è già di per sé una figura più rassicurante di una che ne è priva. Non è consigliabile per un profugo che non abbia le carte in regola di strisciare lungo i muri delle case con il colletto del pastrano rialzato per ripararsi dalla pioggia. È sospetto. L'ombrello tuttavia comportava in quei tempi una spesa non trascurabile per un profugo irregolare che si recava in Svizzera e costituiva un problema in più. Ebbi un'idea in proposito.

Mi ricordai delle centinaia di ombrelli visti all'ufficio degli oggetti smarriti al Werdmühleplatz quando mi ci ero recata insieme al nonno Ercole. Andai nuovamente in quell'ufficio con la scusa di cercare un parapioggia che non potevo ritrovare perché non lo avevo mai smarrito. Intanto però ne adocchiai uno e mi annotavo mentalmente ciò che era riportato sul cartellino che lo accompagnava: data e luogo del ritrovo. Mi congedai dall'addetto dicendo che tra i numerosi ombrelli non avevo purtroppo rinvenuto il mio. Il giorno seguente inviai all'ufficio degli oggetti smarriti una mia amica, la Ruthli dandole tutte le necessarie istruzioni e indicazioni per poter "ritrovare" l'ombrello di cui sapevo quando e dove era stato smarrito e di cui conoscevo colore e aspetto. La Ruthli era la figlia di una socialdemocratica tedesca; sapevo che mi potevo fidare. Andò come d'accordo all'ufficio indicatole, dichiarò subito i "dati" che le avevo trasmesso sul luogo, la data e la foggia dell'ombrello, lo trovò, lo ritirò e intanto ne adocchiò a sua volta un altro, annotandosi nella memoria tutti i dati anagrafici del nuovo ombrello. Il primo, lo ammetto, lo "regalai" a mia mamma: ne aveva bisogno; era a quadretti rosso – blu. Poi demmo il via ad una "catena di Sant'Antonio degli ombrelli per i bisognosi". Dopo un po' di tempo misi mio padre al corrente dell'iniziativa. Egli mi fece notare che – Sant'Antonio o meno – rimaneva un'azione non corretta; ne dovevo essere consapevole, ma che decidessi io: "... l'ultima istanza è sempre la propria coscienza..." Guardai il cielo plumbeo, minaccioso e non entrai in conflitto con la mia. Il babbo invece un bel giorno mi chiamò parlandomi chiaro e tondo: "... ormai vi è una scorta di ombrelli sufficiente; l'azione diventerebbe immorale." Fu così che si concluse la catena di Sant'Antonio degli ombrelli.

Nel marzo del 1937 circolò nell'ambiente degli antifascisti italiani un nome che suonò come una speranza: Guadalajara. Una città che cercai sulla carta geografica con animo diverso di quando volevo rendermi conto di dove fosse caduto un amico. Fu a Guadalajara che si svolse una furiosa battaglia dove "gli italiani combatterono una guerra civile per proprio conto", come scrissero i giornali. Fascisti e antifascisti si trovavano di fronte in formazione di battaglia: da una parte vi erano i legionari, inviati in Spagna da Mussolini, dall'altra i volontari antifascisti del battaglione Garibaldi, tra questi Pietro Nenni che comandava una compagnia. La battaglia di Guadalajara rappresentò una sconfitta delle truppe fasciste. La prima sconfitta di Mussolini. Anche per questo, quel nome "Guadalajara" suscitò tante speranze tra gli antifascisti profughi. Molti dei legionari italiani, per lo più poveri contadini meridionali, si arresero ai "garibaldini". Quando avevo finito i compiti leggevo le corrispondenze di guerra ricche di particolari che pubblicava la "Libera Stampa" con uno pseudonimo: Petronio. Appresi che a Guadalajara quando era scesa l'oscurità gli italiani del battaglione Garibaldi avevano messo in funzione gli altoparlanti: "fratelli italiani," gridavano "unitevi a noi. Gli uomini del battaglione Garibaldi vi accoglieranno come compagni." Realizzavo così quanto vicine fossero le trincee che dividevano gli uni dagli altri. A Zurigo circolavano anche i volantini che i volontari del battaglione Garibaldi gettavano nelle trincee nemiche:

"Fratelli!" c'era scritto fra l'altro, "voi non siete bestie da macello – Siete uomini perché voi, contadini, andate contro degli altri contadini?... Combattendo per Franco, cioè per i nobili e gli agrari spagnoli, voi combattete anche per i Baroni e i grandi proprietari delle terre della Sicilia, che dovrebbero essere vostre... Passate dalla parte dei poveri che combattono contro i signori per la terra e la libertà. Venite a noi, venite con i garibaldini, venite con i soldati della Repubblica, che sono vostri fratelli."

Conservavo questi volantini con cura. La guerra mi sembrava meno brutta se ci si poteva "parlare" sia pure tramite volantini. La battaglia di Guadalajara durò dieci giorni; vi furono migliaia di morti e di feriti. "Oggi in Spagna – domani in Italia" – era la parola d'ordine degli antifascisti italiani. Cominciavo a intuirne il prezzo.

In casa, quando parlavano della guerra di Spagna, i grandi si soffermavano con dovizia di particolari sul problema della "disciplina". Dalla Spagna giungevano notizie allarmanti a questo proposito. Randolfo Pacciardi diceva di trovare colonne di volontari, eroici ma tutt'altro che dotati di qualità militari – si riferiva in modo particolare agli anarchici. Ognuno faceva quello che voleva, senza gradi e responsabilità. Erano riluttanti all'obbedienza, all'idea di gerarchia e ad una qualsiasi parvenza di disciplina militare, raccontava. Imparavo così che le cose più difficili per chi comanda volontari, sono la divisione in ufficiali, sottufficiali e soldati, l'introduzione della disciplina, del saluto, delle mense separate, dell'attenti. Emilio Lussu quando ce ne parlava era categorico: per vincere, una condizione è la disciplina. Ammetteva e lo scrisse anche: "... è comprensibile che fra i volontari sorgano diffidenze sulle gerarchie e sulla conseguente disciplina durissima. Ma, senza queste, non si fa la guerra. Senza comandanti autoritari e senza disciplina, la guerra diventerebbe un tragico Carnevale," diceva Lussu. "... Io so bene che uomini di prim'ordine, con nella testa un bel bagaglio di antimilitarismo tradizionale, non vogliono sentir parlare di disciplina militare. Ma, senza disciplina militare, si fa la guerra ai carciofi, non la guerra contro reparti disciplinati... La disciplina è indispensabile. Senza di essa, non si distribuisce neppure il rancio..." Questa della disciplina, era una questione che mi si riproponeva continuamente, anche in certi metodi educativi di mio padre. Vi scorgevo una contraddizione: i nostri genitori e i loro amici politici ne dichiaravano da un lato l'indispensabilità mentre dall'altro essi stessi erano se non altro per la vita che avevano scelto – il contrario "di uomini d'ordine". Le delucidazioni che chiedevo e che mi venivano date non eliminavano quella che allora avvertivo come una contraddizione: praticamente occorreva imparare a sottostare anche ad una ferrea disciplina per poterla combattere efficacemente. Come a dire: per potersi uniformare al senso etico – più ancora che politico – che aveva determinato la scelta di vita degli esuli, occorreva capacità di disciplina e contemporaneamente di ribellione. Queste massime Emilio Lussu non le faceva cadere dall'alto, le intrecciava sapientemente ai racconti su episodi della sua vita. Ma al riguardo era perentorio.

Cambiammo nuovamente casa e ci trasferimmo all'Obstgartenstrasse 31. Una strada breve e chiusa al traffico, che congiunge tramite una scalinata la Weinbergstrasse con la Stampfenbachstrasse. Il quartiere era abitato prevalentemente dalla piccola e media borghesia, molto diverso da quello della "little Italy" della Langstrasse, rumoroso e popolare. Dopo sei anni di scuola elementare entrai alla Sekundarschule. Il numero dei miei compagni di classe ebrei era aumentato notevolmente rispetto ai primi anni del nostro soggiorno svizzero. Nasceva spontanea una reciproca simpatia tra noi, anche se molti di loro appartenevano a famiglie ricche e conservatrici. Eravamo seduti nella stessa barca. In quegli anni conobbi più ragazzi ebrei austro-tedeschi che mi chiedevano se ero ariana di quanti ne incontrassi di svizzeri che si informavano se ero ebrea. Rispetto ai nostri compagni svizzeri che apparivano avere certezze e continuità assicurate, noi – figli di profughi ebrei e no – navigavamo verso l'ignoto. Questa percezione comune si manifestava apertamente quando si parlava dell'avvenire – professione residenza esistenza – e ci univa.

Mia sorella – 17 anni – si era iscritta alla Kunstgewerbeschule. Era una gran bella ragazza. Si innamorò di un suo compagno che studiava grafica: per il suo aspetto, in famiglia, veniva chiamato "il moretto". Annarella divenne più allegra, in compenso più "assente". "È contemplativa," diceva la mamma a proposito di mia sorella quando doveva giustificare la sua mancanza di "scatto" nell'aiutare in casa. L'amore di Annarella comportò per me una mansione supplementare e spiacevole. I miei genitori esigevano che io accompagnassi Annarella e il moretto quando andavano in gita, praticamente a reggere il moccolo. Consuetudine già allora sparita da lungo tempo in Svizzera, dove i rapporti fra ragazze e ragazzi si erano molto evoluti. I nostri genitori erano rimasti in certe usanze profondamente italiani. Io non ci pensavo neppure, a ubbidire. Con Annarella ci accordavamo per uscire e rientrare insieme. Purtroppo, quando c'era un artista che richiedeva mia sorella come modella, mi toccava accompagnarla. Passai ore interminabili nell'atelier di Otto Bänninger, noto scultore svizzero, che immortalò mia sorella per una fontana di Zurigo situata nei pressi del Limmatplatz. Che cosa ci stessi a fare io tra quei gessi e quelle statue dell'atelier, non lo capivo. Otto Bänninger mi appariva come un uomo inoffensivo, con quel camice bianco da lavoro assomigliava assai di più a un droghiere che a un artista. Per di più i due non spiccicavano parola insieme: lei, suppongo, perché non doveva muovere la bocca, lui perché sprofondato nell'arte che lei gli ispirava.

Poco a poco mia sorella ed io acquistammo la fama di appartenere alla "famiglia progressista più conservatrice di Zurigo". "Sono italiane," così amici e conoscenti svizzeri spiegavano la contraddizione.

Alcuni dei nuovi insegnanti della scuola, ai quali venni assegnata, mi sorpresero per la loro singolare ottusità. La mia nuova compagna di banco si chiamava Vreneli; diventammo amiche. In questa scuola contemporaneamente alla storia si studiava anche la lingua francese. La Vreneli, ragazza curiosa e intelligente, andava a caccia di tutte le scritte francesi che vedeva riportate nei luoghi pubblici di Zurigo chiedendomi di insegnarle una buona pronuncia. Nei gabinetti della stazione centrale la Vreneli scorse l'esortazione: "après l'usage presser le bouton", dopo l'uso premere il bottone. Erano WC moderni, per i tempi che correvano, la catenella da tirare era già stata eliminata. La mia amica mi chiese di insegnarle a pronunciare correttamente la nuova frase scoperta. La imparò molto bene – era la prima frase in francese che le riusciva in modo perfetto – e andandone fiera la ripeteva in continuazione. L'espressione non le uscì più dalla mente né dall'anima. Era diventato un ritornello ossessionante: "... *après l'usage presser le bouton...*"

Il nostro insegnante Herr Hess, a conclusione di un corso su un determinato periodo storico, usava sottoporre gli alunni a un esame in classe. Non si trattava di una tesina ma di una ventina di domande precise alle quali bisognava dare una risposta altrettanto precisa entro un tempo limitato. Una delle domande elencate era: "Con quale espressione la contessa di Pompadour definiva lo spirito di spensieratezza che regnava alla Corte di Luigi XV?" Per me la risposta era ovvia: "*après nous le déluge*".

La Vreneli, seduta accanto a me, invece era sgomenta; feci appena in tempo a suggerirle: "*après...*" di più non potei, perché l'insegnante ci passò accanto. Vidi la mia amica che partì in quarta e riuscì così a dare la risposta in tempo utile.

Dopo due giorni il signor Hess ci riconsegnò i quaderni. Di fronte a tutti lesse la risposta che la Vreneli aveva dato alla domanda sul fatidico detto che circolava alla corte di Luigi XV: "la Comtesse de Pompadour usava esclamare: '*après l'usage presser le bouton*'." Tutta la classe scoppiò a ridere. Herr Hess indignato definì la risposta una "insolenza inaudita, e una impertinenza". Allora intervenni rivelando che ero stata proprio io a suggerire alla Vreneli "*après...*" Spiegai l'antefatto dal quale derivava la "meccanica" per cui la mia amica aveva scritto quella determinata frase. Herr Hess non intese ragioni. Continuava ad insistere sull'"irriverenza" dimostrata nei suoi confronti nonché in quelli della celebre contessa. E poiché ci vedeva un complotto convocò a colloquio non solo la madre della Vreneli ma anche mio padre. Herr Hess ci teneva a metterli personalmente al corrente della nostra "Frechheit", sfacciataggine. Mio padre fu scocciatissimo di venir disturbato per la Comtesse de Pompadour e per quel "bischero di maestro". A me diede uno scapaccione: "impara a suggerire bene, quando suggerisci," gridò.

"*Les Suïsses manquent de souplesse d'esprit,*" commentò Madame Lisy.

In casa nostra le letture avevano largo spazio, anche se noi non possedevamo i soldi per comprare tutti i libri che avremmo desiderato. Molti capolavori della letteratura straniera per ragazzi li lessi tramite la biblioteca scolastica: Eric Kaestner, Johanna Spyri, Hector Malot, Karl May, Rudyard Kipling, Marc Twain e altri. Gli autori italiani – Collodi, Salgari, De Amicis – me li davano in casa, qualcuno il nonno Chino. Quelli francesi – la Comtesse de Ségur, Jules Verne – me li procurava Madame Lisy. I nostri genitori tenevano che noi leggessimo i libri possibilmente in lingua originale. Non vi furono divieti di sorta, da parte loro, in quanto a letture; semmai qualche abile "dirottamento" di cui mi resi conto solo più tardi. Fu il caso di *Mademoiselle en uniforme*: riuscirono a non farmelo leggere quando avrei voluto, a 14 anni. Più tardi, una fonte preziosa per ottenere libri in prestito fu la

Museumsgesellschaft; ma qui dipendevo da nostro padre. Il quale mi suggeriva quelli che erano piaciuti a lui quando aveva su per giù la mia stessa età di adolescente: *I ragazzi della via Pal*, *David Copperfield*, e in seguito *Pickwick Club*, *Grandeur et servitude militaires*, *I miserabili*, *Les dieux ont soif* e tanti altri. Nella nostra famiglia tutti venivano coinvolti nelle nostre letture. Di guisa che in famiglia si parlava dei personaggi di cui stavamo seguendo le vicende come se essi vivessero tra noi. Tutti partecipavamo alla loro sorte; ci infervoravamo. Nessuno rimaneva indifferente. Così, durante la lettura de *I miserabili* i protagonisti di Victor Hugo – Jean Valjean, Cosette, Marius, Javert, il vescovo Myriel – non solo popolavano la nostra fantasia ma addirittura diventavano un punto di riferimento. E il capitano Renaud di *Grandeur et servitude militaires*, metteva in discussione il valore stesso del concetto di esercito. Ne venivano coinvolti anche gli amici dei nostri genitori quando passavano la sera a prendere il caffè. Si informavano sempre di quello che noi ragazze stavamo leggendo, venivano trascinati dalle nostre discussioni su valutazioni, simpatie, antipatie e giudizi relativi a personaggi appena conosciuti sui libri. Anche le nostre letture diventavano una questione di famiglia.

Ma c'era il risvolto della medaglia. Il punto debole per noi lettrici era costituito dal passaggio obbligato della riconsegna dei libri nelle mani di nostro padre, quando si trattava di libri provenienti dalla Museumsgesellschaft. Non c'era scampo, il passaggio era irto di tranelli. Questo riguardava particolarmente me; mia sorella, più grande, si era già liberata da tali catene. Aveva escogitato un sistema di scambi reciproci di libri con gli amici. Io no, anche perché le mie amiche di allora non avevano i miei stessi interessi, suscitati in gran parte dai discorsi che facevo abitualmente col babbo. Al momento della resa del libro letto, condizione indispensabile per ottenerne un altro, il babbo mi poneva regolarmente la fatidica domanda: "hai capito tutto?" Era tanta l'ansia di avere un nuovo libro che rispondevo di sì, senza troppo pensarci su. E allora cominciava l'interrogatorio, come sempre tra il serio e il faceto: mio padre apriva a caso il libro, con il dito scorreva una riga qualsiasi e poi a bruciapelo: "che cosa significa...?" E buttava giù il primo termine astruso che gli era capitato sotto gli occhi. Proseguire a leggere un testo senza avere afferrato il significato di una parola era per mio padre inaccettabile; significava essere "pressappochisti", cosa spregevole quanto essere "broccioni". Se non avevo saputo rispondere alla domanda in modo soddisfacente egli concedeva "la grazia del sinonimo" – voleva essere una specie di esame di riparazione –, per quanto lui stesse su un piede di guerra di fronte ai sinonimi: "non c'è nessun vocabolo che abbia lo stesso significato esatto di un altro; si tratta di cercare quello giusto," diceva. Il prezzo da pagare per ottenere un nuovo libro era quello di passare "sotto le sue forche caudine linguistiche" diceva scherzando, ma non spostandosi per questo dal suo atteggiamento. Nonostante il sistema bizzarro di nostro padre, continuammo a leggere con passione.

Non mi fu mai negato un libro. Mia sorella ed io leggevamo ovunque, come tutti i ragazzi e gli adolescenti della nostra età: a letto sotto le coperte con la lampadina tascabile, nel bagno, nei giardinetti dicendo poi che la lezione era durata più a lungo, sempre e ovunque ve ne fosse l'occasione, si leggeva. Ad un certo momento avevamo escogitato anche un sistema particolare che ci permetteva di leggere persino mentre si lavavano i piatti; incombenza che toccava naturalmente a noi essendo la nostra donna di servizio "caduta in guerra", come diceva scherzando la mamma. I due rubinetti dell'acqua – quella fredda e quella calda – erano inseriti nel muro, sopra l'acquaio di cucina, in modo tale da lasciare uno spazio fra muro e rubinetti nel quale si poteva incastrare – aperto – un libro di medio spessore. Si faceva a turno nel lavare i piatti – una settimana lavava una e l'altra asciugava; la settimana seguente era l'inverso. A chi lavava toccava il privilegio di poter leggere. Era un "lavare" per modo di dire, perché contemporaneamente si leggeva: gli occhi fissi sul libro non sapevano né vedevano quello che faceva la mano destra o quella sinistra. Ma chi asciugava si assumeva tacitamente anche il compito di controllo dei piatti. Trovatone uno non debitamente pulito lo si faceva scivolare nuovamente senza fiatare – per non disturbare il lettore – nell'acquaio. Cosicché si finiva, senza neppure accorgersene, col lavare tre o quattro volte tanti piatti quanti quelli realmente dovuti – ma in compenso non si interrompeva l'appassionante lettura. Fu grazie ad Alphonse de Lamartine che inventammo il "leggio-rubinetto". Mia sorella non riusciva a staccarsi neppure per un attimo dalla lettura di "Graziella", così diceva. Io non ero ancora in età da commuovermi a tal punto su delle pene amorose, per tormentose che fossero; ma credevo a mia sorella. Lei versava fiumi di lacrime lavando e leggendo; andavano tutte a finire nell'acqua dei piatti sporchi.

Il sistema resse finché non fummo scoperte in flagrante. Lavare i piatti in quel modo era una *broccionata* urlò nostro padre. Riprendemmo a lavare i piatti con il sistema ortodosso.

Ai primi di marzo del 1938 venne a trovarci Giuseppe Delogu. Era amico dei miei genitori sin dai tempi di Roma; lo chiamavano tutti Pippo. "Vi ho visto nascere" diceva – ben a ragione – a mia sorella e a me. Pippo proveniva da una insigne famiglia di Catania di origine sarda. Era professore di storia dell'arte e aveva conosciuto i miei genitori alla vigilia della Marcia su Roma, quando egli si iscrisse al Partito repubblicano. Collaborò subito alla "Voce Repubblicana" diventandone più tardi anche redattore e tenne questo ruolo sino a quando il giornale fu soppresso dal Regime. Si trasferì a Venezia andando a insegnare storia dell'arte all'Accademia di Belle Arti di quella città. Allorché nei primi anni trenta il governo fascista introdusse una legge che esigeva dai docenti universitari il giuramento di fedeltà al Regime, Giuseppe Delogu rassegnò le dimissioni dall'incarico. Molti professori erano di tradizione e sentimenti liberali. Ma solo dodici di essi – in tutta Italia – rifiutarono il giuramento. Pippo si stabilì a Vienna dove svolse la sua professione di storico dell'arte. Venne in Svizzera per incontrarsi con i miei genitori e con il gruppo degli antifascisti italiani. Il giorno stesso previsto per il suo ritorno a Vienna lo raggiunse un telegramma a Zurigo con il quale gli si comunicava che "per raggiunte visite non lo si aspettava più". Il telegramma era firmato "Toni". Pippo continuava a ribadire ai miei genitori di non conoscere nessun Toni, all'infuori del cane della sua portiera a Vienna alla Goldschmidtstrasse. Gli venne un barlume: la portiera o chi per essa voleva avvertirlo di non fare ritorno in Austria. In effetti la polizia austriaca aveva già spiccato a suo carico un mandato di cattura e lo ricercava per confinarlo a Dachau. Tutti i suoi beni trovati nell'appartamento viennese erano stati sequestrati e all'appartamento del quarto piano della Goldschmidtstrasse le SS avevano posto i sigilli. Così si manifestò in casa nostra l'"Anschluss". Giuseppe Delogu fu costretto a rimanere a Zurigo. "Nudo," come diceva lui, perché tutti i suoi beni erano rimasti a Vienna, "ma vivo."

La tempestività con la quale, quasi contemporaneamente all'"Anschluss", la polizia, a Vienna, era entrata in azione per arrestarlo insospettì Pippo. Se ne trovò la spiegazione più tardi, nelle carte di polizia a Roma, in una velina di lettera inviata al Consolato italiano di Zurigo dal capo della polizia, sempre quell'Arturo Bocchini che si incrociava con la nostra esistenza. Da essa risulta che già nel 1937, dunque un anno prima dell'annessione dell'Austria alla Germania, sotto Schuschnigg, la polizia austriaca informava "amichevolmente" il Ministero dell'interno a Roma su Giuseppe Delogu. Ne intercettava persino le lettere e le trasmetteva a Roma. Di una che Delogu ricevette a Vienna nel settembre 1937, "risulta evidente che è del repubblicano fuoruscito Schiavetti, – ex capo dell'Azione Repubblicana Socialista, fusa con il movimento 'Giustizia e Libertà'. Il contenuto dimostra, senza possibilità di dubbi – che il Delogu – pur cercando di mascherare la sua attività in seno ad uno dei gruppi più attivi dell'antifascismo all'estero... sott'acqua intrigava coi più acidi nemici del Fascismo. Il Delogu a Vienna frequentava talune famiglie ebraiche presso le quali dava sfogo ai suoi sentimenti, che abilmente mascherava quando si trovava con connazionali – inventando le più odiose calunnie contro il Regime, il Duce e le condizioni dell'Italia Fascista. Ecco perché Delogu dev'essere considerato, ed è, avversario tanto più pericoloso quanto più abile nel dissimulare. Firmato: il Capo della Polizia, Arturo Bocchini".

Pippo si stabilì a Zurigo e venne ad abitare nella nostra stessa strada, al numero 27 della Obstgartenstrasse. Io ne fui molto contenta. Pippo era un elemento nuovo e originale nell'arcipelago del fuoruscitismo zurighese: un gentiluomo nel senso autentico del termine: suprema cortesia e gentilezza nel trattare le persone, delicatezza di pensieri, gesti e abitudini. Egli si faceva ricordare più che notare. Di statura era basso, i capelli ondulati molto curati, gli occhi mobilissimi, scuri, vestito sempre di nero come i signori siciliani di una volta, con la cravatta alla Lavallière, non portava mai né cappello né berretto neppure durante i più rigidi inverni zurighesi, all'occhiello inmancabilmente il distintivo dell'edera, simbolo della Repubblica. Di temperamento vivace, di spirito brillante, arguto, venne accolto con viva soddisfazione e ammirazione del mondo culturale di Zurigo a cui era noto per le pubblicazioni e per gli interventi a importanti congressi internazionali di storia dell'arte. Delogu affascinava il numeroso pubblico che assisteva ai suoi corsi di cultura italiana all'Università Popolare di Zurigo e alle sue numerose conferenze per varie società italiane e svizzere, in primo luogo i circoli della "Dante Alighieri". Ma non entusiasmava solo i suoi ascoltatori, Pippo faceva impazzire di sé le signore tutte, svizzere e straniere. Era uno scapolo impenitente e ansioso di far diffondere la voce di tale sua caratteristica; ma ce n'era sempre una, tra le donne, convinta di riuscire là dove altre erano fallite. Allora Pippo ricorreva a mia madre, affinché con il suo garbo spiegasse e facesse intendere a chi non aveva nessuna intenzione di intendere. Questi colloqui tra la mamma e Pippo si svolgevano la mattina presto. Pippo soffriva d'insonnia; appariva di buon'ora quindi a dare il buongiorno alla mamma, "a quella santa donna di tua madre," come mi diceva *en passant* incontrandomi frettolosamente nel corridoio prima che io andassi a scuola. Pippo era spesso testimone del "rito mattutino del caffè" di mio padre, al quale assisteva rispettosamente e in silenzio, anche perché gli piaceva il caffè. Non solo il caffè, anche la buona tavola e il vino – un lusso, allora, in Svizzera. Con Madame Lisy e il signor Ottò legò subito anche per questo. I tre erano capaci di parlarne per delle ore. La mamma, sapendo a priori come sarebbe andata a finire, cercava abilmente di sviare il discorso: inutilmente. Mio padre, prima sbuffava, poi scoppiavano discussioni, durante le quali i Giordani e Pippo da una parte sostenevano l'arte culinaria come fattore culturale di significativa importanza, dall'altra mio padre che esaltava il valore spirituale del vivere austero. La nostra stanza da letto era attigua al soggiorno. Giungevano sino a noi i termini più disparati di cui era intessuta l'animata discussione: "sughetto" e "morale", "gigot" e "puritano", "*coq au vin*" e "asceta", "spiritualità" e "*Embonpoint*". Non ci facevamo più caso mia sorella ed io, sapevamo di che cosa stavano discutendo. Ma l'ultima parola la voleva avere Pippo, soprattutto riguardo all'austerità, tema prediletto di mio padre: "... sono le terze classi che vanno abolite, non le prime...," concludeva severamente Delogu rivolto a mio padre.

Pippo Delogu era un grande osservatore non solo d'arte, anche degli esseri umani. Era fulmineo nel cogliere le particolarità fisiche e caratteriali di un individuo. I soprannomi che Pippo affibbiava non solo erano azzeccati – diventavano eterni. In famiglia e tra gli intimi di casa Pippo Delogu chiamava Silone "Cavallo di cartone". Perché, spiegava Delogu, Silone con quella sua aria florida, ben portante, con le gote lievemente arrossate gli ricordava i cavalli di cartapesta alle giostre dei bambini della sua Sicilia. Anch'essi apparentemente robusti e coloriti, se prendevano l'acqua quando pioveva si ammosciavano e i loro colori svanivano. Così Silone – sempre cagionevole di salute – quando a Zurigo pioveva si afflosciava e si scoloriva. E di acqua in quei lunghi inverni zurighesi egli ne prese molta. Quando Silone venne a sapere come lo chiamavamo tra di noi si divertì. Silone era uomo di spirito e sapeva stare allo scherzo. Ma tenne a specificare: "sarebbe stato più preciso chiamarmi 'l'asino di cartone'; ma forse voi, di discendenza toscana, non avete dell'asino la stessa mia idea..."

Dopo l'"Anschluss" il numero di austriaci e tedeschi che cercavano di rifugiarsi in Svizzera era in continuo aumento. Per le strade del centro si sentiva sempre più spesso parlare il tedesco. L'opinione pubblica della Svizzera tedesca era in prevalenza contraria ai provvedimenti introdotti dalle autorità svizzere per arginare il flusso dei rifugiati: gli ebrei in quanto tali non venivano riconosciuti come profughi politici. Il visto era obbligatorio e in base al famigerato marchio "J" (Jude, ebreo) apposto sul passaporto gli ebrei venivano subito identificati alla frontiera. Numerosi erano gli svizzeri che si vergognavano del fatto che le autorità competenti del loro paese avessero contribuito in modo non indifferente affinché il marchio "J" venisse stampato sui documenti d'identità degli ebrei.

In quel periodo, io accompagnavo con particolare interesse mio padre alla libreria di Emil Oprecht alla Rämistrasse. Lo aspettavo seduta su una panca posta a ridosso della vetrina alla destra della porta d'ingresso e ascoltavo e guardavo. Quel luogo sprigionava un fascino che andava al di là di quello che emana in sé ogni libreria: era un punto d'incontro di tutto l'antinazismo tedesco ed europeo, era il rifugio dell'intelligenza libera di quei tempi, di tutti coloro che avevano da combattere per la sopravvivenza contro l'"Arbeitsverbot", un luogo di congiura quasi. Oprecht divenne un simbolo di quello che in Svizzera venne definito "geistiger Widerstand" – resistenza spirituale, e non solo perché la casa Editrice Oprecht aveva pubblicato molte opere anti-naziste che fecero testo – a parte Silone, – Konrad Heiden, Rauschning, Heinrich Mann, Walter Mehring – ma anche per l'incitamento a resistere e per l'imperativo quasi "categorico" della speranza, che emanava l'ambiente Oprecht. "I tempi sono tristi, ma noi non lo siamo," usava dire Emmie Oprecht, la moglie dell'editore. Non mi annoiavo mai ad aspettare il babbo. Anche perché c'era Toni Drittenbass, una commessa abilissima e intelligente alla quale tutti ricorrevano: alta, slanciata, rossa di capelli quanto rossa di idee: era una comunista entusiasta. Se c'era tempo si metteva a parlare con me. Fu lei la prima ad indicarmi Thomas Mann, il quale mi parve un monumento di se stesso: altezzoso e consapevole della sua grandezza. Quando guardava una persona mi dava l'impressione che il suo sguardo attraversasse il suo interlocutore senza vederlo. Come se Thomas Mann guardasse oltre, più lontano. E forse lo faceva. In seguito lo incontrai ripetutamente presso amici comuni nella cerchia della "Weltwoche". La mia ammirazione per lo scrittore aumentava ad ogni lettura di un suo libro e la mia antipatia per l'uomo ogni volta che lo incontravo.

Dopo la fine della guerra Toni Drittenbass si trasferì in Ungheria con il suo bambino appena nato. Diventò una delle vittime dello stalinismo; la imprigionarono, le tolsero il bambino e morì sola e disperata in carcere.

Le persone che entravano da Oprecht erano, a parte gli svizzeri, per lo più tedeschi; ma le lingue che sentivo parlare erano diverse: francese, spagnolo, inglese. La gente entrava non solo per comprare libri ma per parlare con gli Oprecht o incontrarsi con altre persone. Degli italiani residenti a Zurigo era soprattutto Silone che frequentava Oprecht con regolarità e poi Giuseppe Delogu; loro due per lo più facevano da tramite fra l'ambiente antifascista di Zurigo e Ginevra, i due centri maggiori, e i profughi tedeschi. Mio padre non frequentava l'ambiente di letterati ed artisti. Il suo terreno di lotta era in quel momento esclusivamente politico e tutto italiano. Quando andava da Oprecht era per comprare libri o per incontrare determinate persone.

I tedeschi che osservavo da Oprecht, seduta sulla mia panca, in quegli anni mi apparivano diversi dai nostri italiani: più malinconici e soprattutto più soli. Non mi accadeva che raramente di incontrare intere famiglie di profughi politici tedeschi, come eravamo noi. Erano, in maggior parte, singoli o con una compagna. Mi sembrava, guardandoli, di avvertire che, anche se avevano lasciato il loro paese per le medesime ragioni per le quali noi avevamo lasciato il nostro, stavano in qualche modo peggio di noi. Il babbo confermava in parte questa mia sensazione e mi spiegava le diverse tradizioni che l'Italia e la Germania avevano in quanto a emigrazione. Un primo raggruppamento socialista italiano in Svizzera risale a prima della fine del secolo scorso. Nel 1885 molti socialisti e anarchici avevano varcato la frontiera italiana per sfuggire all'arresto. Ad alcuni di loro risale il primo forte impulso all'organizzazione politica e sindacale degli emigrati italiani: tra i discendenti di questi figuravano molti nostri amici della "Copé". Dopo i grandi scioperi agricoli del 1909 e la "settimana rossa" del 1914 seguirono altre schiere. L'esilio antifascista italiano si era quindi per così dire innestato su una vasta emigrazione politica ed economica già esistente. Gli italiani avevano così potuto costituire con i loro partiti e le loro varie organizzazioni una "Italia in esilio" e rimanevano in qualche modo in contatto con il loro paese. Non fu così per i profughi tedeschi e austriaci. Era una solitudine supplementare, la loro, uno sradicamento più profondo. Ciò mi spiegava quell'espressione di mestizia che leggevo così spesso sui loro volti.

A parte Oprecht, austriaci e tedeschi profughi si incontravano prevalentemente al Caffè Odeon, al Bellevue, a due passi dalla libreria della Rämistrasse. Silone, Jean Paul Samson, Delogu erano spesso con loro. A volte, dopo il 1940 e l'occupazione tedesca della Francia, intravedevo anche François Bondy. Samson era un poeta francese, si era rifugiato in Svizzera durante la prima guerra mondiale perché disertore per obiezione di coscienza. Madame Lisy non lo aveva in simpatia. Per lei un disertore francese – dubbi di coscienza o meno – era inconcepibile. Allorché scoppiò la guerra Samson si presentò in pompa magna da Madame Lisy dichiarandole fieramente "parto per la Francia". Lei, in uno slancio di entusiasmo patriottico gli schioccò due baci sulle guance – gesto estremamente raro in Madame Lisy e perciò tanto più prezioso: ma era per la Francia! Quando a Zurigo si sparse la voce che Samson era giunto sino a Ginevra e poi era tornato indietro, ella ne fu indignata. Samson aveva appreso che le autorità militari francesi, per buona norma e in primo luogo, mettono un ex disertore in prigione. E allora egli era tornato sui suoi passi.

"Cosa si aspettava, che la Francia lo accogliesse con trombe e tamburi?" disse sdegnata Madame Lisy a Delogu. Ma quello che non perdonò a Samson fu di averle scroccato due baci.

François Bondy era amico di Silone e di Samson e all'epoca, un giovane giornalista molto quotato negli ambienti antifascisti per la sua intelligenza e versatilità. Bondy era un ebreo berlinese d'origine austro-ungarica, un po' misterioso. Non era un Adone; lo chiamavamo *le beau laid*, perché nonostante tutto affascinava. La prima volta che udii fare il suo nome fu a casa, in occasione di una visita di Guglielmo Ferrero e Gina Lombroso. I Ferrero erano per me una sacralità. Lui, il famoso storico, mi metteva soggezione. Mio padre mi aveva già spedito a consultare una enciclopedia per sapere "almeno chi hai di fronte quando lo vedi", come era sua abitudine fare in simili occasioni. Lessi che nella sua opera più famosa, "Grandezza e decadenza di Roma" Ferrero rappresentava la storia romana – dai Gracchi ad Augusto – essenzialmente come riflesso di complessi fattori economici, diminuendo così il valore degli uomini di solito considerati suoi protagonisti: Cesare, Pompeo, Augusto. Non amavo Cesare, quindi la cosa mi fece piacere.

Alla soggezione e all'ammirazione si aggiunse la deferenza quando appresi che Guglielmo Ferrero lasciò l'Italia nel 1930 perché era antifascista; da allora viveva in esilio a Ginevra. La sua casa divenne un centro di cultura e di politica internazionale. Ferrero era un uomo alto, dall'espressione contegnosa, grave, seria. Mi pareva che i suoi baffi spioventi sottolineassero una tristezza di fondo perenne e che l'esilio gli procurasse maggiore pena che ad altri. Non era solo l'esilio a delineare quei tratti di sofferenza. I miei genitori mi dissero che era il dolore per la perdita del figlio Leo, scrittore e ingegno precoce, a conferirgli quell'immagine di tormento. La signora Ferrero era la figlia di Cesare Lombroso, il celeberrimo psichiatra e antropologo. I miei mi avevano al solito messo al corrente di chi era Lombroso; le sue teorie con le quali cercò di spiegare le anomalie fisiche con una degenerazione morale del delinquente mi turbavano e mi lasciavano perplessa. La signora Gina Lombroso Ferrero, era una studiosa anche lei, possedeva varie lauree in un'epoca in cui poche erano le donne che studiavano. Di fisico era minuta, delicata di lineamenti e di sentimenti. Vedevo in lei l'altra metà della sacralità di Ferrero. Per questo non potei dimenticare quando la signora Ferrero Lombroso nominò Bondy dicendo: "... Guglielmo e François dicono che..." Da allora guardai anche Bondy più attentamente. Anche lui scriveva su "Libera Stampa" il quotidiano socialista di Lugano, firmando a volte con un semplice F.B., a volte con uno pseudonimo Molch o Max. Conosceva alla perfezione l'italiano e diede seri grattacapi alla polizia fascista senza rendersene conto. Da un rapporto confidenziale dell'ottobre 1942 inviato da Zurigo alla polizia di Roma, si evince che fu l'articolo firmato "Max" a far scatenare i tedeschi: si affrettarono a diffidare la stampa svizzera, accusata di parteggiare apertamente per gli alleati occidentali. Senonché, l'informatore spia di Zurigo cercava questo "François Bondy", o F.B. o Max o Molch "tra gli elementi dell'antifascismo di lingua italiana", per cui non lo trovava. Così l'informatore concluse i suoi rapporti alla polizia italiana a Roma riferendo in due riprese (l'8 e il 27 ottobre 1942) che: "François Bondy (F.B.) è per noi persona immaginaria. Quel nome dovrebbe nascondere quello di Fernando Bondanini. Ossia Fernando Schiavetti".

L'agitazione che trovai tornando a casa da scuola non era dovuta per una volta ad una causa politica.

"Hanno espulso il signore Ottò," mi avvertì subito costernata la mamma.

"Che ha fatto?"

"Concubinato," mi rispose, come se fosse un tema ricorrente in casa nostra. Non avevo la minima idea di che cosa si trattasse. La mamma era così scura in volto che rinunciai a porre ulteriori domande. Corsi a prendere lo Zingarelli. Lessi: "relazione stabile fra uomo e donna non uniti in matrimonio tra loro." Appresi così che Madame Lisy e il Signor Ottò non erano sposati. La rivelazione non mi fece né caldo né freddo, non perché io fossi di larghe vedute, ma perché non ne afferravo il significato. I nostri genitori ci avevano lasciato in un'abissale ignoranza in materia di educazione sessuale. Nonostante la lunga permanenza all'estero, il loro non conformismo, la loro mentalità aperta e priva di pregiudizi, in materia di sesso avevano mantenuto – beninteso, soltanto riguardo alle proprie figlie – il costume italiano dei loro tempi che consisteva nel confidare su ciò che "esse avrebbero comunque appreso".

"Hanno preceduto persino il lattaio," raccontava il signor Ottò colmo di sdegno. Si riferiva ai due agenti della "Sittenpolizei", la Buon Costume, che si erano presentati di prima mattina alla Berlitz School of Languages per verificare se Madame Thévenin e Monsieur Ottò dormissero o no insieme. La "verifica" era di un'elementare semplicità, consisteva nel misurare con un apposito termometro – che la Sittenpolizei portava con sé – la temperatura dei giacigli. Nel caso del signor Ottò e Madame Lisy le temperature dei due letti non coincidevano; da un attento esame risultava un divario di temperatura significativo, l'uno era caldo e l'altro freddo: prova che i nostri amici convivevano more uxorio.

Il signor Ottò aveva infranto il "Konkubinatsverbot" vigente nel cantone di Zurigo. Le autorità competenti gli notificarono l'espulsione immediata e inoltre gli elevarono una multa salata. Madame Lisy visse questa esperienza come un oltraggio, una ingiuria alla sua libertà personale e mise in discussione la Svizzera come *pays libre*. Successivamente apprendemmo che la polizia svizzera aveva agito in base a una denuncia anonima pervenutale da una spia dell'OVRA, infiltratasi nell'ambiente antifascista di

Zurigo. Lo scopo era quello di colpire non solo l'antifascista Giordani ma anche mio padre sul piano della sussistenza. Perdemmo un caro amico. Il signor Ottò si stabilì a Parigi e Madame Lisy si mise a far la spola fra Zurigo e Parigi. Ella avrebbe desiderato assumere mio padre come direttore della Berlitz School per potersi in tal modo stabilire a Parigi insieme al suo Ottò. Ma la "Fremdenpolizei" non concesse a mio padre il permesso necessario. L'"Arbeitsverbot" rimaneva valido; si estendeva a tutti i membri della famiglia. Ogni tanto a mia sorella – frequentava con successo la Kunstgewerbeschule – offrivano di illustrare qualche articolo; si trattava di lavoro illegale; lo accettava, sempre nel timore di venir scoperta. Così io, che tramite Gabriella Maier avevo ottenuto accesso al "Central Film", una casa di produzione cinematografica svizzera presso la quale Gabriella era impiegata, partecipavo ogni tanto a qualche film pubblicitario; le prestazioni non figuravano in nessun libro paga. C'era tuttavia sempre il timore della denuncia anonima o di un controllo. Eravamo alla vigilia della guerra, senza permesso di soggiorno regolare e dalle autorità svizzere definiti ufficialmente "tollerati". Il futuro si presentava torvo.

"Guardatelo bene questo spettacolo, potrebbe essere l'ultimo per un lungo periodo" – ci raccomandarono la mamma e il babbo al passaggio di un corteo impressionante per la sua festosità e solennità nonché per la partecipazione popolare. Esso apriva nel maggio del 1939 la "Landesausstellung", l'esposizione nazionale svizzera. L'ultima di questo genere era stata allestita 25 anni addietro. L'esposizione era ancora aperta quando nel 1914 scoppiò la prima guerra mondiale. "Qui si rischia di fare il bis," commentò mia madre. Il corteo composto di rappresentanti delle massime autorità dello Stato, del governo e dello stato maggiore sfilava insieme a migliaia di giovani in costume tradizionale. Si snodava lungo la Bahnhofstrasse tra due ali di folla esultanti e lo sventolio di un numero incalcolabile di bandiere: stavano a rappresentare il paese, i cantoni, i comuni. Una manifestazione policroma suggestiva che non mancò il suo effetto. L'esposizione era stata progettata come mostra nazionale per presentare nel migliore dei modi tutto quanto è svizzero: si trasformò in qualcosa di più e di diverso. Da essa si sprigionò una straordinaria spinta patriottica, una esortazione a difendere i valori tradizionali della democrazia svizzera che tutti, dati i tempi, sentivano ormai minacciati. La

"Landi", come veniva comunemente chiamata l'esposizione di Zurigo, andò oltre: divenne il simbolo di quella "geistige Landesverteidigung" – difesa spirituale del paese – che negli anni a venire avrebbe caratterizzato l'atteggiamento di una grande parte dell'opinione pubblica riguardo alla Germania di Hitler. All'ingresso della "Ehrenhalle" una gigantesca statua accoglieva i visitatori con un gesto che non lasciava adito a dubbi sul suo simbolo: un soldato svizzero intento ad infilarsi la giacca della sua uniforme, pronto a difendere la Svizzera. Una vistosa scritta recitava: "La Svizzera vuole difendersi – la Svizzera può difendersi – la Svizzera deve difendersi." I visitatori la leggevano e vi sostavano di fronte assorti, in silenzio, pensierosi. Anche noi. Come per l'esposizione del 1914, la guerra scoppiò quando la "Landi" era ancora in corso. La Germania invase la Polonia, la Bundesversammlung elesse Henri Guisan a generale dell'esercito elvetico, l'esposizione nazionale chiuse i battenti per tre giorni; poi li riaprì. Si era avverata la previsione che avevo sentito sin da bambina: "la guerra verrà – il fascismo significa guerra."

7

LA GUERRA

Il primo settembre 1939 apparvero sui muri di Zurigo manifesti con i quali il dipartimento militare federale annunciava la mobilitazione. La stazione di Zurigo brulicava di uomini in grigioverde. Le scuole vennero chiuse. Il timore che la Svizzera potesse essere coinvolta nel conflitto era diffuso, palpabile. Le Camere conferirono al Bundesrat poteri d'emergenza. Si costituì la censura sulla stampa, la "Abteilung für Presse und Funkspruch". Il 4 settembre la "Neue Zürcher Zeitung" annunciò con un titolo a quattro colonne ma a caratteri sobri come di consueto – mio padre tenne a farmelo notare – che la Gran Bretagna e la Francia erano in stato di guerra contro la Germania. La gente seguiva con viva apprensione il corso della campagna tedesca in Polonia.

Trascorse poco più di una settimana, la vita a Zurigo riprese come prima. Le scuole riaprirono. Gli insegnanti si rivolsero ai genitori degli alunni affinché questi non ascoltassero alla radio sino a notte inoltrata le notizie che provenivano dal fronte di guerra, perché "i tempi attuali richiedono a scuola molta concentrazione e grande attenzione durante le lezioni".

In casa nostra sarebbe stato pressoché impossibile seguire questi saggi consigli; i notiziari delle varie stazioni radiofoniche dominarono incontrastati per tutta la durata del conflitto le nostre cene e i nostri pranzi. La "non belligeranza" di Mussolini all'inizio della guerra produsse sgomento tra i profughi politici italiani di Zurigo. La sera, in casa, tra amici si facevano previsioni di cui mamma prendeva nota, non su un block notes, bensì come era sua abitudine, sulla prima superficie cartacea che le capitava sotto mano. In questo caso, poiché la mamma era intenta a cucire mentre si accese la discussione – fu l'interno del coperchio di una scatola nera rettangolare in cui essa conservava i bottoni. Ai rimbrotti di mio padre che vi scorgeva una delle solite "broccionate" la mamma rispondeva disinvolta che "i fogli si perdono" ed ella continuò imperterrita a prendere nota delle previsioni politiche degli amici sull'interno della scatola. Quanto a previsioni Emilio Lussu continuò a ribadire convinto e senza incertezza alcuna "la caduta del fascismo sarà verticale", intendendo dire con ciò che il crollo del Regime sarebbe avvenuto in modo improvviso e repentino con la partecipazione attiva e decisiva del popolo italiano. Silone replicava lentamente e con la sua voce rauca e "faticata", che Mussolini non sarebbe rimasto a lungo neutrale, e che l'impresa si sarebbe rivelata comunque un disastro per l'Italia. In quanto a mia madre, il termine "non belligeranza" l'aveva gettata nel più cupo scoramento; maggiore ancora di quando il mondo intero – dopo l'accordo di Monaco – plaudiva al Duce come al salvatore della pace. Ella pensava che il Duce sarebbe rimasto neutrale, come il generale Franco in Spagna, e il fascismo di conseguenza "ben in sella vita natural durante". Mio padre s'irritava: "il fascismo significa guerra," ribadiva e prevedeva non solo che l'Italia sarebbe entrata in guerra a fianco di Hitler ma che il fascismo sarebbe caduto in seguito alla guerra trascinando con sé la monarchia; tuttavia che non fosse da escludersi il ritorno di un periodo reazionario.

L'aggressione alla Finlandia da parte della Unione Sovietica impressionò moltissimo l'opinione pubblica svizzera. Essa si identificava con quel piccolo paese aggredito da una nazione potente e l'avversione contro i comunisti si acuì. Nell'ambiente italiano l'avvenimento suscitò non solo perplessità ma anche appassionate discussioni. La sera, al Sonnenblick, terminata l'esposizione da parte di mio padre degli avvenimenti d'attualità politica e alla Copé le dispute tra i comunisti e coloro che comunisti non erano si facevano sempre più animate. Le contrapposizioni che si erano già accentuate e irrigidite in seguito al patto Ribbentrop-Molotov, dopo l'aggressione alla Finlandia divennero infuocate... L'impressione che mi rimase fu che i comunisti non sapessero decifrare l'attacco alla Finlandia, così come non sapevano spiegare il patto tra Ribbentrop e Molotov; erano confusi e smarriti anche loro, ma fiduciosi.

"Lui," disse per concludere e tagliar corto la discussione Pasquale Gaspani, un emigrato comunista, alludendo a Stalin, "sa perché lo ha fatto." E quindi lo accettava. Anche se lui, Gaspani, non riusciva a spiegarselo. Io non potevo capacitarmi di come si potesse accettare un fatto che non ci si riesce a spiegare.

In inverno entrò in vigore il razionamento di alcuni generi alimentari. La distribuzione delle "Rationierungskarten" era regolamentata alla perfezione; mai un intoppo. A noi italiani andò bene. Con i miei compagni di scuola avevamo istituito un largo scambio di bollini: 750 grammi di avena o orzo al mese per persona in cambio di altrettanta pasta. Col passare degli anni il razionamento si fece assai più ristretto, tuttavia il necessario non mancò mai. Il razionamento del caffè introdotto successivamente, recò un colpo alle abitudini della casa. La "napoletana" fumante a tutte le ore era considerata il simbolo della nostra ospitalità in esilio. Ma a salvare le tradizioni di una mensa italiana fu sempre l'ingordigia degli svizzeri per l'avena e l'orzo.

Madame Lisy andava e veniva da Zurigo a Parigi – dove Ottò Giordani si era stabilito definitivamente. Era lei a tenerci al corrente dell'atmosfera che regnava in Francia. Madame Lisy era preoccupata; non sentiva intorno a sé quel patriottismo che avrebbe desiderato: Parigi era rimasta la città di sempre, ci diceva, con i suoi divertimenti, i suoi teatri e gli incontri tra artisti e intellettuali ai caffè. I francesi, riferiva Madame Lisy, avevano poca voglia di *mourir pour Danzig* e la *drôle de guerre* rendeva ottimisti i più. Oltre tutto la linea Maginot diffondeva una grande fiducia. La canzoncina che trasmettevano le stazioni radio francesi e che ascoltavamo anche noi era diventata popolare in tutta la Francia:

> Nous allons pendre notre linge
> sur la ligne Sigfried
> si elle sera encore là...

"Noi ci muoveremo da qui solo, se e quando la Svizzera sarà stata attaccata – non prima," ci disse il babbo un giorno di primavera del 1940 con tono serio e pacato. A scuola il maestro ci aveva avvisato: "se sentirete suonare tutte le campane di Zurigo contemporaneamente significa che la Svizzera è stata invasa." A buon conto i nostri genitori consegnarono a ciascuna di noi un Rucksack riempito con l'essenziale e un paio di robuste scarpe da montagna. In famiglia in quei giorni dormivamo tutti con il Rucksack e le scarpe ai piedi del letto, pronti a balzare fuori.

Dopo l'attacco tedesco alla Danimarca e alla Norvegia gli

svizzeri sentivano il fiato tedesco sul collo. Ora "tocca agli Stati neutrali", sentivo dire da molti. Dalle finestre del nostro appartamento nella Obstgartenstrasse vedevamo la mattina di buonora, muoversi lunghe file di autoveicoli sulla Weinbergstrasse in direzione Schaffhauserplatz. Correvano voci nel quartiere che si trattasse dei familiari di alti ufficiali. Sulle auto era stato caricato ogni ben di Dio: notavo valigie, casse e materassi. I miei genitori disapprovavano un simile comportamento; dicevano che "fiaccava" lo spirito della gente. Il babbo stese sul tavolo una carta della Svizzera e ci spiegò che l'essenziale per noi era di poter attraversare la Limmat prima che gli svizzeri facessero saltare i ponti. Dunque, se l'invasione ci fosse stata, il primo obiettivo era quello di attraversare i ponti del Drahtschmidli e del Platzspitz per potersi dirigere verso l'interno della Svizzera. La mamma, mia sorella ed io saremmo state accolte da padre Thietland, a Einsiedeln, un padre Benedettino che frequentava regolarmente casa nostra da quando Giuseppe Delogu ce lo aveva fatto conoscere; era un suo amico. Divenne anche amico nostro. Padre Thietland diffondeva serenità e pace ovunque arrivasse. Aveva uno spiccato senso dell'umorismo. Conoscendo l'educazione austera che nostro padre ci impartiva soprattutto per quanto riguardava il cibo, padre Thietland mi portava le paste ogni volta che veniva a pranzo. Come per provocare mio padre me le offriva deliberatamente sotto il suo naso, sbirciava il babbo di sottecchi e: "eccoti le paste," mi diceva, "è importante nella vita provare gioia." Io a mia volta guardavo di sfuggita mio padre e gongolavo; non solo per le paste. Il babbo taceva, non voleva darci soddisfazione. Ma sul suo volto affiorava quel sorrisino beffardo. Le paste piacevano anche a lui. Nel periodo più minaccioso per le libertà democratiche della Svizzera padre Thietland portava nella tasca della sua tonaca un pistolone. Lo sorpresi un giorno quando lo tirò fuori di fronte a mio padre e a Pippo Delogu dichiarando con la sua voce esile: "questo è per gli invasori." Quel gesto pareva contrastare con la sua mitezza: in realtà la poneva in risalto. Pater Thietland era un patriota.

Nel caso la Svizzera fosse stata aggredita dai tedeschi, i piani di mio padre prevedevano, per se stesso, sempre dopo aver attraversato la Limmat, un trasferimento, accompagnato in automobile dalla dottoressa Luisa Kohberg, nostro medico di famiglia, dopo di che sarebbe stato condotto nella Svizzera interna, verso Lucerna. Era sempre intenzione di mio padre tentare di raggiungere la Francia e congiungersi con gli amici politici italiani nella formazione di una legione che avrebbe combattuto direttamente contro i fascisti. Se tuttavia dalla Svizzera non vi fosse stata via d'uscita, egli premeditava di presentarsi al comando militare svizzero arruolandosi come volontario.

"La parola è semplice: resistere!" dichiarò il generale Guisan in un suo ordine del giorno, dopo l'invasione del Belgio, dell'Olanda, del Lussemburgo e dopo la sconfitta della Francia. La parola d'ordine del generale corrispondeva allo spirito della maggioranza degli svizzeri in quel momento. Gran parte della stampa lo rifletteva coraggiosamente. Le accuse di violazione della neutralità rivolte alla Svizzera da parte della Germania riguardavano prevalentemente direttori e redattori di giornali. A scuola solo una esigua minoranza di compagni rifletteva il contegno delle loro famiglie benpensanti, incline ad una "Anpassung" – adattamento – al nuovo ordine europeo voluto da Hitler, affermando pretestuosamente che un atteggiamento più morbido nei confronti della Germania, avrebbe scongiurato una possibile aggressione armata della Svizzera.

Il 10 giugno 1940 la radio italiana EIAR – ora l'ascoltavamo regolarmente dopo radio Sottens e la BBC – ci portò da Piazza Venezia a Roma la voce del Duce che dichiarava guerra alla Francia e all'Inghilterra: "... la parola d'ordine è una sola, categorica e impegnativa per tutti. Essa già trasvola e accende i cuori dalle Alpi all'Oceano Indiano: vincere. E vinceremo..." Molti svizzeri, tra i quali il nostro dottor Dreifuss, rimasero sconvolti. Si erano illusi che il fascismo non sarebbe mai stato un fenomeno pericoloso o preoccupante per l'Europa. Il giorno seguente a scuola provai una grande vergogna di fronte ai miei compagni. Quel 10 giugno 1940 la Francia era ormai in ginocchio, le armate hitleriane alle porte di Parigi. A scuola i ragazzi ripetevano quello che dicevano tutti: "gli italiani hanno colpito un paese già a terra." La Svizzera era ormai completamente accerchiata dalle forze dell'Asse. Proprio in quei giorni la mancanza di documenti divenne per la nostra famiglia certa e definitiva. Il consolato italiano di Zurigo tolse a mio padre anche il certificato di nazionalità. A testimoniare che il babbo era cittadino italiano non rimanevano che le medaglie al valore conferitegli durante la prima guerra mondiale per le sue gesta, con le quali egli si era "meritato la riconoscenza imperitura della Patria", come stava scritto sul relativo certificato. La frase, prima solo ridondante acquistò improvvisamente un senso umoristico.

Due lacrime rigarono il viso di Madame Lisy la sera in cui udì alla radio la voce del maresciallo Petain dire alla radio: "... bisogna cessare di combattere" annunciando l'imminente firma dell'armistizio con le trionfanti armate della Germania di Hitler. La "drôle de guerre" si era trasformata d'un tratto in "débâcle", in uno sfacelo totale: i tedeschi erano entrati a Parigi con la fanfara in testa, in trionfo e a passo di parata. Madame Lisy era di spirito "gaullista" prima ancora che sulla scena mondiale apparisse il generale de Gaulle. Ella non ammetteva la resa, per nessuna ragione, e mai e poi mai poteva accettare che un maresciallo di Francia, vincitore di Verdun, si umiliasse di fronte ai "boches". Ma appena un giorno dopo la BBC portò in casa nostra la voce grave e solenne del generale de Gaulle; fu come udire lo squillo di una fanfara: "... cette guerre n'est pas tranchée par la bataille de France. Cette guerre est une guerre mondiale... quoi qu'il arrive, la flamme de la résistance française ne doit pas s'éteindre et ne s'éteindra pas..." Quando la BBC alla fine del discorso di de Gaulle trasmise le note della Marseillaise, Madame Lisy si alzò in piedi. Noi la seguimmo.

Durante la guerra si era istituito in Svizzera un cosiddetto "Landdienst", un servizio volontario per i giovani. Si trattava di sostituire in parte quelle forze contadine che in seguito alla mobilitazione generale avevano dovuto abbandonare i campi per correre a proteggere le frontiere svizzere da un eventuale attacco. I nostri genitori ritennero doveroso che mia sorella ed io aderissimo all'iniziativa in segno di solidarietà verso gli svizzeri. Lo "Jugendamt" della città di Zurigo ci assegnò a due famiglie entrambe a Madetswill, piccolissimo borgo presso il lago di Pfäffikon. *Chan de Bleichschnabel us der Stadt eüs überhaupt hälfe?*" (Ma come può aiutarci questa pallidona proveniente dalla città?) Fu il commento di elvetica franchezza con il quale venni accolta quando mi presentai alla "mia" famiglia. Essa era composta di una anziana contadina, due figlie sposate e un vecchio, il nonno. Gli uomini giovani erano alla frontiera. Il nostro compito era tutt'altro che formale: si trattava di lavorare sul serio, la sveglia era alle cinque. Seduta su un carro insieme alle due contadine più giovani, andavo nei campi a fare l'erba, *go grase*. Rastrellavo l'erba man mano che le contadine la falciavano e ne formavo grossi mucchi come mi avevano insegnato, mentre loro mi sbirciavano di sottecchi sempre con malcelata diffidenza. Imparai a caricare tutto il mucchio sul rastrello in una volta sola e a deporlo sul carro. Facevo una gran fatica: l'erba era bagnata, il mucchio era pesante e sentivo freddo. Un franco svizzero al giorno era stato stabilito ufficialmente come compenso: andava meritato. Ero italiana e "figlia di profughi politici", non si poteva "mollare" o battere la fiacca. Verso le otto si rientrava a far colazione: una grande ciotola di cacao fumante con "Rösti", le famose patate lesse, grattugiate e arrostite nello strutto. La mattinata proseguiva con i lavori nelle stalle: portare il mangime ai maiali, caricare il concime dalla stalla delle mucche sulla carriola e depositarlo sulla concimaia, scopare e lavare la stalla ogni giorno, strigliare le mucche fino a farle apparire lucide come sui dépliants che reclamizzano il turismo in Svizzera. Imparai anche a mungere le mucche e a mangiare gli spaghetti scotti conditi con la marmellata di mele. L'educazione austera impartitami da mio padre messa alla prova funzionava. Mia sorella, quando l'incontravo la sera – fino ad allora si lavorava –, mi riferiva esperienze simili.

A volte il contadino veniva in licenza. A tracolla portava il suo fucile – simbolo dell'indipendenza del paese e della "Wehrbereitschaft" di ogni cittadino svizzero. Lo attaccava ad un gancio vicino alla grande stufa verde di maiolica nella "Stube", proprio come avevo letto nei libri. Il babbo e la mamma provavano ad immaginare che cosa sarebbe accaduto in Italia, se ognuno avesse tenuto il proprio fucile con le munizioni a portata di mano. Fu lì a Madetswil che assistetti alla ritirata dei soldati francesi dopo la "débâcle". Una colonna interminabile di "poilus" stanchi, malvestiti, silenziosi e avviliti sfilavano trascinandosi lungo la via principale del lindo paesino svizzero. Non era un bel vedere. Pensai a Madame Lisy e accennai un saluto con la mano al soldato che mi passò più vicino dicendogli una parola in francese. Mi rispose con un timido sorriso e passò oltre. Gli svizzeri lungo la strada guardavano sfilare i francesi; dai loro commenti non traspariva solo pena; presente a molti era anche la consapevolezza che la stessa cosa sarebbe potuta capitare a soldati svizzeri. Il pericolo era imminente e tutti ne erano consapevoli. Appresi dove i francesi si erano accampati e – finito il lavoro – andai a cercarli. Mi guardavano smarriti. Trovai il soldato al quale avevo rivolto la parola. Si chiamava Jean Chambert, aveva trent'anni, era parigino. Mi raccontò la sconfitta con le lacrime agli occhi: lui stava con il suo reparto a sud della linea Maginot, ripararono tutti in Svizzera, dallo Jura, incalzati dalle truppe della Wehrmacht. Il padre di Chambert aveva combattuto contro i tedeschi durante la prima guerra mondiale. Gli dissi: "anche il mio." Diventammo amici.

Scrissi subito ai miei genitori dell'incontro e delle emozioni provate. La domenica seguente mio padre si precipitò a Madetswil; gli interessava sentire che cosa raccontavano questi soldati, disse. Era solo una parte della verità, me lo confessò anni dopo. Presente era anche la preoccupazione della mamma e sua per chi la loro figlia avesse potuto incontrare e a quali "pericoli" ella potesse andare incontro per via di quel giovanotto francese. Quando si rese conto che io ero mossa solo da sentimenti patriottici francesi, ripartì con l'animo sollevato. Non avevo ancora 15 anni.

Subito dopo l'armistizio fra Francia e Germania il Bundespräsident Marcel Pilet-Golaz pronunciò un discorso rivolto alla popolazione: "poco chiaro, indeciso e ambiguo" sentivo dire intorno a me.

Molti lo intesero come un inespresso accenno alla possibilità di "Anpassung", adattamento della Svizzera al nuovo ordinamento dell'Europa. Aumentava la tensione nell'opinione pubblica. Alla "Anpassung" termine che divenne di uso comune se ne contrappose un altro: "Widerstand", resistenza. Il simbolo più autorevole del patriottismo svizzero divenne il generale Henri Guisan. Egli raccolse intorno a sé sul Rütli, alti esponenti dell'esercito. Aver scelto quel luogo fu una dichiarazione esplicita di resistenza nell'eventualità di una aggressione da parte delle armate hitleriane, e come tale fu intesa. Sentivo parlare molto del "Réduit", intendendo con ciò quella zona montagnosa nelle Alpi centrali dove il generale aveva deciso di ritirarsi con parte dell'esercito; là una difesa efficace sarebbe stata possibile se la Germania avesse invaso la Svizzera. A scuola il maestro si soffermò a lungo sul proclama del generale all'esercito svizzero. In classe ci fecero rileggere il *Guglielmo Tell* di Schiller. Per ogni svizzero il Rütli è un luogo sacro, emblema stesso della libertà. Fu in quel luogo che nel 1291 i tre confederati, Walter Fürst di Uri, Werner Stauffacher di Schwyz, Arnold von Melchtal di Unterwalden, giurarono, in un incontro tenuto segretamente, di voler essere un popolo di fratelli, di voler piuttosto morire che vivere nella schiavitù. Furono loro a gettare il seme per la nascita della Confederazione elvetica. In moltissime vetrine di negozi, nei ristoranti, nei luoghi pubblici, nelle case private venne esposta l'immagine del generale Guisan. Egli divenne popolarissimo. Non aveva mai né sostenuto uno scontro né vinto una battaglia. Aveva fatto di più: aveva infuso coraggio in uno dei momenti più bui di tutta la storia svizzera.

Intanto infuriava la battaglia d'Inghilterra, in autunno la Svizzera aveva introdotto l'oscuramento per non facilitare l'orientamento agli aerei, il razionamento dei generi alimentari si fece più stretto, lo spazio aereo svizzero veniva violato in continuazione di notte, le sirene urlavano e molti si rifugiavano per precauzione nelle cantine o nei rifugi, a volte si sentiva l'antiaerea svizzera, la Flab, entrare in azione, alcuni aerei tedeschi vennero abbattuti e i piloti internati. La guerra era vicina e lontana.

Per gli stranieri i regolamenti vennero applicati più rigidamente. La burocrazia elvetica esarcerbava gli animi di molti emigrati, i controlli della polizia su coloro che erano privi di permesso di lavoro si moltiplicavano. Toccò anche a noi. Nel settembre 1940 la "Eidgenössische Fremdenpolizei" si rivolse alla "Schweizerische Bundesanwaltschaft" per appurare se "... in caso voi non riconosciate a Schiavetti lo status di profugo politico si possa pretendere da lui che rientri in Italia" ("...falls Sie Fernando Schiavetti nicht als politischen Flüchtling anerkennen, Ihres Erachtens demselben die Rückkehr nach Italien zugemutet werden kann.") La "Bundesanwaltschaft-Polizeidienst" in data 22 ottobre 1940 rispose che "... in considerazione del fatto che Schiavetti è un antifascista della prima ora, già espostosi in Italia, non si può pretendere da lui che ritorni in patria..."

Nonostante stessimo "seduti su un vulcano", come diceva la mamma, dal momento in cui la Svizzera era totalmente accerchiata dalle forze dell'Asse, la vita esteriore continuava come prima. Mia sorella stava per diplomarsi alla Kunstgewerbeschule ed io ero passata dalla Sekundarschule alla Töchterschule, per frequentare il liceo. La sensazione di eterna "attesa", di qualcosa che doveva accadere e non accadeva mai, che avevo avvertito intorno a me da quando ero bambina, a Marsiglia, aumentava invece di diminuire. Ora tuttavia percepivo questa instabilità in comune anche con molti svizzeri. La cosa diventava meno anomala. A scuola nessuno mi chiedeva più: "Perché siete venuti in Svizzera?" Si formavano altre isole di persone che erano minacciate quanto noi. Davanti a una di queste "isole" passavo ogni giorno, recandomi alla Töchterschule sulla Hohe Promenade. Si trattava dello Schauspielhaus al Pfauen. Il teatro di Zurigo era stato per così dire, rifondato come società per azioni, la "Schauspiel AG," nel 1938. Uno dei promotori è stato l'editore Emil Oprecht. L'ensemble del teatro era costituito da attori eccelsi, in larga parte profughi tedeschi fuggiti dalla Germania hitleriana. Wolfgang Langhoff era stato tra i primi ad arrivare a Zurigo, nel 1933. Egli pubblicò due anni dopo "Die Moorsoldaten" – ne sentivo parlare ovunque – in cui raccontava la sua esperienza personale in un campo di concentramento rivelando così per la prima volta l'esistenza dei campi in Germania. Vi era stato rinchiuso in quanto comunista. Successivamente Langhoff ottenne dalle autorità svizzere un permesso temporaneo di lavoro ed entrò a far parte dell'ensemble del Schauspielhaus.

Il teatro di Zurigo rappresentò in quegli anni non solo il più prestigioso teatro di lingua tedesca ancora libero, ma trasmise veri e propri messaggi di libertà. Lo Schauspielhaus divenne uno dei simboli del "geistiger Widerstand" della Svizzera. Il mio interesse per il teatro era di vecchia data, anche perché sin da bambina ero stata inserita nell'attività teatrale della Scuola Libera Italiana. Inoltre non mancavano mai occasioni per farmi recitare durante alcune manifestazioni politico-culturali dell'ambiente dell'emigrazione italiana, poesie del Giusti, del Carducci o di Trilussa – sempre sotto la guida severa di mio padre. Lo Schauspielhaus però, prima di allora non lo conoscevo che di fama. Mi ci condussero per la prima volta Silone e la Gabriella, a vedere il "Faust". Fu per me una rivelazione. Dal "Bühnendeutsch" e dalla bravura trascinante degli attori – Wolfgang Langhoff, Ernst Ginsberg e Therese Giehse – sentii springionarsi tutto il fascino della lingua tedesca; ne rimasi prigioniera per sempre. Lo "Hochdeutsch" svizzero era una cosa diversa. Dal *Faust* in poi divenni una "habituée" dello Schauspielhaus. Il biglietto costava con la tessera rilasciata dal liceo, un franco e dieci centesimi. Recandomi a scuola a piedi andata e ritorno – la Obstgartenstrasse dista dalla Hohe Promenade 20 minuti – e accettando alcuni lavoretti di fortuna e di straforo, ce la facevo. Ai "Proci", come mio padre chiamava i primi spasimanti che incominciarono ad animare la mia vita di giovinetta, chiedevo sempre di essere condotta a teatro. In famiglia non venni mai ostacolata, ma all'uscita dal teatro al Pfauen erano ad attendermi inmancabilmente la mamma e il babbo. Nonostante vigesse l'oscuramento era impossibile asserire di "non aver visto" il babbo nel buio. Era alto, se ne stava ritto come un palo di fronte all'uscita del teatro, dall'altra parte della strada – per non venir confuso tra la folla – tenendo in mano una lampadina tascabile foderata di carta azzurra e disegnava con il lungo braccio teso dei larghi cerchi in aria. Da lontano si notava una lucetta blu girare lentamente nel buio a ritmo regolare, come fosse la lancetta di un orologio che scandisce i secondi. Ogni tanto tra la calca della gente che usciva dal teatro sentivo dire: "ma che è quella cosa laggiù?" Allora io, anche se non l'avevo ancora scorto, sapevo che il babbo era già là, al suo posto di vedetta, pronto a prendermi in consegna per ricondurmi a casa. Le abitudini dei genitori italiani verso le figlie erano dure a morire anche in esilio.

Tra i primi studenti universitari con i quali feci amicizia c'era Arnold Künzli, allora studente in filosofia e direttore dell'organo ufficiale degli studenti universitari di Zurigo: lo "Zürcher Student". Mio padre – sempre preoccupato a coltivare il senso critico in noi – si affrettò a dichiararci – en passant – che "nella vita i più grandi fessi li aveva incontrati all'università". Così come quando un ricco banchiere svizzero si mise a fare una corte assidua a mia sorella, il babbo ci consigliò di "essere diffidenti di fronte a una persona molto facoltosa, perché se è nobile d'animo e intelligente, la vita gli offre sempre mille occasioni per perdere il suo denaro."

Feci la conoscenza di Arnold Künzli andando a sciare con mia sorella. Non vi erano divieti: "fa bene alla salute," dicevano la mamma e il dottor Dreifuss. Nell'ostello della gioventù c'era anche lui, insieme con un gruppo di studenti. Eravamo abituate a tastare "il polso politico" della gente che incontravamo. Künzli era saldamente ancorato a idee liberaldemocratiche, anticomuniste. Riferiva di quanto fosse diffusa allora fra gli studenti zurighesi l'indifferenza politica e se ne duoleva. Tramite lo "Zürcher Student" si sforzava di politicizzare i suoi colleghi, di sensibilizzarli. Ciò gli procurava spesso e volentieri delle difficoltà con la "Abteilung Presse und Funkspruch", vale a dire con la censura.

La propaganda nazista del resto era da lungo tempo attiva nell'ambito universitario e a Zurigo si era anche costituita una "Nationale Hochschulbewegung", un movimento nazionale universitario sugli scopi del quale nessuno nutriva dubbi. In tutta la Svizzera tedesca vi era un largo numero di pubblicazioni tedesche che si vendevano a poco prezzo ai chioschi di giornali, per esempio "Signal". I cinegiornali tedeschi riportavano l'avanzata strabiliante della Wehrmacht con dovizia di particolari; non mancavano di impressionare gli spettatori, come osservavano i nostri genitori che li vedevano assiduamente. Venivano girati e diffusi proprio a questo scopo. Uno strisciante disfattismo che aumentava la tensione si faceva largo presso una parte dell'opinione pubblica.

In quanto responsabile dello "Zürcher Student" Arnold Künzli ricevette diversi "richiami all'ordine". La "Pressekontrolle Bezirk Zurich" nella sua lettera del 18 luglio 1941 elenca alcuni "brani particolarmente gravi tratti dal diario di guerra di uno studente, l'ulteriore pubblicazione del quale è assolutamente indesiderabile in questa forma: "*all'asse vengono inferti parecchi colpi – noi si muove – e infine si spezza.*" Inoltre: "*... il destino futuro dell'Europa... sarà popolata da animali feroci...*" Per di più: "*Hitler si allea con quella stessa Russia, che ancora un anno fa presentava come l'incarnazione di ogni male... Gli uomini non mentono mai tanto come quando affermano amicizia e verità.*" E persino: "*... ognuno sta seduto sulla sua neutralità come su un ramo... la Finlandia combatte per l'Europa e noi non l'aiutiamo.*" Quindi il responsabile della "Pressekontrolle" comunicava a Künzli: "*I commenti su citati si prestano a mettere in pericolo i nostri rapporti corretti con un paese vicino. Nonostante si tratti in parte di citazioni, la loro pubblicazione non è ammissibile. La critica al nostro atteggiamento durante la guerra finnico-russa non è compatibile con i principi della nostra neutralità. La conclusione di questa critica sarebbe, che noi dovremmo correre in aiuto a tutti coloro che asseriscono di combattere per l'Europa. Questo significherebbe in ultim'analisi servizio mercenario e guerra fratricida...*"

Künzli si era creato una cerchia di amici di lingua tedesca fuori del comune, per lo più profughi ebrei tedeschi: Robert Jungk, Fritz Hochwälder, Hermann Lewin Goldschmidt, Hans Josephsohn e altri. Hochwälder, austriaco, era tapezziere di professione e drammaturgo di vocazione. Dopo l'"Anschluss" emigrò in Svizzera e approdò in un campo d'internamento. Finita la guerra, il suo "Sacro esperimento" divenne un successo internazionale. A noi Hochwälder ci riparò un divano.

Josephsohn, proveniente dalla Prussia orientale, era scultore. Si rifugiò in Svizzera dove venne internato nel campo di profughi politici di Gordula, vicino a Locarno. Il campo suscitò polemiche e proteste anche da parte dell'opinione pubblica svizzera, per via della eccessiva severità nel trattamento degli internati. Josephsohn, da artista qual era, mal sopportava l'esagerata disciplina del campo. Decise di farsi passare per matto al fine di poter essere trasferito altrove. "Tutti espedienti per farsi trasferire," decretò il medico responsabile del campo con cipiglio severo. Josephsohn allora, esasperato, ricorse all'ultimo stratagemma: durante una visita dello psichiatra – un distinto signore con barba brizzolata e camice immacolato – si attaccò con vigore alla sua barba stiracchiandola per tutti i versi mugugnando frasi sconnesse. Secondo la mentalità svizzera corrente, un internato che di fronte ad una autorità indiscussa quale uno psichiatra, per giunta in un campo profughi, gli manca di rispetto in tal modo, non può essere che mentalmente fuori di sé. Josephsohn raggiunse il suo scopo: venne trasferito.

Robert Jungk, chiamato da tutti Bob, divenne presto uno dei più quotati e meglio informati giornalisti in Svizzera. Attraverso un'agenzia giornalistica fondata insieme ad una cittadina elvetica, Lotte Dukas, Bob riforniva una trentina di quotidiani e settimanali nazionali e stranieri. Grazie ai suoi articoli la "Weltwoche" divenne uno dei settimanali europei politicamente meglio informati, soprattutto su quanto accadeva nella Germania di Hitler. Nessuno tuttavia supponeva che lo si doveva a Robert Jungk. Anche lui sottostava alla ferrea legge dell'"Arbeitsverbot", e si nascondeva dietro una mezza dozzina di pseudonomi. Bob era una specie di Araba Fenice del giornalismo di quel tempo: "che ci sia ciascun lo dice – dove sia nessun lo sa". Intratteneva per interposte persone contatti preziosi con circoli antinazisti, in Germania, e trasmetteva le informazioni ricevute anche alle rappresentanze alleate in Svizzera. Queste notizie giungevano – tramite Giuseppe Delogu – sino in casa nostra. Ma io ignoravo allora che la fonte fosse lui, Bob, quel giovanotto simpatico e fantasioso che incontravo da Künzli. Alla polizia svizzera giunse una denuncia anonima: probabilmente di una spia, e Bob fu arrestato. Egli rischiò di brutto: eravamo nel 1943. Non fu estradato, ma rinchiuso: prima in un penitenziario, poi in un campo d'internamento; infine, tramite l'attestato di un medico svizzero compiacente, in una clinica psichiatrica di Berna. Là finalmente Robert Junkg trovò il tempo per ultimare la sua tesi. Avevo sedici anni quando conobbi questi amici che circolavano nell'ambiente di Künzli: erano notevolmente più grandi di me, tuttavia in loro compagnia mi sentivo "a casa". Ci univa il modo di sentire le cose che accadevano intorno a noi. Di Robert Jungk, in particolare, mi colpì già allora lo spessore umano.

In seguito al discorso ambiguo e indeciso del presidente Pilet-Golaz che aveva lasciato dietro di sé una vasta inquietudine nella popolazione, un gruppo di civili e di ufficiali dell'esercito si organizzarono in modo autonomo e quasi clandestino: nacque così la "Aktion Nationaler Widerstand", l'azione di resistenza nazionale. Non si trattava di un partito o di una associazione, ma di singole persone al di là di ogni credo politico o confessionale, disposte ad impegnarsi per la difesa ad oltranza di "libertà, onore e indipendenza della Confederazione elvetica". Naturalmente anche Arnold Künzli condivideva tale atteggiamento. Alla Töchterschule avevo alcuni professori che senza parlarne esplicitamente mi diedero l'impressione – da come conducevano l'insegnamento e dai commenti che lasciavano cadere qua e là, di approvare le idee del gruppo. Tra loro supponevo vi fosse il mio professore di storia Fritz Ernst, quello di geografia Emil Egli e quello di latino Getrud Marxer.

Pippo Delogu che era diventato amico di Fritz Ernst, mi confidò, un giorno in gran segreto che avevo visto giusto riguardo all'insigne storico svizzero. Ero sempre felice quando potevo scoprire una relazione fra casa e scuola. Stranamente invece si parlava poco o niente di politica con le mie compagne di classe: provenivano tutte dalla media e alta borghesia e si interessavano poco di politica, nonostante i tempi; oppure non ne volevano parlare. Con una eccezione: una lituana, Rita Garbačiauskas. Era figlia del console lituano a Zurigo; dopo l'occupazione del suo paese da parte dei russi suo padre rimase in Svizzera come profugo. All'anticomunismo viscerale di Rita – basato sulla storia della Lituania – corrispondeva un nazionalismo esacerbante: "sono prima lituana e poi un essere umano," diceva. Quando si parlava di politica litigavamo furiosamente, ma rimanemmo sempre amiche: ad unirci era l'essere ambedue "diverse" – straniere e profughe.

Dopo la caduta di Parigi i miei genitori restarono a lungo senza notizie degli amici che vi vivevano. In casa si avvertiva una grande preoccupazione condivisa del resto da tutto l'ambiente italiano. Pippo Delogu e Silone, venendo la sera, si scambiavano con i nostri genitori le notizie che ciascuno di loro era riuscito a racimolare. Una fonte attendibile e preziosa erano le lettere di Ottò Giordani. Egli era rimasto a Parigi in un primo momento, solo successivamente si stabilì a Lione a dirigere un'altra Berlitz School. Ottò e Madame Lisy ne fecero subito un prezioso centro di resistenza francese e italiana. Ottorino scriveva quotidiana-

cipiglio — frown

mente a Madame Lisy a Zurigo, anche se non tutte le lettere giungevano a destinazione. Da quando le autorità svizzere avevano espulso Ottò Giordani, Madame Lisy veniva regolarmente dopo cena da noi ad ascoltare Radio Londra e a riferirci dettagliatamente di quello che le aveva scritto Ottò.

Si rivelò abilissimo nel saper far filtrare notizie di amici profughi nei testi apparentemente più innocui. In ogni lettera dava anche un resoconto minuzioso della composizione delle sue cene e dei suoi pranzi, per tranquilizzare Madame Lisy che era preoccupatissima per la sua salute. Finché il resoconto serviva a trasmettere di contrabbando qualche informazione sulla situazione politica, mio padre non aveva nulla da ridire. Ma quando si trattava unicamente di "comunicazioni epistolàri culinarie", come diceva con disprezzo, si irritava; riusciva a malapena a contenersi. "È goloso," diceva di Ottorino Giordani rivolto alla mamma, quando eravamo rimasti soli: e lo diceva con cipiglio puritano.

Tutti gli amici residenti a Parigi erano riusciti ad abbandonare la città prima dell'arrivo dei tedeschi e a raggiungere il sud della Francia. La meta per tutti era Marsiglia. Là vi era la possibilità di imbarcarsi clandestinamente e abbandonare l'Europa. Invece Francesco Volterra, il primo profugo che avevo notato da bambina quando giunsi a Marsiglia, quello che cercava in tutti i modi di divertirmi, venne arrestato dai tedeschi a Nancy dove si era trasferito. Morì nel campo di concentramento di Buchenwald.

Tra i più audaci organizzatori di imbarchi clandestini di profughi con carte false, si rivelarono Lussu e la sua compagna Joyce. Molti profughi politici italiani che si erano stabiliti a Parigi partirono via Casablanca per gli Stati Uniti. Emilio Lussu no. Egli aveva altri progetti: andare in Corsica e da lì passare in Sardegna, dove sapeva che la situazione era particolarmente favorevole. Secondo Lussu in Sardegna era possibile tentare l'insurrezione contro il regime fascista. Poteva essere l'iniziativa di una più vasta azione nazionale in collaborazione con gli Alleati. Emilio Lussu, fedele al suo principio che "l'audacia calcolata è la migliore prudenza" riuscì con pericolose peripezie e sempre coadiuvato da Joyce a passare dalla Francia occupata in Inghilterra e in America e di qui di nuovo in Inghilterra – e tutto ciò in piena guerra. Il Gabinetto di guerra britannico nelle sue riunioni trattò due volte la proposta di Lussu. Essa non venne accolta negativamente ma nemmeno positivamente. Il governo inglese non poteva ancora impegnarsi pubblicamente in nessuna forma. Si sarebbe dovuto attendere. Lussu non attese. Non se ne fece nulla.

Il nome di Charles de Gaulle era entrato in famiglia il giorno del suo appello ai francesi da Radio Londra. Vi rimase a lungo. Rappresentava la speranza. Madame Lisy si mise subito a disposizione della "Francia Libera" e mio padre partecipò a un "Comitato de Gaulle" insieme a Giuseppe Delogu, che si proponeva di predisporre piani organizzativi e mezzi per uno sbarco in Sardegna e in Sicilia. Nelle carte inviate dalla Direzione Generale della Pubblica Sicurezza di Roma al casellario politico centrale per i fascicoli personali risulta, in data 26-11.1941, che:

"... *Secondo informazioni pervenute da fonte seria ed attendibile, mercoledì 12 corrente, un numero ristretto di fuorusciti residenti a Zurigo (leggi i noti Fernando Schiavetti e professor De Logu Giuseppe, entrambi facenti parte di un cosiddetto comitato De Gaulle), si sono riuniti in gran segreto per studiare la possibilità di 'categhizzare' ed organizzare i numerosi prigionieri fatti dagli inglesi nell'Africa Settentrionale nonché tutto il fuoruscitismo che si trova in Francia, al fine di preparare uno sbarco in Sicilia e Sardegna.*

Per la Sardegna l'organizzatore designato sarebbe il noto Lussu Emilio, per la Sicilia dovrebbero provvedere Schiavetti e De Logu.

Di questo progetto, che sarebbe in preparazione con la connivenza dei francesi e che sarebbe stato sottoposto e già approvato dal governo inglese che mette a disposizione mezzi bellici e denaro, si starebbero occupando il Lussu ed il famigerato Randolfo Pacciardi in Francia, ed in Svizzera lo Schiavetti ed il De Logu con i rispettivi seguiti... i predetti fuorusciti dovrebbero, ad un certo momento, essere prelevati dalla loro residenza dagli 'amici' inglesi e francesi, e trasportati in località adatte dove dovrebbero organizzare le spedizioni contro il suolo patrio"

Firmato per il Ministro: Senise.

Il 12 marzo 1941 il consolato di Zurigo inviava al Ministero dell'Interno a Roma dandone nota anche alla "Schweizerische Bundesanwaltschaft Polizeidienst" di Berna, che:

"... *negli Stati Uniti d'America, come già accennato anche dalla stampa italiana, si starebbe formando una Legione di antifascisti italiani, da inviarsi eventualmente in Europa a combattere a fianco dell'Inghilterra contro l'Asse. Fra i principali organizzatori di questa Legione vi sarebbe il noto Conte Sforza, che si trova attualmente a New York.*

Il Conte Sforza avrebbe tempo fa scritto allo Schiavetti una lettera intercettata e fotografata dal locale Servizio Politico della Polizia Cantonale, incaricandolo di organizzare e tenere pronta nella zona di Zurigo una formazione di antifascisti italiani volontari disposti a combattere a fianco dell'Inghilterra contro l'Asse; formazione che verrebbe aggregata al momento opportuno alla Legione formata negli Stati Uniti d'America, qualora questa dovesse effettivamente mettere piede in Europa. La locale Polizia Cantonale ritiene (o forse sa precisamente attraverso il controllo di altra corrispondenza), secondo l'informatore, che un incarico del genere lo Sforza abbia dato, oltre che allo Schiavetti, ad esponenti antifascisti di altri centri della Svizzera... Da notarsi a questo proposito che allo Schiavetti – ed egli dovrebbe ben saperlo – privo di passaporto e di qualunque altro documento, sia per disposizioni di legge e sia per ripetute specifiche diffide ricevute dalle autorità locali, è vietata qualunque attività politica o avente fini politici. Quale ulteriore seguito il predetto abbia dato finora all'incarico ricevuto da Sforza, non è dato per il momento sapere..."

Firmato il R. Console Generale Bruno Gemelli.

La "Schweizerische Bundesanwaltschaft Polizeidienst" a Berna si affrettò a comunicare al Nachrichtendienst der Kantonspolizei di Zurigo in data 28 marzo 1941: "L'Ambasciata italiana ci comunica, che il Conte Carlo Sforza (noto dall'Unione Europea) attualmente residente a New York intrattiene contatti con Schiavetti Fernando. Il Prof. Schiavetti tenterebbe di costituire una formazione di antifascisti, che dovrebbe combattere contro l'Asse. Da Ginevra egli avrebbe ricevuto corrispondenza sospetta. Tra Schiavetti e ignoti ci sarebbe stato un incontro a Olten il 16 febbraio a.c. Vi preghiamo di voler prestare all'attività del suindicato la Vostra piena attenzione e di predisporre un controllo della sua corrispondenza. Attendiamo un rapporto sull'esito delle Vostre ricerche in merito."

La polizia di Zurigo si affrettò a dare "piena attenzione" a mio padre. Pochi mesi dopo, il 18 novembre 1941, la polizia svizzera fece irruzione nel locale del Sonnenblick alla Langstrasse durante una delle conferenze serali del martedì sera che da dieci anni mio padre teneva agli emigrati italiani, "per violazione della delibera del Bundesrat del 9 luglio 1940 sul controllo delle riunioni politiche." Il babbo venne sottoposto ad un lungo interrogatorio, regolarmente verbalizzato.

Non c'era ormai che attendere l'esito dell'inchiesta della polizia.

Intanto la vita continuava. Mia sorella si era diplomata a pieni voti alla Kunstgewerbeschule. Era sottoposta anche lei al divieto di lavoro in quanto figlia minorenne di un profugo politico. Aveva venti anni ed era forzosamente disoccupata.

Un imprenditore tessile, Herr Wieland, s'interessò vivamente ai disegni di Annarella che erano stati esposti alla Kunstgewerbeschule. Intendeva assumerla subito come disegnatrice nonostante che il direttore della Kunstgewerbeschule, Dr. Itten l'avesse avvertito dell'impossibilità legale. Herr Wieland si presentò a casa nostra. Era disposto ad assumere mia sorella illegalmente pur di averla. Menzionò anche lo stipendio mensile che avrebbe corrisposto a mia sorella.

Mi meravigliai che il babbo senza scomporsi chiedesse di poterci riflettere. Mia sorella avrebbe accettato con gioia e per la nostra famiglia sarebbe stato un notevole sollievo date le condizioni economiche disastrose in cui ci trovavamo. Mio padre invece interpellò i sindacati svizzeri e quando apprese che lo stipendio sindacale avrebbe dovuto essere il doppio di quello che il signor Wieland proponeva a mia sorella, declinò l'offerta. Io ero costernata. Il babbo mi spiegò che il non accettare un lavoro sottocosto corrispondeva ad "un dovere sindacale verso gli svizzeri". La mamma approvava – seppure non con entusiasmo. La politica era sempre indissolubilmente legata alla questione morale.

Nei primi mesi del 1942 gli inquirenti svizzeri archiviarono la pratica che concerneva la denuncia contro il babbo e il Comitato direttivo della Scuola Libera, promotore delle lezioni al Sonnenblick. La polizia riconobbe così che "il Dr. Schiavetti non si era reso colpevole di una rappresentazione astiosa o polemica degli avvenimenti del mondo."

"Hanno arrestato 'cavallo di cartone'," disse la mamma quando tornai da scuola. Silone aveva assunto da poco la segreteria del Centro estero del Partito socialista italiano che funzionava come uno strumento di coordinamento tra i socialisti all'estero e collaborava con i gruppi clandestini attivi in Italia. Data la stretta neutralità del governo svizzero si trattava naturalmente di un'attività illegale. La polizia svizzera era riuscita a scoprire che Silone e i suoi collaboratori avevano tentato di introdurre in Italia migliaia di copie di un volantino clandestino: "Il Terzo Fronte". Il volantino di quattro pagine conteneva un appello al popolo italiano per la disubbidienza civile contro il regime. La polizia svizzera arrestò Silone e i suoi compagni. Mi dispiaceva sapere Silone in prigione perché gli volevo bene. Tuttavia mi era facile immaginarlo dietro le spesse mura della caserma cantonale intento a scrivere, leggere e meditare in santa pace senza essere obbligato a conversare se non ne aveva voglia, cosa che gli capitava spesso. Era l'ambiente italiano di Zurigo ad essere vivamente preoccupato per quello che poteva succedere dopo, a quale condanna Silone sarebbe andato incontro. Tutti i suoi amici erano in ansia; nell'ambiente socialdemocratico svizzero intorno a Emil Oprecht, Silone ne contava molti. L'unica a non prendersela più di tanto era Gabriella Maier. Non per il fatto che i suoi rapporti sentimentali con Silone si erano da tempo affievoliti, ma perché per lei finire in carcere era solo un normale incidente di percorso. Il Consigliere nazionale Kurt Düby e sua moglie Erika, instancabili nell'aiutare i profughi e salvare i perseguitati affinché non venissero rimandati oltre frontiera, si presero a cuore la sorte di Silone. Nella lettera che egli scrisse loro dalla prigione per ringraziarli della premura e assistenza Silone dice tra l'altro che:

je me porte à merveille; le régime du couvent s'adapte parfaitement à mon caractère: il permet le rêve, l'étude, la méditation, l'examen de conscience, l'exercice de la volonté, donc des occupations les plus nobles et humaines, à un degré bien supérieur que le libertinage habituel. Et je suis un peu agacé parce qu'on s'occupe tellement de ma santé. Je ne veux pas être considéré comme un malade; je ne suis pas du tout malade; et surtout je ne veux pas la pitié des autorités. Je suis sensible aux petits désagréments de la vie; mais dur et resistant devant les preuves graves. Saluez pour moi les montagnes (le seul inconvenient de cette prison est qu'elle n'est pas bâtie sur une montagne)...

La sera, per andare alla Cooperativa e al Sonnenblick, passavamo con il babbo di fronte alla Kantonspolizei. Allora mio padre diceva: "Facciamogli un saluto al nostro caro 'cavallo di cartone'," e con la mano accennavamo ambedue un gesto in direzione della prigione.

Nello stesso anno mia sorella si sposò con uno studente in medicina, Hans Rotter, un ebreo mitteleuropeo naturalizzato svizzero, simpatizzante comunista. Dati i tempi non era un "partito di tutto riposo". Rotter continuava a studiare e Annarella aveva trovato immediatamente lavoro nel suo ramo. Dopo la laurea, Rotter assunse il gabinetto medico che era stato per decenni di Fritz Brupbacher. Pertanto Hans Rotter continuò alla Kasernenstrasse 17 quella tradizione di "Arbeiterarzt", medico dei lavoratori, inaugurata da Brupbacher negli anni venti. Questa caratteristica professionale di mio cognato raggiunse il suo apice allorché negli anni cinquanta arrivarono a Zurigo nuove schiere di emigrati italiani in cerca di lavoro. Di questi, pochi furono coloro che non passarono mai alla Kasernenstrasse 17. Una targa sul muro esterno del caseggiato stava ad indicare che dentro vi esercitava un medico che aveva un legame con l'Italia: Dr. Hans Rotter-Schiavetti".

Durante il 1942 le autorità giudiziarie decretarono l'espulsione di Silone dalla Svizzera per aver lui contravvenuto al divieto di svolgere attività politica. Dato il suo stato di salute, non venne estradato ma internato a Davos e in seguito a Baden, nel cantone di Aargau.

8.

LA DISFATTA

La famiglia di contadini alla quale ero stata assegnata nell'ambito del Landdienst nel 1943, si chiamava Meister e abitava a Fägswil nel Oberland zurighese fra Rüti e Wald, dove possedeva una piantagione di piselli in una zona isolata ai bordi di un bosco. Avevo diciott'anni, andavo al liceo e trascorrevo le mie vacanze facendo il "Landdienst". Questo comportava tra l'altro per me il godimento anche di "una certa libertà d'azione", come diceva mio padre. Mi ero organizzata in modo che la domenica mi venissero a trovare i miei "proci", uno alla volta s'intende. Facevamo lunghe passeggiate per i campi, attraverso i boschi, parlavamo di "Dio e del mondo" e alla fine della giornata ero contenta ma non "alleggerita" – di un problema che mi assillava a quel tempo: a quale "proco" dare la mia preferenza sentimentale. Ogni domenica che passava ero sempre più indecisa. Arnold Künzli, che era divenuto uno di loro, si irritava e dava la colpa al mio "Vaterkomplex". Si interessava di psicologia. Stava preparando una tesi sull'"angoscia dell'uomo moderno". Il lunedì ritornavo al mio lavoro in campagna, in mezzo alla piantagione di piselli.

Era una mattina assolata di luglio e faceva un caldo eccezionale per quella zona – dintorni di Zurigo. Non aveva piovuto da lungo tempo, la terra era arida, polverosa. Stavo accucciata accanto al grande cesto nel quale deponevo i piselli colti, spostandolo ogni volta che mi dovevo spostare io, cespuglio dopo cespuglio, filare dopo filare. Era un lavoro più che pesante: fastidioso. Zanzare, api e calabroni svolazzavano attorno, sottolineando con il loro ronzio la quiete che mi circondava.

"Dov'è quella 'Tschingge-Meitli?'" sentii gridare improvvisamente da lontano. Mi alzai in piedi e scorsi ad una cinquantina di metri il postino, fermo sul ciglio della strada, appoggiato alla sua bicicletta, che parlava con la contadina, anch'essa occupata in un campo non lontano. "Sono qui, tra i piselli," gridai, "c'è posta per me?" e intanto mi alzavo per vedere e farmi vedere. "No, non c'è posta. Ma sta a sentire: il tuo Duce non c'è più; se n'è andato." Disse proprio così: "*Tin Duce isch nümme; er isch furt.*"

Rimasi un attimo interdetta. Poi mi misi a ridere: "Va bene, va bene – grazie per la notizia..."

"Guarda che è vero," insistette lui, come se nulla fosse, sempre urlando perché io lo udissi bene: "il vostro Duce non c'è più – lo hanno mandato via!"

"Va bene, ho capito," gli risposi, non avendo capito nulla e riaccucciandomi per continuare a cogliere i piselli.

Non ci riuscivo più. Cominciai ad arrovellarmi il cervello. Mi sentii improvvisamente molto sola. "L'hanno mandato via? E se fosse vero?" mi chiesi. Tutta la vita avevo sentito parlare, alludere, aspirare, alla possibilità di un momento simile. L'esistenza dei miei genitori e dei nostri più cari amici era rivolta a questo scopo. Era la lotta per tale fine che aveva dato senso alla loro vita. I pensieri mi si accavallavano: quanti amici erano morti, quanti erano in prigione, quanti al confino e in esilio, "per mandarlo via".

"Se un giorno potessimo tornare in Italia...", "se un giorno l'Italia sarà libera..." sentivo dire intorno a me, come se solo allora la vita, quella vera, sarebbe incominciata. Nella mia immaginazione, quel momento del "non c'è più" era stato sempre collegato a rivoluzioni, sommosse popolari, barricate, come quelle viste nelle fotografie provenienti dalla Spagna o nel famoso dipinto di Delacroix. E ora, secondo quel postino, tutto doveva essere accaduto così, "lui mandato via", mentre io stavo cogliendo piselli in un campo svizzero.

Non resistetti più: dovevo parlare con casa mia. Mi alzai di scatto, diedi inavvertitamente un calcio al cesto e tutti i piselli raccolti ruzzolarono fuori sulla terra arida. Mi misi a correre tra i filari. Correvo tanto forte che, come accade ai cavalli quando vanno al galoppo, il terriccio ricadeva da tutte le parti. Passai – sempre di corsa – davanti alla casa dei Meister, urlai alla contadina "*ich mues go telephoniere*", "devo andare a telefonare", e mi precipitai giù verso il paese distante un paio di chilometri, in una corsa forsennata lungo la strada che costeggiava il bosco, mentre per l'emozione le lacrime mi bagnavano le gote.

Al telefono la mamma e il babbo mi confermarono la notizia. Erano commossi e contemporaneamente preoccupati. Mi dissero di tornare a casa. All'unica rivendita del paese comprai un quotidiano: "Der Landbote". Era lunedì 26 luglio 1943.

Non era la fine del fascismo che avevamo sognato. Non era neppure la fine del fascismo – solo di Mussolini. E neppure questo era esatto, poiché il Duce sarebbe poi risuscitato, liberato dai tedeschi, proprio nel luogo in cui era tenuto prigioniero, sul Gran Sasso.

Ma era il crollo del Regime, anche se questo accadeva nel modo opposto a quello pronosticato da Emilio Lussu e fedelmente annotato da mia madre all'interno della scatola dei bottoni. Il crollo del regime fascista fu tutt'altro che "verticale" e non vi fu nessuna rivolta popolare: fu una rivoluzione di palazzo. Tutti furono colti di sorpresa, nonostante l'andamento della guerra, con lo sbarco in Sicilia, volgesse già al peggio per l'Italia. Anche per i miei genitori la crisi del 25 luglio fu imprevista; a causa di una serie di difficoltà intervenute, persero l'occasione di rientrare in Italia, clandestinamente come ne erano usciti. Per vie regolari non avrebbero comunque potuto farlo poiché privi di documenti italiani, e le disposizioni di polizia per l'arresto immediato alla frontiera restavano paradossalmente operanti: il governo badogliano non le aveva revocate.

"La guerra continua," aveva annunciato il Maresciallo Badoglio, nuovo capo del governo. Il suo proclama era equivoco, la situazione confusa. Le notizie che giungevano per vie traverse a mio padre e agli amici riferivano che la grande maggioranza degli italiani non capiva che cosa stesse accadendo. Non lo capivano nemmeno molti tra i funzionari dello Stato sorpresi dagli avvenimenti, in particolare numerosi diplomatici all'estero, che infatti non presero posizione. Dopo la caduta di Mussolini erano rimasti, burocraticamente, nelle loro sedi di missione senza sapere esattamente da chi ormai dipendessero e chi rappresentassero. I Fasci italiani in Svizzera erano stati sciolti all'inizio di agosto e le loro competenze trasferite ai Consolati. Però l'apparato dei funzionari rimase intatto: non furono apportate modifiche amministrative, non venne decisa alcuna sostituzione di personale. Mio padre annotò quale era la situazione dopo la caduta di Mussolini fra gli emigrati italiani in Svizzera: "... quando col licenziamento e l'arresto di Mussolini, il primo crollo della dittatura determinò un conflitto tra il fascismo e gli organi ufficiali dello Stato monarchico, il problema che si pose agli antifascisti italiani fu quello di sapersi inserire immediatamente in questo dissidio col triplice scopo di entrare in contatto con le masse emigrate, influenzate sino a quel momento dall'attivissima propaganda fascista e clericale, di sottrarle alla politica ambigua delle nostre rappresentanze consolari e di orientarle verso generici ideali di democrazia e di libertà..." Nacque da questa esigenza la Colonia Libera Italiana di Zurigo, la prima in Svizzera. Lo scopo era di "creare un centro di vita autonoma, ricca di iniziative politiche, culturali e assistenziali, cui tutti gli italiani non fascisti partecipassero, consapevoli che, per la prima volta, potevano discutere e controllare, e non più semplicemente subire, gli interventi delle autorità consolari e quindi che essi dovevano realizzare, pur nel ristretto loro ambito, un esperimento democratico." Gli antifascisti della prima ora rivolsero un appello a tutta la comunità italiana per gettare "insieme le fondamenta della nuova vita italiana." Tra i promotori della prima Colonia Libera e successivamente della Federazione delle Colonie Libere della Svizzera, figuravano Giuseppe Delogu, Fernando Schiavetti, Egidio Reale, Ignazio Silone, Mario Mascarin e altri.

All'appello della Colonia Libera rispose anche un gruppo di studenti universitari ebrei, trasferitisi a Zurigo dopo il 1938 in seguito alle leggi razziali emanate da Mussolini. Tra questi, Enzio Volli, Cesare Cases, Bruno Engel (nipote di Ernesto Nathan), Eugenio e Marcello Carmi ed altri. Studiavano tutti chimica; non per una vocazione particolare, ma perché era l'unica professione che avrebbero potuto esercitare ovunque se fossero stati costretti a emigrare altrove.

Mia sorella ed io non frequentavamo giovanotti italiani che non fossero dell'ambiente antifascista. Ai balli dell'università o della stampa mi rifiutavo – con una scusa – di ballare con un giovane italiano che non avevo mai visto. Lo ritenevo a priori fascista; diversamente l'avrei già conosciuto, mi dicevo. Era del resto anche una misura di precauzione; informatori e spie pullulavano. Dal canto loro gli studenti italiani ebrei, sino alla caduta di Mussolini, erano stati alla larga dall'ambiente dell'emigrazione anche se molti di loro, come Enzio Volli, provenivano da famiglie che avevano sempre avversato il fascismo. La cautela era giustificata dal fatto che le loro famiglie risiedevano ancora in Italia. Io comunque ignoravo l'esistenza di questi gruppi di studenti. Fu in occasione dell'appello della Colonia Libera rivolto a tutti gli italiani, al Volkshaus nell'agosto 1943, che li incontrai. Per la prima volta venni a contatto con italiani della mia generazione formatisi – diversamente da me – nell'Italia fascista. Erano i nostri primi "italiani ritrovati".

L'8 settembre l'Italia si arrese e nel giro di quarantott'ore la Wehrmacht occupò gran parte del paese. Il 9 settembre nacque a Roma il Comitato di liberazione nazionale, che riuniva tutti i partiti e rappresentava la Resistenza. Quello che rimaneva dell'esercito italiano era ormai in balìa di se stesso, senza guida, senza direttive: il re, il governo e il comando militare erano fuggiti da Roma diretti a sud dove c'erano già gli Alleati. A scuola qualche mia compagna riesumò ridacchiando la frase: "gli italiani fuggono sempre".

Una parte dell'Italia tornò di fatto sotto il dominio nazifascista, le personalità antifasciste più in vista e coloro che avevano appena fatto in tempo a uscire dalla galera dopo lunghi anni, dovettero rifugiarsi in Svizzera. Vi cercarono scampo anche migliaia e migliaia di civili e militari. Gli ebrei, secondo una precisazione del Bundesrat dell'agosto 1942, non erano compresi tra i "perseguitati politici". Solo dopo il novembre 1943 le autorità svizzere si decisero ad accogliere anche gli ebrei, perseguitati in Italia dai tedeschi. Appena varcata la frontiera tutti i rifugiati dovevano subire una trafila burocratica. Venivano distinti tra civili e militari e destinati a campi d'internamento separati. Uno di questi campi d'internamento per civili si trovava ad Adliswil, a una decina di chilometri da Zurigo: gli internati vi trascorrevano una quarantena di tre settimane imposta da ragioni sanitarie. Successivamente i rifugiati potevano ottenere la liberazione dal campo, se erano in grado di esibire la garanzia di un privato o comunque di dimostrare una disponibilità finanziaria sufficiente al proprio mantenimento. Subito dopo l'8 settembre mio padre cominciò sistematicamente a cercare di contattare gli antifascisti internati. Così iniziammo le nostre regolari "gite-ricerche" ad Adliswil. Mi ci recavo sempre in bicicletta, o con mia sorella o con mio padre. Il dialogo con questi rifugiati avveniva mentre loro stavano dietro al filo spinato ad una certa distanza. Il soldato svizzero di guardia ci ammoniva che era "verboten" scambiarsi oggetti fino a quando i rifugiati erano in quarantena. Ma era permesso parlare.

Molti rifugiati si lamentavano con noi: la disciplina interna al campo, la rigidità dei regolamenti, la lingua straniera che comunque rendeva difficile il comunicare, il dormire su sacchi di paglia per terra, il vitto inusitato, la mentalità diversa, il clima, l'incertezza del futuro – tutto contribuiva a rendere poco piacevole la loro vita. Uno solo faceva eccezione: pareva se ne stesse in villeggiatura.

Durante una delle nostre "spedizioni" ad Adliswil immediatamente dopo l'8 settembre, mia sorella e io notammo un signore che se ne stava un po' appartato, dritto su una altura del terreno, ad una decina di metri dal filo spinato che delimitava il campo, intento a guardarsi attorno. Sembrava che si godesse il paesaggio. Era alto, più o meno sui cinquant'anni, allampanato, pallido, stempiato, un paio di occhiali montati a giorno sottolineavano il suo aspetto di persona all'antica. Era vestito modestamente con un abito grigio, troppo leggero – così mi parve – per il clima svizzero. La sua espressione serena faceva a pugni con il suo aspetto fisico. Mia sorella ed io unimmo le mani ad imbuto per farci udire meglio e gli chiedemmo se avesse bisogno di qualcosa. Lui ci ringraziò con una voce dal timbro dolce: "Sono anni che non sono stato tanto bene," rispose. "Desidererei una cosa sola: mi si è rotta la penna stilografica durante la fuga e vorrei farla riparare." Aspettammo che la guardia svizzera voltasse lo sguardo altrove e acchiappammo al volo la penna che il signore allampanato ci gettò oltre la rete. "Inoltre desidererei rintracciare una persona: si chiama Fernando Schiavetti e abita a Zurigo. Io mi chiamo Umberto Terracini."

Ci precipitammo a casa, mia sorella ed io, per portare la notizia ai nostri genitori. Sapevo bene chi era Terracini: aveva partecipato alla fondazione del PCI nel 1921. Pochi anni dopo la polizia fascista lo aveva arrestato e condannato a vent'anni. Terracini era in galera quando fu firmato il patto Ribbentrop-Molotov. Il comunista detenuto Terracini avversò quel patto nei colloqui con i compagni di galera e per questo venne espulso dal partito mentre era ancora detenuto. I compagni comunisti gli fecero il deserto intorno nell'isola stessa in cui erano confinati. Da un giorno all'altro nessuno gli rivolse più la parola. Terracini rimase comunista; per lui non c'era contraddizione tra l'indipendenza di spirito e il dovere della disciplina di partito.

Riaccompagnai il babbo che volle recarsi subito ad Adliswil.

La guardia svizzera non consentì che mio padre si avvicinasse alla rete per salutare Terracini. Si rividero così dopo 17 anni, uno di qua e l'altro di là del filo spinato. Si salutarono con un cenno della mano e si sorrisero.

"È un intellettuale, di Firenze," ci rispose un internato al quale mio padre si era rivolto durante uno dei nostri ormai abituali sopralluoghi ad Adliswil, e ci indicò un giovanotto vestito tutto di nero che se ne stava un po' in disparte e aveva l'aria corrucciata. L'abito inconsueto per chi si trova in un campo profughi – portato peraltro con sussiego – gli conferiva un tocco lugubre di blasé che gli donava. Quel tipo ci incuriosì. "Il suo nome è Franco Lattes," ci risposero alcuni internati, "ma qui nel campo viene chiamato 'Lattes pastorizzato' per via di quell'abito nero datogli da un pastore protestante." Era Franco Fortini. Dopo aver trascorso la quarantena uscì dal campo e divenne attivo nell'ambiente politico di Zurigo; frequentava casa nostra. Aveva allora ventisei anni ed era già letterato; scriveva poesie – ermetiche. Facevo gran fatica a seguire i suoi versi. La mamma invece gradiva molto le visite mattutine di Fortini e lo ascoltava rapita sorseggiando il suo caffè. Criticava la mia "incomprensione poetica", come diceva lei, ed io allora mi rivolsi al babbo; sorrise – anche lui capiva poco di ermetismo, ammise; era legato ai canoni della poesia tradizionale. Del suo lungo discorso afferrai che era lecito non capire. Nel 1944 Fortini lasciò di nuovo la Svizzera per andare a combattere in Val d'Ossola. Durante la ritirata dei partigiani sfuggì di poco i nazisti e venne internato una seconda volta, nella Svizzera francese, nel campo a Tour-Haldimand. "Troppe cose ho visto e patito, per poterne scrivere," comunicò al babbo.

Ad Adliswil, fra i perseguitati politici riconosciuti dalle autorità svizzere, vi era anche Luciano Bolis, un giovanotto di 25 anni. Passata la quarantena uscì dal campo grazie alla generosità di Curzio Bertozzi. Conobbi Bolis quando venne a trovare mio padre. Non passava inosservato: alto, bruno, sguardo diritto, un'espressione dignitosa sottolineata da una barba alla nazarena molto curata che gli conferiva l'aspetto del cospiratore risorgimentale. Bolis proveniva da una famiglia piccolo-borghese di Milano. Era laureato in filosofia ed era insegnante di liceo. Diventammo presto amici. Bolis aveva frequentato tutte le scuole del Regime. Della sua giovanile fede fascista si era liberato sulla base di considerazioni soprattutto morali. Si avvicinò al gruppo clandestino di "Giustizia e Libertà". Bolis aveva ventiquattr'anni quando il Tribunale Speciale lo condannò per la sua attività antifascista. Dopo la caduta di Mussolini, fu liberato poco prima che i tedeschi invadessero l'Italia. Si rifugiò in Svizzera, ma con lo scopo di ritornare in Italia per partecipare alla guerra di Liberazione. La cosa non era facile, perché il governo confederale non permetteva l'entrata e l'uscita di partigiani: di fronte alle potenze dell'Asse era in gioco la sua credibilità di Stato neutrale. Inoltre il Comitato di Liberazione Nazionale organizzava il rientro solo per chi avesse già esperienza di cospirazione clandestina: erano i quadri che mancavano. Luciano Bolis aveva tutti i requisiti richiesti ai "quadri politici", sicché il comando militare del Comitato di Liberazione Nazionale concesse a Bolis il rientro. Bolis fu nominato ispettore regionale delle formazioni "Giustizia e Libertà" in Liguria e varcò nuovamente la frontiera nel 1944. Nel febbraio 1945 venne arrestato a Genova. In carcere fu torturato al punto da intravedere nel suicidio l'unico scampo per sfuggire al pericolo di tradire i suoi compagni: si tagliò le vene dei polsi e si squarciò la gola. Quando le guardie se ne accorsero lo trasportarono in fin di vita all'ospedale. I fascisti intendevano "salvarlo" per continuare ad interrogarlo. Con un colpo di mano audace quanto unico, un "commando" di partigiani prelevò Luciano Bolis. L'azione fu possibile grazie soprattutto alla forza d'animo e di cuore di una infermiera dell'ospedale, allora sconosciuta, e che nulla aveva a che fare con la politica: Ines. Fu lei che riuscì in modo quasi miracoloso a collegarsi con i partigiani di Genova e a dare l'allarme.

Quando rividi Luciano subito dopo la guerra a Roma, era apparentemente immutato, ma non aveva più la sua voce: nel tentativo di suicidarsi si era leso irreparabilmente le corde vocali. Non era più solo: la donna straordinaria che l'aveva salvato, Ines, era diventata sua moglie.

Oggi, a Roma, alle scolaresche che vengono condotte al Museo della Resistenza in Via Tasso, in quell'edificio in cui centinaia di patrioti furono torturati ed uccisi dalla Gestapo, viene distribuito in omaggio un piccolo libro: *Il mio granello di sabbia*, in cui Luciano Bolis racconta la sua vicenda durante la guerra di Liberazione.

A partire dalla fine del 1943 i rifugiati italiani costituivano il gruppo più numeroso di profughi stranieri presenti in Svizzera. Zurigo divenne più chiassosa, più animata, molti svizzeri dicevano più divertente.

La Colonia Libera si assunse il compito di coordinare le diverse iniziative locali in un piano organico d'intervento e di assumersi le responsabilità politiche per la rinascita democratica delle collettività italiane. Nel seno delle Colonie Libere, riunite presto in federazione, sorsero "Comitati di soccorso ai rifugiati civili", che svolsero dal 1943 al 1945 una vasta opera di assistenza in favore delle migliaia di italiani rifugiatisi in quel periodo in Svizzera per sfuggire alle persecuzioni razziali e politiche degli aderenti alla Repubblica Sociale Italiana di Mussolini. Del Comitato per la Riorganizzazione della Società di Assistenza Italiana facevano parte rappresentanti della prima generazione di antifascisti quali Curzio Bertozzi, Antonio Medri e Aldo Moreschi e altri, insieme a quelli della nuova generazione come Enzio Volli, Bruno Engel e Paolo Sacerdote. Le Colonie Libere svolsero inoltre opera di informazione della stampa svizzera e di propaganda tra i rifugiati stessi. Uno dei primi "schemi" di propaganda lo compilò Franco Fortini, si articolava in 3 parti: primo: *che cosa è successo?*, secondo: *che cosa succederà*, terzo: *che dobbiamo fare?* concludendo "... domani quando torneremo in Italia dovremo essere noi, nella libera lotta dei partiti, nelle associazioni, nelle piazze, nelle elezioni e nei parlamenti, a parlare. Bisogna prepararci da ora. Chiedete, cercate, informatevi, siate svegli a quel che succede nel mondo." Inoltre le Colonie Libere svolsero opera di collegamento con la Delegazione del Comitato Nazionale di Liberazione (Alta Italia) stabilitosi a Lugano. Furono le Colonie Libere Italiane, sorte per iniziativa antifascista in seno all'emigrazione, a rappresentare degnamente l'Italia in un momento di smarrimento e a costituire un centro di orientamento per tutti gli emigrati e per i rifugiati dell'ultim'ora.

Nell'inverno del 1943 un gruppo di giovani italiani fondò a Zurigo l'"Associazione di Cultura Piero Gobetti", con sede nella Badenerstrasse presso il ristorante "International" di Curzio Bertozzi. La "Gobetti", come la chiamavamo comunemente, aveva lo scopo di studiare "nello spirito e nelle tradizioni di libertà del Risorgimento Italiano" le correnti sociali e culturali dei vari paesi e specialmente quelle dell'Italia. Per raggiungere tale scopo il gruppo si riuniva una volta alla settimana al primo piano del ristorante "International" per ascoltare una relazione su un determinato argomento, cui seguiva una discussione. Tra i primi relatori: Ignazio Silone e Diego Valeri, rifugiatisi in Svizzera e internato. Potevano divenire soci dell'"Associazione P. Gobetti" tutte le persone di lingua e cultura italiana residenti stabilmente o provvisoriamente in Svizzera, e che aspiravano ad una Italia in cui fossero riconosciuti "come beni supremi le libertà di opinione, di coscienza, di riunione e di stampa, nonché la parità fra tutti i connazionali senza distinzioni di sorta". Del gruppo facevano parte alcuni tra i primi profughi antifascisti di Zurigo, inoltre studenti italiani giunti in Svizzera dopo il 1938, ai quali si aggiunsero, dopo l'armistizio del 1943, profughi militari e civili come Franco Fortini e Luciano Bolis.

Un anno dopo la caduta del fascismo gli italiani della Colonia Libera fecero la loro prima grande manifestazione non più su uno spazio "neutro" come il Vokshaus o su una piazza, bensì alla ex "Casa d'Italia", sede ufficiale dell'Italia fascista fino al luglio del 1943, ribattezzata "Casa degli Italiani". Presiedeva la riunione Giuseppe Armari, un socialista di Ferrara, emigrato in Svizzera nel 1921 e segretario della Federazione socialista italiana di Zurigo nel periodo fra le due guerre. L'oratore designato, Diego Valeri, non poté venire perché le autorità del campo profughi non gli concessero l'autorizzazione. Dal palco della sala, sovrastato da uno striscione rosso con la scritta "Viva l'Italia libera" parlò mio padre. Facevano cornice al palco i nomi dei martiri antifascisti e dei partigiani caduti: Rosselli, Amendola, Don Minzoni, Di Vagno, Angeloni, Colorni, Lucetti, Caroti, Buozzi, Gasparotto, Vigorelli. Per la prima volta sentii vibrare nell'oratoria del babbo, pur sempre priva di qualsiasi retorica, una commozione trattenuta a fatica. Proveniva da quello che stavano a significare le sue parole pronunciate in quel luogo, in quel momento e in quella determinata occasione: la sintesi di ciò che aveva dato senso alla sua vita, a quella della mamma e di tutti i loro amici: "... Noi siamo qui con tutto il nostro passato," disse, "con tutta la nostra passione di libertà, con i nostri vivi e i nostri morti [...] Siamo qui, in questa casa, non come ospiti ma come legittimi proprietari, perché essa è dello Stato e lo Stato sono le classi lavoratrici, lo Stato siamo noi..."

Chissà che cosa avrebbe detto il nonno Ercole.

Lo Stato siamo noi. Per la prima volta mi potevo identificare pienamente con il mio paese. Non eravamo più "gli altri", "gli esclusi". L'esilio era virtualmente finito.

Mi sposai con Arnold Künzli, civilmente. Avevo 19 anni e non li dimostravo. Essendo minorenne i miei genitori dovettero darmi il consenso. L'ufficiale dello stato civile di Zurigo mi guardò severamente prima di pormi la domanda di rito e mi avvertì con voce tra il minatorio e il sospettoso: "... *die Frau sorgt für den Haushalt*..." (la donna bada alla casa). Successivamente mi donò un volume: *Zürcher Bürgerinnen-und Heimatbuch* (Libro della patria e delle cittadine di Zurigo). All'interno vi era la scritta: "*Der Stadtrat von Zürich, der jungen Mitbürgerin Franca Künzli-Schiavetti*" (Il consiglio comunale di Zurigo alla giovane concittadina Franca Künzli-Schiavetti). Sulla prima pagina una riproduzione del quadro di Ferdinand Hodler: "Das mutige Weib" (la donna coraggiosa), raffigurante una barca sballottata paurosamente dalle onde di un lago in tempesta: a bordo una specie di virago aggrappata ai remi, i lineamenti alterati dallo sforzo richiestole per evitare che la barca andasse alla deriva. Non mi riconoscevo in quella "mutiges Weib" e comunque non mi parve molto incoraggiante l'immagine di una barca che va alla deriva offerta a chi si è appena unito in matrimonio. Il libro conteneva le informazioni essenziali sulla Svizzera, la sua storia, le sue leggi, i suoi diritti. Sfogliai il capitolo riguardante la Costituzione e lessi: "... *Stimmberechtigt bei Wahlen und Abstimmungen ist jeder Schweizer, der das 20. Altersjahr zurückgelegt hat*" (ha diritto al voto ogni cittadino svizzero che ha compiuto 20 anni). Il commento (scritto da una donna) precisava: "*die Schweizerbürgerinnen sind also von vornherein ausgenommen*" (le cittadine svizzere sono quindi escluse a priori).

Mio marito era un giovanotto di 25 anni, piuttosto introverso, di bell'aspetto, con grandi occhi verdi, espressivi, malinconici. Da parte materna proveniva da una famiglia ugonotta rifugiatasi in Svizzera nel Seicento. Aveva trascorso i primi dieci anni della sua vita a Zagabria dove il padre faceva il commerciante, ma l'azienda fallì e la famiglia si ristabilì nuovamente in Svizzera. Künzli non rideva spesso, ed era un peccato: la cosa gli donava. Quando rideva, il viso gli si illuminava. Era un uomo intelligente, leale e sincero, veritiero al punto di porsi il problema se la cortesia fosse compatibile con la sincerità. L'arte del compromesso non gli era congeniale. Non era "saggio". Amava il lavoro, la natura e i fiocchi d'avena.

Il pranzo di nozze lo preparò la signora Dezza. Volli che si facesse alla Cooperativa Socialista, al piano superiore, in quella saletta nella quale avevo assistito per lunghi anni alle lezioni di mio padre della Scuola Libera e che era stata testimone di tanti incontri clandestini tra profughi dei vari paesi. Brindammo sotto gli sguardi nobili e severi dei ritratti appesi alle pareti: di Giacomo Matteotti, Jean Jaures, Filippo Turati e Carlo Marx.

Tra i commensali vi era anche un rappresentante della nuova Italia, il Marchese Giorgio Benzoni nominato Console Generale a Zurigo dopo la liberazione di Roma e la formazione del governo Bonomi in cui erano rappresentati tutti i partiti – dai liberali ai comunisti. Giorgio Benzoni era l'unico diplomatico italiano finito in prigione per antifascismo. Si salvò per il rotto della cuffia; avrebbe dovuto essere fucilato insieme a Bruno Buozzi durante la ritirata della Wehrmacht da Roma. La presenza di Giorgio Benzoni al mio matrimonio, in qualità di Console Generale alla Copé, rappresentò per me il ponte che univa l'antifascismo in esilio a quello rimasto in Italia.

Ero diventata svizzera e avevo acquisito il diritto al lavoro. Trovai subito un impiego: avevo frequentato una buona scuola ed ero padrona di quattro lingue. Arnold Künzli, sposandomi, ultimò la sua tesi sull'angoscia e si laureò "summa cum laude", cosa piuttosto rara allora. Scelse il giornalismo. Dopo poco ci trasferimmo in Italia, lui come inviato di un quotidiano svizzero; io casalinga.

Avevo imparato a conoscere e ad amare l'Italia attraverso la nostalgia e la dedizione ad essa dei miei genitori. Gli italiani che avevo frequentato in esilio non erano "gli" italiani. L'impatto con il paese reale mi presentò un'immagine diversa di quella che mi ero fatta. Da un lato, mi inebriavano la bellezza della terra, il clima, la luce, il calore umano della gente, lo spirito beffardo del popolino; dall'altro, avvertii un qualunquismo diffuso – non solo riguardo alla politica –, una mancanza di senso civico, una esaltazione della furbizia come metodo di vita, che prima mi stupirono, in seguito mi addolorarono, per ultimo mi indignarono. "Gli" italiani che incontravo accidentalmente – nei luoghi pubblici, nei salotti, ai ricevimenti – non assomigliavano a quelli con i quali ero cresciuta io, quelli dell'esilio di Marsiglia e di Zurigo. Certo, ce n'erano come loro – ma erano una esigua minoranza. Anche nel mio paese continuavo a non essere del tutto "come gli altri" e l'Italia non era quella che aveva sognato. Ma sentivo in modo inequivocabile che le mie radici affondavano qui, in questo paese e non in un altro. Nel bene e nel male appartenevo ad esso ed esso mi apparteneva.

Alcuni giorni dopo il referendum del 2 giugno 1946 si diffuse nel paese la notizia del verdetto popolare. Mi trovavo a Roma. Stavo insieme a mio padre tra la folla esultante e commossa sotto al Viminale quando al balcone venne issata la prima bandiera della Repubblica Italiana: il tricolore senza lo stemma sabaudo. Il babbo mi abbracciò. Il suo sogno di repubblicano si era avverato.

A fatica ci aprimmo un varco tra la marea di gente festosa che cantava e applaudiva sventolando centinaia di bandiere – le prime della Repubblica nate spontaneamente: nei tricolori, al posto dello stemma di Savoia, c'era un buco.

9.

VALDO MAGNANI

Incontrai Valdo Magnani a Venezia, a piazza San Marco, di fronte alla Basilica, una mattina di febbraio del 1947. Faceva freddo, il cielo era grigio. Piazza, palazzi e calle erano avvolte in un lieve cappa di nebbia. Non avevo mai visto Venezia prima di allora.

Vi ero giunta al seguito di una delegazione del Fronte della Gioventù capeggiata dall'onorevole Antonio Giolitti su invito della Repubblica Federativa Jugoslava di Tito – a quel tempo ancora stalinista. Sulla piazza San Marco all'appuntamento della delegazione era arrivato anche il segretario della Federazione Giovanile Comunista, Enrico Berlinguer: un giovanottello magro, serio, ombroso, di 22 anni. La delegazione era composta, così mi dissero, di giovani appartenenti a tutti i partiti. Io vi ero stata inclusa come rappresentante dei giovani del Partito d'azione, cui avevo aderito da quando ero tornata a vivere a Roma con mio marito. La proposta di includermi nella delegazione era partita da Marisa Musu, dirigente dell'"Associazione Ragazze d'Italia" alla quale mi ero iscritta. L'allora Ministro degli Esteri Carlo Sforza sostenne con mio padre l'opportunità che in tale delegazione – la prima del resto autorizzata a varcare la cortina di ferro – figurasse una rappresentanza della gioventù che si era formata "nell'altra Italia". Mia sorella aspettava un figlio e venne automaticamente esclusa: andai io.

Künzli non ne fu entusiasta, e mio padre, per parte sua, si raccomandò che non mi facessi "mangiare il cervello" da quello che mi avrebbero fatto vedere in un paese comunista. "Pensa con la tua testa," era stata la sua ultima esortazione nel salutarmi.

La delegazione era composta di 17 giovani, di cui solo tre, ragazze. Valdo Magnani era nel gruppo, nonostante avesse 35 anni e avesse quindi superato l'età degli aderenti alla gioventù comunista. Mi dissero che era un funzionario del PCI di Reggio Emilia, incaricato della stampa e del coordinamento degli intellettuali. Era entrato nell'organizzazione clandestina del Partito comunista nel 1936, nel momento in cui il fascismo raggiungeva il più alto grado di consenso. Magnani era stato incluso nella delegazione perché tra l'altro conosceva bene la Jugoslavia e sin dal 1940 ne parlava la lingua. Dopo l'entrata in guerra dell'Italia era stato infatti destinato al fronte balcanico ed era passato poi, con l'armistizio del 1943, nelle file dei partigiani jugoslavi col grado di capitano. Valdo Magnani era fidanzato con una ragazza di Serajevo che aveva conosciuto durante la guerra di Liberazione jugoslava.

Il giorno stesso del nostro incontro ci riunì tutti in una stanza del piccolo albergo di Venezia in cui pernottammo e ci diede una lezione sommaria sulla Jugoslavia. "Che abbiate almeno una infarinatura." Notai la sua indignazione nell'accorgersi che tutti noi avevamo iniziato un viaggio senza nulla conoscere del paese che ci apprestavamo a visitare: né la sua storia, né il significato profondo della sua guerra di Liberazione che fu, contrariamente alla Resistenza italiana, come tenne subito a sottolineare Magnani, effettivamente una guerra di popolo contro gli occupanti italiani e tedeschi, ma anche una guerra civile contro i Cetnici, i rappresentanti di Draža Michailovic, della monarchia.

Emiliano, basso di statura, solido, con una bella testa da tribuno, tra i folti capelli già qualche filo bianco, Valdo Magnani parlava lentamente, pesava le parole, aveva una voce profonda, pastosa, a volte vibrante di passionalità tenuta sotto controllo. Era misurato nel suo modo d'esprimersi, mirava all'essenziale. Accompagnava e sottolineava spesso il suo pensiero o un suo stato d'animo con gesti delle mani: gesti mai bruschi, improvvisi o agitati: piuttosto, cenni ondeggianti, fluttuanti, calmi. Questa gestualità armoniosa era l'accompagnamento naturale del suo modo di esporre fatti e idee. Non mostrava mai di aver fretta. Era difficile, osservandolo, immaginarselo in combattimento, correre all'assalto fra il crepitio della mitraglia e il fischiare delle pallottole. Di militaresco non aveva nulla. Eppure aveva trascorso quasi dieci anni della sua vita sotto le armi. Dopo l'8 settembre 1943 aveva fatto parte di una divisione partigiana, la 29ma Divisione Erzegovese, al comando di un battaglione di italiani. Successivamente fece parte della Divisione Italiana Partigiani "Garibaldi".

Era stato decorato per le sue azioni di coraggio. Aveva anche fatto in tempo a prendere due lauree: una in scienze economiche e l'altra in filosofia. Aveva fatto l'insegnante. L'uomo mi incuriosiva.

Il viaggio della delegazione italiana durò un mese. Girammo la Jugoslavia in lungo e in largo. Ad ogni stazione gruppi di giovani comunisti jugoslavi accorrevano festosi per dare il benvenuto alla *italianska delegacija*. Ci mostravano con orgoglio, in ogni città, paese e luogo, le conquiste della loro rivoluzione popolare. Io notavo soprattutto le drammatiche tracce lasciate dalla guerra, le vetrine vuote, i negozi sguarniti, la gente vestita poveramente. Le donne, presenti dappertutto nei posti di lavoro, erano un segno tangibile di questa rivoluzione di popolo, e nel contempo riflettevano una nazione uscita dalla guerra duramente provata e tutta tesa in uno sforzo immenso collettivo per risollevarsi. L'uniformità della penuria e delle ristrettezze nel paese era manifesta, irrefutabile e contrastava con l'aspetto dell'Italia di allora, dove sotto gli occhi di tutti fioriva un mercato nero ricco di ogni ben di Dio – bastava pagarlo. Questo mercato nero italiano non era soltanto tollerato, ma addirittura ufficioso. Le strade e le piazze di Roma apparivano – nonostante la povertà di molti – piene di vita e di ragazze esuberanti, floride e belle nei loro vestitini variopinti. Il colore della Jugoslavia che vedevo io era invece prevalentemente il grigio. Non mi sembrava fosse solo una questione di stagione. Il viaggio attraverso i Balcani si rivelò istruttivo quanto faticoso. Si viaggiava sempre in treno, per ore, a volte per notti intere, in vagoni di terza classe, i sedili scomodi, i convogli lentissimi, a scossoni improvvisi tra uno sferragliare continuo.

Conversare distraeva e sembrava che i disagi si riducessero. Magnani incominciò col chiedermi da dove venissi. Io volli sapere di lui. Proveniva da una famiglia di artigiani di tradizioni socialiste. Aveva due fratelli, uno dei quali sacerdote. "Meglio i preti che i fascisti," diceva ai figli il padre di Magnani benché fosse di solide tendenze anticlericali. Il bisnonno di Valdo, Giuseppe, era anche lui artigiano e lavorava in ferramenta, armigero del Duca Francesco V di Este-Asburgo. Nel 1859, in seguito ai moti rivoluzionari e alla conseguente caduta del Ducato, i soldati vennero licenziati. Il bisnonno perse quindi il posto, ma non si scoraggiò. Dalla manutenzione di sciabole e spade passò alla loro trasformazione in arnesi per contadini: era un fabbro esperto ed escogitò un trattamento termico particolare che gli consentiva di temprare la lega speciale, di cui erano fatte sciabole e spade fino a convertirla in acciaio adatto a utensili agricoli, prevalentemente falci. La famiglia Magnani raggiunse così, grazie al bisnonno fabbro, una certa agiatezza.

Valdo era, come i fratelli, di formazione cattolica. Sino ai 18 anni aveva militato nell'Azione Cattolica cittadina diventandone un dirigente giovanile. Dai racconti di Magnani appresi molte cose: era un appassionato di musica, amava i lirici greci, l'arte barocca, i classici della letteratura, i romantici tedeschi in particolare. Mi parlò di Erodoto. Mi raccontò che a Babilonia, nel periodo di massima fioritura, arrivavano rifornimenti dal Nord. Erano gli Armeni, allora, al Nord. Usavano portare le mercanzie lungo l'Eufrate, caricandole su navi costruite tonde come scudi, con la sola intelaiatura in legno e le pareti di pelli. Caricavano anche un asino sulla rotonda nave di cuoio, e discendevano la veloce corrente. Giunti alla città vendevano le merci e il legno dell'intelaiatura delle navi, poi caricavano le pelli sull'asino e ritornavano al paese via terra, giacché sarebbe stato impossibile risalire in senso contrario una corrente così impetuosa. Piaceva molto a Magnani questa storia tramandata da Erodoto: "Si fa una nave anche per un solo viaggio, anche se si consuma presto, come la vita che consumata tutta deve essere per viverla," disse.

I treni delle Repubbliche socialiste jugoslave viaggiavano a rilento; facemmo così in tempo durante quel viaggio a coprire con i nostri racconti reciproci tutto l'arco dei suoi 35 e dei miei 21 anni. Magnani mi parlò di Kruniza, la sua fidanzata serba. L'aveva conosciuta nella primavera del 1943 a Trebinje, in Erzegovina, nella casa dove gli era stata assegnata una stanza per il suo alloggiamento come capitano d'artiglieria dell'esercito italiano. Kruniza, così mi raccontava Magnani, aveva allora 18 anni, era bella, bionda con grandi occhi glauchi, una istruzione medio-alta – soprattutto se paragonata alle sue coetanee che vivevano in quegli anni nei villaggi dell'Erzegovina –, disinteressata alla politica. Viveva sola con la madre vedova. Il carattere di Kruniza – mi faceva capire Magnani – era pieno di contrasti, di voluttà, di arresti improvvisi, di dolore e di infantili certezze. Magnani fu preso da passione per lei. La madre di Kruniza, Lela – una donna tanto solida di qualità morali quanto fragile di salute – aveva simpatie comuniste e per questo era già stata arrestata dagli Ustascia ed aveva passato un certo periodo in carcere. Tra lei e Magnani si era subito stabilita una sorta di complicità, in quanto lui non le aveva nascosto le proprie idee politiche. Insieme di notte, ascoltavano la radio clandestina in italiano e in serbo, e fu proprio così che la notte del 25 luglio 1943 appresero la caduta di Mussolini.

Magnani ricordò come la notizia avesse fermato per alcune ore il tempo e le cose, poi come tutti i soldati si fossero riversati nella via principale della cittadina e si fossero affollati in massa intorno all'altoparlante della piazza. Ma niente accadeva: "I generali, i comandi vivevano della forma e dell'esteriorità che sempre li avevano accompagnati da quando esistevano," commentava Magnani. La frase fatidica di Badoglio, "la guerra continua" aveva gettato allo sbaraglio tutti i soldati italiani, ma soprattutto coloro che si trovavano in quel momento in terra straniera come occupanti. "Ciò che tutti confusamente sentivano era una cosa che avevano sempre saputo, ma che ora diventava di una attualità carica di vicinissime conseguenze fatali: tutti quegli uomini che erano nella cittadina da anni, che si erano installati nelle case, che avevano anche stretto amicizie, amori, contratto abitudini – erano stranieri," raccontava Magnani. "Il loro transitare da Trebinje era ormai finito. Era sottinteso ciò che divampava nell'animo di tutti quegli uomini: l'urgenza di ritornare in patria, che era una profonda necessità di ritrovare se stessi, giacché tutto intorno si sgretolava e li spingeva alla fuga dalla cittadina. I soldati parlavano dell'imbarco, delle loro famiglie, della pace, di ciò che stava accadendo in Italia. La mamma di Kruniza era certa della pace vicina e quasi già triste per la partenza della figlia per l'Italia." Io chiesi a Magnani perché non si era sposato subito, in Jugoslavia. Mi guardò stupito: "Dato che un delitto – la guerra – mi aveva portato nella cittadina, in me vi era la decisione, sempre chiaramente pensata ed espressa e mai messa neppure intimamente in discussione, che il matrimonio doveva avvenire a pace conclusa." Magnani sarebbe tornato per questo dall'Italia. Le due donne, Kruniza e Lela, erano pienamente d'accordo con lui ed egli si apprestava a mantenere la parola data.

I viaggi scomodi e lunghi si susseguivano e noi continuavamo a raccontarci reciprocamente noi stessi. Magnani sorrideva quando gli parlavo di mio padre e dei suoi metodi pedagogici; capii che li riteneva un po' bizzarri. Ma sorvolò. Non ebbe invece remore nel manifestare il proprio punto di vista allorché gli riferii quel che asseriva mio padre sul problema del rapporto tra l'uomo e il cibo: "si mangia per vivere e non viceversa". Da buon emiliano Magnani aveva la cucina nel sangue: l'apprezzava, la gustava, la riteneva un'arte che si aveva il dovere di trasmettere ai propri figli. Magnani, mi accorsi presto, era, oltre che amante, anche intenditore di cucina. Preferiva quella schietta e semplice: sughetti pasticciati e salsette eccessivamente elaborate "falsificano la vivanda e confondono il palato," spiegò mentre il treno sferragliava tra le campagne slovene semideserte. "L'animale si nutre, l'uomo mangia," continuò Magnani citando Brillat-Savarin. Da come ne parlò ritenni lì per lì che il nome fosse quello di un filosofo importante o addirittura fondamentale: e mi meravigliai che mio padre non lo avesse mai nominato. Ma Valdo Magnani era un "gourmet" raffinato. Il nesso tra gastronomia e cultura gli stava molto a cuore, quasi come a Giuseppe Delogu. La riuscita di un piatto, a sentire Magnani, dipendeva in gran parte dal rapporto che si instaura tra il cibo e chi lo cucina. Era insomma una questione di carattere, di temperamento, di spirito. "Come fai ad accorgerti quando un tortello (così a Reggio chiamano il raviolo ripieno di ricotta e spinaci) è cotto al punto giusto?" mi chiese Magnani a bruciapelo. Non mi ero mai posta la domanda. Risposi: "l'assaggio." "Bocciata!" decretò Magnani trionfante e montò in cattedra: "Bisogna infilzare un tortello con una forchetta, sollevarla in aria all'altezza degli occhi e osservare il tortello attentamente. Le falde del tortello non devono né rimanere rigide – significherebbe che esso è ancora crudo – né afflosciarsi – sarebbe scotto – bensì esse devono... vibrare!" Perché afferrassi bene il concetto, scostò le mani dal corpo in un gesto quasi maestoso, fece palpitare con un lieve fremito ogni singolo dito, imitando così le vibrazioni che avrebbero dovuto produrre le falde di un tortello cotto al punto giusto, infilzato su una forchetta tenuta in alto.

Ai primi di marzo il viaggio della "italianska delegatio" nella Jugoslavia di Tito era giunto al termine. Ci salutammo tutti alla stazione di Lubijana. La delegazione si divise: una parte – con Valdo Magnani – proseguì il viaggio ancora per una decina di giorni, l'altra con Antonio Giolitti tornò a Roma.

Dopo un mese di vita collettiva tutti noi componenti della delegazione ci abbracciammo allegramente ripromettendoci di rivederci in Italia. Magnani ed io ci salutammo per ultimi sul marciapiede della stazione, davanti al treno. Ci guardammo, esitammo un attimo e ci stringemmo la mano. Unici del gruppo – non ci abbracciammo. Fu quell'attimo di ritegno a rivelarci il sentimento che era nato tra noi. Salii lesta sul treno: a Roma mi attendeva mio marito. Magnani proseguì verso Serajevo per raggiungere la sua fidanzata. Non mi voltai a guardare dal finestrino.

Poco tempo dopo il mio ritorno dalla Jugoslavia a Roma, la direzione del giornale "National-Zeitung" di Basilea propose a Künzli di trasferirsi a Londra in veste di corrispondente. Io ero felice all'idea. Mi era rimasta la voglia di "trasferimento" che avevo sin da bambina. Non era tanto la voglia di viaggiare, che provavo, quanto quella di un cambiamento di residenza con armi e bagagli, per vivere in un paese nuovo e imparare a conoscerlo. Künzli non sapeva l'inglese, ma accettò l'incarico. Passò quindi tutto il torrido mese di luglio del 1947 chiuso in uno stanzino a via Claudio Monteverdi, dove abitavamo anche con i miei genitori, chino sui libri d'inglese, con la luce accesa perché le persiane rimanevano accostate fino a sera a causa del calore esterno. Non vidi mio marito quasi mai durante quel mese. Quando egli uscì da quella specie di bagno turco permanente, sapeva l'inglese. Partimmo.

Dell'Inghilterra a me piacque subito tutto: la gente, lo spirito, il paesaggio, la città, il modo di vivere, il clima. L'esperienza dell'"austerity" mi conquistò per sempre. Corrispondeva al mio modo di intendere la giustizia e il senso civico. Di fronte a tutto questo, l'obbrobrio che gli inglesi si ostinano a chiamare "food" mi lasciava del tutto indifferente. E nello squallore dei "Lyons Corner House", dove i londinesi facevano la fila per conquistarsi una tazza di tè e qualche sandwich di colore squillante – genere "pink" – e dal ripieno alquanto dubbio, io scorgevo un tocco di poesia. Künzli non riusciva a seguirmi in questo mio entusiasmo; s'irritava.

Le porte delle case e quindi del mondo inglese mi si aprirono grazie soprattutto a due persone fuori del comune: Elizabeth Wiskemann e la baronessa baltica Moura Budberg. La prima era una storica di fama internazionale. Durante la guerra era stata in Svizzera in missione speciale per il Foreign Office. Nell'ambiente italiano della Svizzera aveva fatto amicizia in particolare con Giuseppe Delogu, Silone e la famiglia di Egidio Reale. In casa, io avevo sentito spesso parlare di questa fantomatica "Elisabetta", come la chiamava Pippo Delogu, ma stranamente non ci eravamo mai incontrate.

Quando la conobbi io, Elizabeth era una donna sui cinquant'anni, magra, anzi segaligna, occhialuta, un viso precocemente segnato dalle rughe eppure giovanile, quasi birichino a volte nel suo sorriso arguto. Era lesta nell'afferrare le situazioni quanto nei movimenti; era di spirito vivace, sempre pronto, di un brio volutamente trattenuto.

Si vedeva che era stata carina, ed era tuttora attraente. Elizabeth amava ascoltare, faceva parlare gli altri e per questo motivo aveva fatto suo un tratto poco inglese, l'unico poco inglese che le conoscessi: poneva domande. Si era laureata in storia a Cambridge e dopo la guerra aveva insegnato storia europea moderna all'università di Edimburgo e all'università del Sussex. Gli amici inglesi mi riferivano che Elizabeth aveva iniziato la carriera avendo due vantaggi indispensabili: un'intelligenza eccezionale e pochi soldi.

Elizabeth aveva vissuto in Germania durante gli ultimi anni della Repubblica di Weimar e i primi del nazionalsocialismo. Era "liberal", amava la verità e la libertà sopra ogni cosa. La Gestapo l'arrestò a Berlino nel 1935 in seguito alle sue coraggiose corrispondenze apparse su "The New Statesman and Nation": venne espulsa dal Terzo Reich e inclusa nella famigerata "lista nera". Nel febbraio del 1936 la "Bayerische Politische Polizei", la polizia politica bavarese, diramò alle "Grenzpolizei – und Grenzkontrollstellen" una nota in cui si informava che "... alla metà e alla fine di luglio 1935 apparvero sul giornale inglese 'New Statesman and Nation' – proibito sul territorio del Reich – due suoi articoli in cui il Reich tedesco e il nazionalsocialismo vengono insultati e diffamati in modo inaudito. Si presume che la Wiskemann prossimamente rientri in Germania. Si avvisino immediatamente le autorità competenti qualora la scrittrice dovesse presentarsi alla frontiera, senza tuttavia impedirle l'entrata in Germania."

Elizabeth non si era mai voluta sposare, e questo aveva a che fare con quel suo particolare amore per la libertà e l'indipendenza. Per me rappresentò il prototipo della donna emancipata, anche se di emancipazione femminile non la sentii mai parlare. Mi rivelò un giorno il suo pensiero: non si poteva conoscere veramente un popolo o la sua storia se non si era stati in rapporto con uno dei suoi rappresentanti. Avevo 22 anni e giudicai Elizabeth piuttosto ardita. Con discrezione andai a contare quanti volumi di storia aveva pubblicato. Rimasi allibita. A parte la Germania e l'Italia – il volume "L'Asse Roma-Berlino" è tuttora annoverato tra i classici inglesi della "Contemporary History" – Elizabeth aveva analizzato le condizioni politiche dell'Austria, della Cecoslovacchia, della Romania e della Polonia.

Quanto a "emancipazione", anche l'altra persona che mi introdusse nel mondo britannico, la baronessa Budberg, non scherzava. Le fui presentata da Elizabeth e venni quindi introdotta nel suo salotto a Ennismore Gardens, dove la baronessa riceveva ogni settimana. Sapevo che era stata la compagna – gli inglesi dicevano senza alcuna malizia "the lover" – di G.H. Wells e di Maxim Gorki. Precedentemente aveva avuto anche due mariti legittimi, come lei usava esprimersi. Ricca di fascino più che di bellezza, il suo viso largo a zigomi alti, gli occhi chiari dallo sguardo calmo, la carnagione bianchissima irradiavano serenità. La distinzione di Moura derivava dallo charme e dall'alone di mistero di cui ella sapeva circondarsi. Amava essere al centro dell'attenzione e ci riusciva. La sua vita tumultuosa e avventurosa si era svolta nell'arco di tempo che si estende dalla Russia prerivoluzionaria all'Europa tra le due guerre; questo le aveva fornito l'occasione di incontri con persone eccezionali e lei ne aveva ricavato una ricca aneddotica. Ne ebbi subito un saggio. Durante quella prima visita a Ennismore Gardens appresi che Moura aveva conosciuto Sigmund Freud e ne era diventata amica. Raccontò divertita ad un giovane psicoanalista presente che un giorno a Vienna lei se ne stava con il famoso maestro seduta su una panchina situata nei pressi dell'abitazione di Freud alla Bergstrasse. D'improvviso, il piacevole conversare si interruppe: Freud aveva scorto in lontananza una coppia, un uomo e una donna che si stavano muovendo di pari passo nella sua direzione. Raccontava Moura che Freud si alzò lentamente, dando evidenti segni di insofferenza e commentando a fior di labbra: "... La devo lasciare, Moura. Vede quei due? Vengono da me affinché io scopra perché non vanno d'accordo. Ma," continuò borbottando e scuotendo il capo, "come faccio io, a saperlo?"

Moura era molto indulgente e pietosa verso i difetti degli esseri umani, con una eccezione: non perdonava la noia. Ne parlava come di un peccato mortale. Per mia fortuna non mi giudicò noiosa per cui ebbi il privilegio di entrare a far parte della cerchia delle sue amicizie nonostante la differenza di generazione.

Nell'aprile 1948 il mondo politico intero guardava all'Italia. Tra le centinaia di giornalisti stranieri inviati in loco per seguire le elezioni del primo Parlamento italiano vi era anche Arnold Künzli. Si era in piena guerra fredda. Mio padre – passato al Partito socialista dopo lo scioglimento del Partito d'azione – era candidato al Parlamento. Ero presente quando circa un mese prima delle elezioni, mio padre ricevette da Bergamaschi, il responsabile dell'Ufficio Quadri Segretario Provinciale del PSI di Ancona – il collegio elettorale di mio padre – un biglietto, in data 10 marzo 1948, con il quale lo si pregava di sottoscrivere le due dichiarazioni allegate "ritornandole a questo Ufficio con la massima urgenza per l'ulteriore rimessa all'Ufficio Quadri della Direzione centrale". La prima dichiarazione era rivolta alla direzione del PSI a Roma: "[...] *con la presente dichiarazione il sottoscritto solennemente si impegna, così in caso di sua elezione, come di mancato successo, e espressamente nell'esercizio del mandato parlamentare per il caso che gli venga affidato dall'esito della votazione, ad osservare scrupolosamente e ad attuare le direttive e le decisioni del Partito e per esso dei suoi organi dirigenti responsabili, si impegna a contribuire allo sforzo e alla attività del Partito con la propria attività personale, con il proprio tempo, con i propri mezzi; si impegna a rinunciare al mandato qualora gli sia richiesto dal Partito.*" Fu la seconda dichiarazione allegata a sorprendere mio padre. La lettera (non datata) che mio padre avrebbe dovuto sottoscrivere e che dava per avvenuta la sua elezione a deputato del PSI per la I legislatura, era così formulata:

Al Signor Presidente della Camera dei Deputati

Il sottoscritto Schiavetti Fernando, Deputato eletto per la circoscrizione delle Marche, prega la Camera dei Deputati di voler accogliere le sue dimissioni da Deputato. Egli si vede costretto a rinunciare al mandato che gli fu affidato dalla fiducia degli elettori per gravissimi motivi personali, sui quali prega l'Assemblea di lasciare a lui l'esclusivo giudizio. Confidando che le sue dimissioni saranno accettate ringrazia i colleghi e Lei On. Signor Presidente. Roma... (data in bianco)

A mio padre quella lettera non piacque. "Figuriamoci se firmo," disse scherzando e se ne andò. Infatti quella lettera non la sottoscrisse mai. Solo due mesi prima era avvenuto il colpo di stato dei comunisti che condusse la Cecoslovacchia ad allinearsi definitivamente alle direttive di Stalin, senza che i socialisti cecoslovacchi si fossero opposti. Per me quella lettera, presumibilmente inviata a tutti i candidati socialisti del Fronte Popolare, era inquietante. Mio padre si limitò a dirmi che non avrebbe mai sottoscritto una tale dichiarazione. Io ne dedussi che al di sopra della disciplina di partito egli poneva la sua coscienza. Sta di fatto che mio padre non venne eletto in Parlamento, e fu quella l'unica volta che non lo fu.

Anche Valdo Magnani, come avevo letto per caso su "l'Unità", era candidato alle elezioni – naturalmente per il PCI. Io non avevo avuto più alcun contatto con lui da quando ci eravamo lasciati alla stazione di Lubjana.

La guerra fredda aveva infuocato il clima politico e sociale in Italia, il paese era spaccato in due, la campagna elettorale incandescente, dominata dall'urto frontale tra Democrazia cristiana e Fronte popolare, cioè il blocco socialcomunista. "Dio ti vede e Stalin no", esortava lo slogan democristiano più popolare che si rivolgeva al votante nel segreto della cabina elettorale. Tra il popolino comunista si diffondeva invece la frase detta a mezzavoce o a fior di labbra "... ha da veni', Baffone!", che esprimeva, sinteticamente la speranza che un giorno "Baffone", cioè Stalin, sarebbe finalmente arrivato a sistemare le cose anche in Italia. Durante la campagna elettorale scese in campo persino Pio XII in prima persona: "Con Cristo o contro Cristo," disse testualmente nel suo discorso di Pasqua. I parroci nelle chiese ricordavano la scomunica ai comunisti e ai loro alleati. Molti sacerdoti erano comunque meno radicali nelle loro prediche, più "accomodanti", come quel prete che udii dal pulpito nella Basilica di San Giovanni in Laterano. Si rivolgeva alle donne, ricordando loro che anche nel caso i loro mariti o i loro figli o i loro padri votassero per il Fronte, non tutto era perduto, perché esse – le mamme, le sorelle, le mogli, le figlie – potevano salvare i loro uomini. Insomma, sarebbe stato sufficiente il loro voto per preservarli dal finire all'inferno. Non era poco.

Nella capitale centinaia di migliaia di manifesti coprivano le facciate dei palazzi romani: raffiguravano in prevalenza l'effigie di Garibaldi, simbolo elettorale del Fronte, e lo scudo crociato, emblema della Democrazia cristiana. Migliaia di manifestini di vario colore esortavano gli italiani: "il Fronte vince – vota Fronte!" Mi parve un pessimo slogan. Esso faceva leva sull'opportunismo degli elettori. Ero indignata. Centinaia di automobili con altoparlanti montati sul tettuccio diffondevano dalla mattina alla sera gracchianti slogan elettorali. Affollatissimi i comizi quotidiani nelle piazze di Roma. La sera, in piazza Colonna, in piazza Esedra e in tante altre piazze capannelli di gente – incitata dagli agit-prop – discuteva con foga sino a notte alta se stare "al di qua o al di là della cortina di ferro" – come dicevano i democristiani, o essere "per la pace o per la guerra" – come asserivano quelli del Fronte. Io mi mischiavo tra la gente: dopo aver sperimentato a Londra l'impassibilità inglese nelle discussioni politiche – seguivo rapita i focosi diverbi. Non di rado intervenivano delle camionette della "Celere", che piombavano all'improvviso nel mucchio seminando panico e provocando un fuggi fuggi generale.

Il 18 aprile 1948 segnò una data storica della Repubblica italiana: il trionfo della Democrazia cristiana e la dura sconfitta del Fronte socialcomunista. "Vittoria della libertà e della civiltà occidentale," la definirono gli anticomunisti. "Vittoria clerico-moderata e della restaurazione," scrissero gli sconfitti. Il mondo occidentale tirò un sospiro di sollievo.

Mio padre, non eletto, tornò a fare esclusivamente il giornalista. Valdo Magnani, lo appresi dalla stampa, entrò in Parlamento con un numero assai alto di voti preferenziali. Venne a Roma per l'apertura del Parlamento e mi cercò per telefono. Avevo pensato spesso a lui e il fatto che mi cercasse mi rallegrò. Gli chiesi subito di Kruniza; mi rispose: "è morta." Prendemmo un appuntamento: piazza del Popolo, caffè Rosati. Magnani mi accolse con un franco sorriso e con la naturalezza di chi si è lasciato la sera prima. Riprendemmo così il nostro dialogo al punto in cui lo avevamo sospeso in Jugoslavia, riassumendo ciascuno le vicende personali intercorse nel frattempo. Mi raccontò di essersi sposato con Kruniza e che lei era morta poco dopo senza averlo potuto mai raggiungere in Italia. Tagliò corto sull'argomento e io non posi le domande che avrei voluto porre. La madre di Magnani, della quale durante il nostro viaggio balcanico egli mi aveva parlato con accenti di particolare affetto e di alta considerazione, era scomparsa di recente. Notai il suo turbamento. Raccontò di essersi gettato anima e corpo nella politica, non senza rimpianti; ma la situazione lo esigeva, disse. A mia volta gli parlai del mio trasferimento a Londra con mio marito, della mia esperienza in un paese guidato da laburisti, del mio entusiasmo per "l'austerity". Non si meravigliò affatto. Gli dissi che il giorno seguente sarei ripartita per Londra e gli diedi il mio indirizzo: 21, Platt's Lane. Era la casa in cui Jan Masaryk – amico di Moura Budberg e Elizabeth Wiskemann tra l'altro – aveva abitato durante il suo esilio londinese. Accennai al colpo di stato comunista a Praga e alla tragedia di Masaryk trovato cadavere nel cortile del Ministero da lui presieduto, una settimana dopo la presa del potere da parte dei comunisti a Praga. Magnani non fece alcun commento, mi sembrò ottenebrarsi e tra noi cadde un attimo di silenzio. Passò una fioraia con un enorme cesto di garofani rosa. Magnani scelse con meticolosità tra i mazzi quello più profumato e me lo porse.

Le vacanze estive le passavo, come sempre ormai dopo la fine della guerra, nella casa di Antignano insieme ai miei genitori. Mio marito era rimasto a Londra; soffriva il caldo e preferiva – da provetto sciatore – prendere le vacanze in inverno e andare a Davos. Il nonno Ercole era morto subito dopo la Liberazione – il mio adorato nonno Chino poco prima – e la nonna Jole camminava più lentamente, meno impettita, ma il suo sguardo era rimasto severo e fermo. Il cancello che separava il giardino della villa dall'aia dei contadini rimaneva ormai sempre spalancato. Il mulo che girando su se stesso faceva salire l'acqua dal pozzo era stato sostituito con una pompa elettrica. La sera io andavo a giocare a carte nella grande cucina dei contadini ai quali mio padre aveva tassativamente proibito di chiamarlo "signor padrone".

"Arrivo stazione Livorno ore 15.30," telegrafò Valdo Magnani. Da quando ci eravamo rivisti a piazza del Popolo ci scrivevamo: sapeva perciò che avrei passato le vacanze ad Antignano. Andai a prenderlo alla stazione. Presentai Magnani a mio padre – la mamma quel giorno era assente. In virtù dei miei racconti ognuno dei due uomini sapeva tutto dell'altro. Mi parve di avvertire in loro un lieve imbarazzo reciproco al momento in cui si videro, dovuto al fatto, pensai, che si conoscevano già senza essersi mai incontrati, oppure ad altre ragioni che mi sfuggivano. Fu un imbarazzo che mio padre superò immediatamente mettendosi a parlare di politica: "A Parigi, quando ero in esilio, conobbi un certo Pietro Magnani, è un tuo parente?" "È mio zio, fratello di mio padre," rispose Valdo, "era socialista ed emigrò nei primi anni Trenta in Francia. Faceva parte della Lega dei Diritti dell'Uomo, e fu tra i designati – insieme a Pietro Nenni, Modigliani e ad altri, e delegato del Congresso contro la guerra abissina nel 1935." Mi sorpresi ad essere lieta di questa coincidenza. La vidi come un elemento di saldatura tra le nostre due famiglie.

Un mese prima l'Unione Sovietica aveva lanciato la clamorosa scomunica contro Tito e i comunisti di tutto il mondo si erano subito allineati con la posizione russa. Il fatto aveva suscitato una profonda impressione, particolarmente nell'ambito della sinistra italiana. Magnani aveva combattuto insieme ai partigiani jugoslavi ed era naturale che mio padre gli chiedesse un giudizio in merito alla questione, anche se allora un comunista, per di più deputato, non poteva mettere in dubbio neppure con se stesso la linea ufficiale del partito. Nel rispondere Magnani fu cauto, ma non troppo, tanto che mio padre non appena Magnani fu ripartito, mi disse: "se questo tuo amico racconta in giro a proposito della Jugoslavia quello che ha detto qui, andrà incontro a guai seri."

Magnani mi propose di fare una passeggiata in riva al mare. Passammo dal paese. La scritta mussoliniana "Noi tireremo diritto", che aveva attirato la mia attenzione quando ero bambina, era stata cancellata, ma ora riaffiorava sbiadita sotto l'intonaco del muro. La stradina che conduceva al mare era tuttora polverosa e davanti alle cucine che davano sul vicolo le donne erano intente a fare la conserva di pomodori. Oramai io conoscevo tutti in paese e gli antignanesi mi salutavano allegramente, non in quel modo ossequioso, "borbonico" lo definiva il babbo, con il quale avevano riverito a suo tempo mia nonna quando passava con noi per condurci al mare. Magnani si fermò a parlare con le donne che su fornelli improvvisati facevano bollire i pomodori in grandi recipienti di latta e chiese notizie della raccolta, e fece domande sul prezzo dei prodotti, sul salario dei braccianti agricoli, ecc. Notai che gli interessavano soprattutto le loro condizioni, non le loro idee politiche o la loro psicologia. Girellando per le stradine di Antignano, sempre senza fretta come era abitudine di Magnani, giungemmo fino al mare, nel punto in cui da bambina la nonna mi inchiodava immobile sotto il sole. La cabina dei signori di allora non c'era più, la spiaggia – mancava poco al tramonto – era deserta. Ci mettemmo a sedere su uno scoglio appena lambito dall'acqua e dopo un lungo silenzio, con voce calma: "... Mia moglie non è morta," disse Magnani. Mi parve che la quiete intorno a noi si fosse fatta improvvisamente più profonda. Solo il tranquillo sciabordio delle onde accompagnava il racconto di Magnani: si era sposato con Kruniza a Serajevo nell'autunno del 1947. Ma subito dopo il matrimonio lei si era rifiutata di seguire in Italia l'uomo con il quale si era appena unita. Magnani, in coerenza col proprio carattere, non chiese nulla. Ripartì il giorno seguente, solo, distrutto. Al momento del commiato Kruniza gli disse che l'avrebbe raggiunto, da sola, più tardi.

Magnani giunse a Trieste in preda allo sconforto. Non sapeva cosa fare. I visti, ottenuti del resto grazie al Partito comunista italiano e al proprio passato di partigiano in Jugoslavia, gli avrebbero consentito di ritornare a Serajevo e cercare di riconquistare la donna per la quale provava passione. Fu tentato di farlo. Trascorse su una panchina ore di disperazione. L'aggancio che trovò per risalire dal pozzo dell'angoscia fu la consapevolezza che l'impegno politico, inteso da lui come impegno morale, non poteva che precedere ogni cosa. Non tornò indietro. "Ho alzato il ponte levatoio," mi disse, e legò la frase a un episodio di cronaca feudale: "nel XII secolo in Fiandra, a una 'noble dame' erano stati uccisi il marito e i figli. La vendetta era un'obbligazione sacra e ad essa si dedicò la 'noble dame' assieme ai suoi parenti e vassalli. Un sant'uomo, il vescovo di Sopissons, 'vint prêcher la reconciliation'. Per non udirlo, la vedova fece alzare il ponte levatoio. Un gesto che traduce materialmente l'atteggiamento di chi è dominato dalla passione. Così io," precisò Valdo, "alzai tutti i ponti levatoi che collegavano con la ragione l'esperienza quando non tornai a cercare Kruniza."

Magnani andò invece a Reggio, dove tutti – familiari amici compagni – l'attendevano gioiosamente per festeggiare gli sposi. Disse loro solamente "Kruniza verrà dopo," come lei gli aveva suggerito. Ma due settimane più tardi ricevette un telegramma da Jela, sua testimone di nozze: "Kruniza è morta". Magnani credette a questa notizia per quanto suonasse strana e inattesa e tutto il suo "entourage", sia quello familiare che quello politico, gli si strinse intorno partecipe e solidale. Alcune settimane dopo, un'altra lettera di Jela capovolgeva la situazione: Kruniza non era morta, stava bene e viveva con un altro uomo, non sarebbe mai andata in Italia a raggiungere Magnani, col quale, a suo dire, si era sposata per adempiere ad una promessa fatta alla madre prima che questa morisse. Valdo non credette a questa giustificazione, e le offrì il divorzio. Lei non rispose mai. Stranamente anche la polizia jugoslava ne aveva perso ogni traccia. Il mistero dell'ambiguo comportamento di Kruniza rimase inviolato. Magnani non parlò mai con nessuno dell'ultima puntata di questa vicenda. Rimaneva per tutti vedovo, come per un certo tempo aveva creduto lui stesso. Io non gli posi allora la domanda che mi stava in gola: "Perché lo racconti a me?"

Il sole era ormai tramontato e si era levato un venticello che faceva stormire i cespugli di oleandri rosa e bianchi lungo la costa. Ci alzammo in silenzio per far ritorno a casa. Il cancello del villino era chiuso e così attraversammo quello dei contadini. Le donne – la Rita e la Settima – stavano sedute sotto il grande fico tra montagne di pomodori, insieme ad alcuni braccianti. Sistemavano con cura un pomodoro dopo l'altro nelle grandi casse di legno: sotto, quelli di qualità inferiore, sopra, i più belli e lustri; il mattino dopo, all'alba, gli uomini li avrebbero portati al mercato generale di Livorno. Uno sciame di ragazzini allegri si rincorreva giocando a chiapparello tra i pomodori. I contadini discutevano animatamente di Togliatti. Erano tutti comunisti livornesi, ma non era la linea del partito che interessava loro in quel momento, era la relazione amorosa del loro capo carismatico, diventata di dominio pubblico dopo l'attentato da lui subito alcune settimane prima. Togliatti era regolarmente sposato con una vecchia compagna e il fatto che egli avesse una giovane "amante", come usavano dire allora con accento perbenistico anche numerosi comunisti, indignava molti. "È vero che Nilde Iotti è 'l'amante' di Togliatti?" chiesi a Magnani. "La Iotti è mia cugina," rispose lui.

Andai nella grande cucina, ormai priva delle scintillanti pentole di rame di una volta, a preparare la cena. Il babbo non ammetteva che si cucinassero cibi speciali quando arrivavano ospiti: definiva simili usi "bischerate piccoloborghesi". Mi attenni ai suoi ordini e aggiunsi al riso freddo già cotto solo maionese. Al momento di mescolare il riso mi venne da starnutire. Portavo, come andava di moda allora, alcuni fili di minuscole perle stretti intorno al collo; per l'improvviso sforzo dovuto allo starnuto i fili della collana si ruppero e tutte le perline ruzzolarono nel riso. In perfetta simbiosi di colore e dimensione con i chicci di riso, fu impossibile ripescarle tutte. Avvertii mio padre che mi toccava servire, mio malgrado, un piatto speciale: il riso alle perle. Il babbo manifestò la sua disapprovazione chiamandomi "brocciona", tuttavia, in coerenza con la sua teoria socratica del "si mangia per vivere e non viceversa", deglutì disciplinatamente anche le perle. Magnani diede l'impressione di non accorgersi di nulla, sembrò assorto in ben altri pensieri. Il babbo lo giudicò "un giovanotto in gamba anche se un po' professorale".

Con Valdo continuammo a scriverci regolarmente. L'anno seguente tornò a farmi visita ad Antignano e conobbe la mamma. Provò per lei tenerezza e simpatia. Notai come egli avesse per le donne, per le donne in generale, un'attenzione particolare, un misto di ammirazione, stima e fede nei loro valori insostituibili. Questo atteggiamento gli derivava in parte dal suo felice rapporto con la madre e in parte dal fatto che nella sua terra, l'Emilia, le donne sono il fulcro della casa.

Valdo aveva noleggiato una "Vespa" e insieme ci spingemmo fino a Pisa lungo le rive dell'Arno e a Lucca tra ombrosi viali fiancheggiati da pini secolari. Dalle vicine trattorie echeggiava la canzone di allora: "Lo sai che i papaveri son alti, alti alti..." Fu fatica sprecata cercare di indurre Valdo a "Wandern", era un termine a lui caro, ma solo in letteratura: amava la natura, "ma da seduto", come precisava. Dalla guerra partigiana, che in Jugoslavia era stata in gran parte una estenuante "guerra di movimento" per sfuggire ai tedeschi o agli Ustascia, gli era rimasta una avversione per le marce. Mi raccontò che più volte, al limite dello sfinimento per quelle scarpinate attraverso la Bosnia o il Montenegro, svoltesi per giunta in condizioni di fame e sete, aveva giurato a se stesso: "se esco vivo da questo inferno non farò più un passo a piedi." Mantenne la parola.

Qualcosa di molto importante era frattanto avvenuto tra Valdo e me: stavamo bene insieme, non avevamo solo interessi ma anche gusti in comune, guardavamo nella stessa direzione: ci amavamo. Credo che la cosa fosse già avvenuta da tempo ma, a differenza di prima, ora ne eravamo consapevoli.

Le mie vacanze erano finite, ripartii per Londra con molte esitazioni interiori: io ero sposata e la mia educazione mi aveva insegnato a prendere sul serio il matrimonio e i sentimenti, anche quelli altrui. Salutandoci alla stazione di Livorno – io ero già salita sul treno e stavo affacciata al finestrino – sentii Valdo dire: "... ricordati che sei la mia fidanzata." "Ma io sono sposata," feci in tempo a rispondergli. "Lo so. Aspetto," sorrise Magnani, mentre il treno si era già messo in moto. Non ci eravamo dati ancora un bacio.

Continuammo sempre a scriverci. La fitta corrispondenza con Valdo mi creava qualche difficoltà. Non desideravo che la nostra amicizia diventasse nota nell'ambiente di Reggio e del PCI – tra l'altro non ero ancora certa di avere il coraggio di separarmi da mio marito. Presi quindi le dovute precauzioni. Date le mie esperienze in esilio, l'insegnamento impartitomi da Emilio Lussu per depistare controlli e sorveglianze e i racconti di Silone a riguardo della vigilanza esercitata da compagni su compagni all'Hotel Lux di Mosca negli anni venti e trenta – io ero più diffidente, guardinga e smaliziata di Valdo in merito. Ero convinta che le mie numerose lettere indirizzate in parte presso la Federazione del PCI di Reggio e in parte alla sua abitazione privata, venissero aperte e lette da un fiduciario incaricato di tali mansioni. Per confondere la situazione e portarlo su falsa strada facevo imbucare le mie missive dirette a Valdo, alternativamente da amici residenti a Parigi, a Londra o a Basilea e firmavo con nomi diversi. Valdo sorrideva dei miei "complessi della clandestinità," come li chiamava, e mi prendeva in giro. In seguito i fatti confermarono i miei sospetti; ma ero riuscita a tener nascosta la mia identità fino a quando decisi diversamente.

Intanto mio padre era stato nominato direttore del quotidiano "Il Progresso d'Italia" di Bologna, un giornale che doveva, secondo i partiti di sinistra, contrapporsi politicamente al quotidiano bolognese conservatore "Il resto del Carlino". Cominciai a inviare a Bologna le mie prime corrispondenze da Londra in forma di "causeries", articoli di colore e di costume. Ero "nata tra i giornali", come diceva scherzando il babbo e in più avevo avuto tre maestri considerevoli: mio padre, Arnold Künzli ed Elizabeth Wiskemann. Mi incoraggiarono e continuai a inviare articoli anche quando nel 1949 ci trasferimmo a Rhöndorf, presso Bonn, in seguito alla nomina di mio marito a corrispondente dalla Germania. Lasciai l'Inghilterra con rammarico, ma l'esperienza di vivere da vicino la rinascita della Germania dopo la catastrofe nazista fu avvincente. Del paese conoscevo solo la cultura che ammiravo. Feci in tempo a percepire l'inizio di quel periodo in cui molti tedeschi ebbero l'impressione che si imponesse alla Germania di

Bonn la democrazia come punizione per i suoi misfatti e il riarmo come ricompensa dei suoi servizi futuri.

Anche dalla Germania – come da ogni paese in cui ho vissuto – portai con me i "souvenir" più preziosi: gli amici. Nella casa accanto a quella in cui viveva il Cancelliere Adenauer, allo Zennigsweg, abitava una coppia – Louise Maraun, una giovane pediatra per metà belga, e Rolf Le Beau, ex giornalista della "Kölnische Zeitung". Mio marito e io li avevamo incontrati al "Wolkenburg" un piccolo albergo dove alloggiavano i giornalisti stranieri. Il ritrovo, una tipica "Weinstube" renana, era frequentata anche da molti occupanti britannici. Rolf e Louise non erano mai stati nazisti e per questo non avevano avuto una vita facile. Lui proveniva da una antica famiglia di ufficiali prussiani, sua madre apparteneva infatti all'"Uradel". Era sfuggito al tragico destino di molti ufficiali prussiani del periodo nazionalsocialista per una fortunata circostanza: una circonferenza toracica insufficiente. L'appartamento di Louise e Rolf dava sul giardino di Adenauer. Vedevo spesso il Cancelliere dedicarsi con grande impegno alla cura delle sue rose. Non lo vidi mai sorridere né con sua figlia né con alcuni dei collaboratori con i quali il Cancelliere si intratteneva di tanto in tanto in giardino. Teneva una pecora dalla fisionomia quasi umana. Rassomigliava al Cancelliere.

Valdo nelle sue lettere mi teneva al corrente dei suoi pensieri e mi descriveva le sue giornate. Imparai così a conoscere la vita di un parlamentare e funzionario comunista nell'Italia di allora: riunioni ristrette, riunioni allargate, riunioni provinciali, sindacali, regionali, nazionali, comizi e viaggi nel Nord, nel Centro e nel Sud. Era una vita di impegno organizzativo totale sorretto da un grande entusiasmo, da una dedizione che abbracciava tutta l'esistenza di un uomo. Un impegno totalizzante.

Sempre più frequentemente nelle lettere che Valdo mi inviava, serpeggiavano dubbi politici che lo mettevano a disagio con i compagni. Dopo un viaggio nei paesi dell'Est, l'impatto con la realtà del socialismo lo impressionò e gli fu chiaro che non si può edificare il socialismo agli ordini degli stranieri, sia pure sovietici, senza prendere in considerazione le specifiche condizioni del singolo paese. Era il problema della via nazionale al socialismo che riaffiorava nelle sue lettere e gli poneva quegli interrogativi, cautamente accennati a mio padre già ad Antignano, nel 1948. A sentir Valdo, dopo i suoi viaggi in Cecoslovacchia nel 1948 e in Polonia nel 1950, non esisteva in quei paesi una democrazia socialista. Diceva di più: si tratta di sapere se il socialismo può avere e praticare una politica democratica.

Quando rividi Valdo nell'estate del 1950 ad Antignano, egli mi parlò apertamente del tormento sempre crescente che gli causava la sistematica falsificazione della verità storica da parte del Partito comunista, l'esaltazione acritica di Stalin, la condanna altrettanto acritica del tentativo jugoslavo di imboccare una via autonoma. Valdo sentiva impellente il dovere di dirle, queste cose, sia in quanto politico sia in quanto uomo. "Ma non so se ne avrò il coraggio al momento dovuto," aggiungeva. Sapeva che un conto è saper resistere ai nemici, un altro resistere ai propri compagni.

Eravamo in piena guerra fredda e lo stalinismo, in Italia, era al suo massimo fulgore. Stalinismo significava allora in Italia la divisione del mondo in due campi contrapposti: da un lato "l'imperialismo americano" con i suoi alleati, dall'altro "le forze della pace", vale a dire l'Unione Sovietica, le democrazie popolari e i partiti comunisti – in Italia, caso a sé, anche quello socialista di Pietro Nenni. Chi non era filo-sovietico veniva immediatamente accusato di essere filo-americano e il capitalismo era considerato complice del fascismo. L'uscita da un campo portava automaticamente all'accusa di essere entrato nell'altro, dunque di essere un traditore. Sperare in una terza via era considerato allora nell'ambito della sinistra non solo una grave colpa, ma quasi un reato.

Questo fu il clima politico in cui si svolse il VII Congresso della Federazione Comunista di Reggio Emilia nel gennaio 1951.

Alcuni giorni più tardi al chiosco di giornali del Münsterplatz a Bonn comprai il "Corriere della Sera" del 28 gennaio. In prima pagina, un titolo a quattro colonne, lessi: "Colpo di scena nelle file rosse dell'Emilia. Due deputati comunisti si dimettono restituendo la tessera del partito. Si tratta degli onorevoli Magnani e Cucchi che non potevano più sopportare le imposizioni del Cominform." Al VII Congresso della Federazione di Reggio Emilia,

Valdo, dopo aver letto la sua relazione come segretario della federazione, aveva aggiunto una frase "a titolo personale", precisò (era un suo pensiero che ben conoscevo): "... Ove le frontiere italiane venissero domani attaccate in qualsiasi punto e da qualsiasi direzione, il primo dovere dei comunisti è quello di difendere il proprio paese..." Egli chiedeva con la sua mozione di dire un esplicito no al concetto dell'URSS-Stato-guida e alle "rivoluzioni importate su baionette straniere". Quella che Valdo poneva era, in sintesi, la ricerca di una via autonoma italiana al socialismo. Poco tempo prima mi aveva scritto a Rhöndorf: "Ammesso che ne trovi il coraggio – l'atto di tirar fuori dalla giacca il foglietto sul quale ho annotato le mie dichiarazioni e leggerle al Congresso di Reggio, sconvolgerà la mia vita e probabilmente anche la tua..."

In tutta Italia, il clamore suscitato da questo caso di "eresia" fu enorme. Il Partito comunista rifiutò le dimissioni di Valdo e lo espulse insieme all'amico Aldo Cucchi – leggendario partigiano di Bologna e medaglia d'oro della Resistenza, che aveva seguito Valdo – bollandoli come "rinnegati senza principi, nemici della classe operaia e del partito, e strumento dei nemici del comunismo, dell'URSS e di tutti gli onesti difensori della pace e della libertà..." Il gruppo parlamentare del PCI all'unanimità espulse Valdo Magnani e Aldo Cucchi dal gruppo "per indegnità politica e morale e per tradimento." Altrettanto fece l'ANPI – l'Associazione Partigiani.

A causa della parentela e dell'amicizia di Valdo con Nilde Iotti – ormai ufficialmente compagna di Togliatti – Valdo aveva un rapporto diretto con il capo del PCI. Nilde Iotti invitava spesso il cugino a pranzo quando questi veniva a Roma e l'argomento preferenziale era la politica. Per questo venne considerato tanto più spregevole il suo "tradimento politico". Contro i due giovani deputati venne effettuato un linciaggio morale senza precedenti. In tutta Italia il Partito comunista si mobilitò in una campagna di "vigilanza rivoluzionaria" mai vista prima, venne distribuito in ogni cellula, in ogni sezione e federazione del partito un opuscolo ufficiale intitolato *Due agenti dell'imperialismo*, che conteneva anche un articolo di Edoardo D'Onofrio, membro della segreteria del PCI apparso su "Quaderno dell'attivista" del 16 febbraio 1951:

"... La vigilanza fondamentale è quella politica e deve riferirsi all'applicazione della linea del partito... innanzitutto in ogni momento e in ogni luogo. E sia ben chiaro, vigilanza politica significa

prima di ogni cosa, lotta per la linea politica del partito contro ogni sua deformazione opportunistica..."

Il Partito socialista di Pietro Nenni si associò incondizionatamente a questa campagna di calunnie, diffamazione, offese e persecuzione contro i "Magnacucchi" come venivano dispregiativamente chiamati. Il vecchio padre socialista di Valdo si vide costretto a scrivere al figlio, supplicandolo di non "attaccare più la politica dell'URSS", perché i suoi compagni socialisti lo insultavano. Non poteva passeggiare tranquillo per Reggio e andare al bar a giocare a carte, e la stessa donna di servizio l'aveva abbandonato, perché non poteva lavorare per il padre di un "traditore". Un servizio poliziesco venne organizzato dal PCI per controllare i compagni che venivano a trovare Valdo e Cucchi. "Non si rispetta nessun più intimo ed umano affetto familiare," scriveva Valdo in "Dichiarazioni e Documenti", un opuscolo pubblicato un mese dopo le sue dimissioni, "... si stimola il fratello a scrivere lettere di disprezzo contro il fratello, si cerca di ottenere dallo zio lettere di odio contro il nipote, si terrorizzano e, prospettando un avvenire pieno di pericoli, si fanno piangere le sorelle perché convincano il fratello a non dimettersi dal partito... Immaginino i compagni uno Stato in cui un partito arrivato a tali metodi sia al potere e pensi se questo è il comunismo che essi hanno sognato," concludeva. "La lotta contro i 'Magnacucchi' fu dura, senza esclusione di colpi...", ammise quasi quarant'anni dopo Giancarlo Pajetta, uno dei massimi dirigenti del PCI nel suo libro *Le crisi che ho vissuto*.

Mentre Valdo in Italia combatteva la sua battaglia politica, – ne venivo esaurientemente informata dalle sue lettere e dalla stampa italiana – io a Rhöndorf mi resi conto che ormai il mio matrimonio con Künzli era a una svolta. Mi ero sposata troppo giovane: ero affezionata a mio marito, non eravamo mai stati infelici insieme, ma non potevamo considerarci affiatati.

Lasciai Rhöndorf – ma non andai da Valdo. Non sapevo cambiare marito come si cambia camicia. Mi stabilii quindi a Zurigo dove Robert Jungk mi presentò a Mabel Zuppinger, la "Claudine" del settimanale politico "Weltwoche" e direttrice della rivista femminile svizzera "Annabelle". Era una donna raffinata, piena di charme, e di buon senso. La simpatia fu immediata e reciproca. Dopo avermi sottoposto a un breve periodo di prova, mi assunse nella redazione di "Annabelle", un mensile abbinato alla "Weltwoche". Grazie a Claudine imparai il giornalismo dalla gavetta. Trovai altri "maestri": Manuel Gasser, insieme a Karl von Schumacher cofondatore del settimanale e l'allora giovanissimo Georg Gerster. Gasser mi guidò tra i meandri di una tipografia e mi introdusse nell'arte dell'impaginazione. Era un maestro nel saper vedere le cose essenziali, come il nonno Chino quando, da bambina a Todi, mi insegnava a guardare ciò che vedevo nella campagna. Gasser mi insegnò a guardare i film, mi impose di vedere anche quelli brutti, e mi fece collaborare alla critica cinematografica della "Weltwoche".

Per la prima volta in vita mia non stavo sotto la tutela di qualcuno: essendomi sposata a 19 anni ero passata direttamente da quella del padre a quella del marito. Ora avevo 25 anni, possedevo le "mie" chiavi di casa o per meglio dire di una stanza, versavo l'affitto alla padrona, pagavo le "mie" tasse, mi sembrava di toccare il cielo col dito: ero finalmente indipendente. Nel frattempo preparavo il mio divorzio. Tre cose tenevo a salvare da quella esperienza matrimoniale: l'amicizia con l'ex marito, il passaporto svizzero e un cimelio di Gottfried Keller: il suo astuccio per i sigari, appartenente alla famiglia Künzli. Tutti tre i miei desideri vennero esauditi.

10

RITORNO IN ITALIA

Il mio legame sentimentale con Valdo, la sua uscita dal PCI e il clamore che ne seguì turbarono profondamente la nostra pace familiare. Non fu mai l'affetto, ma l'unità della famiglia stessa, a essere messa in dubbio. Quella coesione che aveva serenamente retto a tutte le difficoltà e le ansie dell'esilio e che aveva resistito persino di fronte al "legalitarismo fascista" del nonno Ercole, subì improvvisamente un duro colpo. A sconvolgere la nostra pace familiare furono i metodi di marca staliniana, messi in atto dai comunisti anche in un paese libero come l'Italia.

La reazione di mio padre al dissenso dalla linea del PCI espresso da Valdo fu, come quella di tutti i socialisti "nenniani", di dura condanna politica. In un articolo di fondo dal significativo titolo *Sul piano inclinato*, pubblicato sul "Progresso d'Italia" dieci giorni dopo le dimissioni di Valdo e Cucchi dal PCI il babbo scriveva:

"... *Per conto nostro noi non esprimeremo la nostra opinione dal punto di vista di questo o di quel partito ma dal punto di vista della linea politica, di intesa popolare e democratica, che è proprio del nostro giornale. In un momento in cui l'opposizione è impegnata in una battaglia durissima che ha per sua posta essenziale la difesa della Costituzione e della pace, poste in pericolo ogni giorno di più dalla politica interna ed esterna del governo, l'iniziativa degli on. Cucchi e Magnani non ha alcuna giustificazione. Pur di impostare un problema astratto e teorico – il quale si fonda su un'ipotesi (un attacco della Russia alle nostre frontiere) che per alcuni è inammissibile in linea di principio e per altri, in ogni modo, in linea di fatto – essi non si sono in nessun modo preoccupati di provocare un dissidio e un turbamento che avrebbero posto in serio pericolo, qualora avessero fatto presa, non tanto lo schieramento delle sinistre, quanto l'efficienza della reazione popolare contro la funesta politica governativa. L'assurdità dell'iniziativa è tale che ha dato motivo [...] alla formulazione delle più gravi ipotesi, e comunque, alla formulazione di un giudizio di recisa condanna... Chi in un momento di grande tensione si pone, specialmente se si tratta di un'iniziativa di carattere personale, al di fuori delle organizzazioni rappresentative della classe operaia, assumendo una posizione che possa in un modo o in un altro obiettivamente coincidere con i desideri e con i consensi del mondo capitalistico, quegli compie, nella migliore delle ipotesi, un terribile errore [...] La questione se egli abbia voluto o non voluto tutto questo, non ha più senso: egli si è posto, obiettivamente, al servizio degli avversari della democrazia e del socialismo. Nel nostro caso – in una situazione in cui tertium non datur – al servizio del governo De Gasperi e dell'imperialismo americano."*

Mio padre non era mai stato né marxista né tantomeno comunista, e non lo era diventato quando scrisse quell'articolo; ma le sue parole riflettevano fedelmente il clima del tempo, il vissuto dello stalinismo in Italia, anche da parte di chi – nell'ambito della sinistra – comunista non era. Non si trattò di semplice appiattimento sulle posizioni del PCI da parte dei socialisti di allora. Vi confluiva, determinante, l'attaccamento all'"unità di classe" e al mito dell'URSS "baluardo della democrazia, del socialismo e della pace", che costituivano due capisaldi di quanti si ispiravano all'idea del socialismo. In quel clima politicamente arroventato la sinistra italiana considerava la guerra fredda l'anticamera della guerra tout court. Essa non concedeva spazio per una posizione intermedia: il mondo era nettamente diviso in due parti contrapposte, come in un conflitto armato. La politica, in una tale atmosfera, non poteva disgiungersi dalla sfera personale; e la tolleranza non era accettabile nel momento delle contrapposizioni frontali. Emilio Lussu ebbe a dirmi ripetutamente in quel periodo: "... Ora bisogna stare dalla loro parte (intendendo i comunisti) anche se un domani ci metteranno al muro." A questi vecchi antifascisti, sempre ammirati per il loro passato, si riferiva Valdo scrivendo, nel 1951 in *Crisi di una generazione*:

"... *Questa psicologia degli antifascisti che debbono sempre appoggiarsi ad una grande forza che, almeno a parole, li garantisca dal fascismo che han subito, non appartiene alla esperienza delle nostre generazioni. Noi il fascismo l'abbiamo ereditato, compreso e sofferto nella logica del suo avvento, combattuto e vinto non per il gusto di una rivincita per la quale è buona qualsiasi forza, ma per un ideale sociale e umano che non è semplice 'anti', che non è un'altra dittatura, e che non accetta imposizioni di miti da nessuno. È questa una delle ragioni della barriera che si è creata tra antifascismo e giovani generazioni in questi anni [...] Altri di questi intellettuali comunisti o paracomunisti, nell'offerta del sacrificio dei valori anche da loro riconosciuti i più alti del progresso umano, la libertà di pensiero e di critica, in nome di un supposto benessere per tutti (che poi, di fatto, non ci sarebbe), in questa 'volontà suicida' richiamano gli atteggiamenti dell'angoscia di fronte alla vita delle correnti esistenzialiste. Sono cioè essi, veramente, espressioni del decadentismo di cui il comunismo abilmente approfitta. È possibile infatti ad esso, allora, insinuare la mistica della dedizione totale dell'individuo a un potere e a un apparato terreni, esaltando come supremo valore la negazione del proprio pensiero. Questo non è più fine da rispettare in ogni uomo, ma un mezzo da usare, come uno strumento tecnico, per la diffusione e il dominio di una affermazione, vera o non vera, fatta dal 'potere comunista', cioè dal gruppo di uomini che hanno la suprema e dittatoriale autorità nell'URSS. Il comunismo rinnega qui le stesse fondamenta cristiane, all'infuori di qualsiasi Chiesa, del nostro mondo moderno."*

I comunisti e i socialisti cercarono allora con ogni mezzo, anche con l'applicazione di rozzi metodi staliniani – dalla calunnia alle falsificazioni – di formare un cordone sanitario impenetrabile intorno ai dissidenti, per isolarli e metterli al bando della vita civile.

Nell'estate del 1951 andai come sempre a passare alcuni giorni di vacanza con mia madre. Gravemente turbata, mi confidò che Edoardo D'Onofrio, della segreteria del PCI, le aveva fornito le "prove" del "tradimento": una ricevuta per 8 milioni di lire con la firma di Magnani. L'"operazione corruzione" sarebbe partita su iniziativa dell'allora Ministro degli interni Scelba, in accordo con la CIA. A mia madre l'idea che la firma di Valdo fosse stata contraffatta non venne neppure in mente; neanche la sfiorò il dubbio che in linea di principio chi "si vende" non firma. Nel clima politico di quegli anni, lei credette a D'Onofrio. Il solo pensiero che sua figlia fosse legata sentimentalmente ad un uomo così spregevole la stava distruggendo.

L'azione intrapresa dai comunisti nel tentativo di arginare la ribellione dei "Magnacucchi" si svolse a tutti i livelli, effettivamente "senza esclusione di colpi", per dirla con Pajetta. Dopo la sua uscita dal PCI Valdo si era trasferito in Via Bormida, a Roma, in casa di amici che lo avevano seguito nella sua battaglia politica: Luciana e Riccardo Cocconi, leggendaria figura della Resistenza in Emilia. I responsabili della "operazione isolamento Magnacucchi" indetta dal PCI ricorsero a espedienti che, se non avessero avuto conseguenze gravi, si potevano perfino giudicare grotteschi. Essi avvicinarono la donna che prestava servizio in casa Cocconi e dietro lauta ricompensa la convinsero a consegnar loro tutte le lettere e le buste di Magnani e di Cocconi che poteva racimolare nel cestino della carta straccia. Molti simpatizzanti e compagni dei "Magnacucchi" furono così individuati, perseguitati e minacciati. Luciana Cocconi colse la sua donna di servizio con le mani nel sacco: essa confessò. Ma il problema si riproponeva di continuo. Una volta con la domestica, un'altra con il portiere e con chiunque dovesse effettuare delle riparazioni in casa, fosse anche lo stagnino.

I miei genitori avevano preso atto, senza troppo interferire, della mia volontà di divorziare, anche se nutrivano qualche preoccupazione – la mamma in particolare. Quando comunicai loro che amavo Valdo e che di conseguenza mi sarei unita a lui, essi non cercarono di dissuadermi, almeno non in modo diretto: alla base del loro contegno c'era il rispetto per i miei sentimenti. Cercarono tuttavia con insistenza di convincermi a "rimandare" la mia venuta in Italia a fianco di Valdo. Mio padre, con il quale intrattenevo in merito una fitta e affettuosa corrispondenza, non mi parlò mai di "tradimento" a proposito di Valdo: la sua condanna rimaneva circoscritta alla sfera politica – in teoria –. "... Tu non hai da seguire che la tua coscienza e il tuo giudizio," mi scriveva fedele ai suoi principi: ma mi avvertiva dell'atmosfera che avrei trovato a Roma e "della virulenza che assumeranno, *in questo particolarissimo periodo*," (sua la sottolineatura), "le insinuazioni di tanti amici e avversari..." Di lì a poco potei constatare che il babbo non aveva esagerato.

Infatti gli attacchi del Partito comunista e di quello socialista si moltiplicarono e si accentuarono, in conseguenza del fatto che Valdo non si chiuse in una torre d'avorio, ma diede battaglia. Per Valdo era stato un dovere morale non soltanto uscire dal PCI in quel momento e su quel dissenso, ma anche proseguire la battaglia fuori dal partito. Tentò l'impossibile: dare vita in Italia, nei primi anni Cinquanta a una sinistra antistalinista ed estranea alla logica dei blocchi. Insieme ad un gruppo di amici – Cucchi, Riccardo Cocconi, Lucio Libertini, Mario Giovana, Clara Bovero, Giorgio Sternini e altri – costituirono dapprima il "Movimento dei Lavoratori Italiani" (MLI) e successivamente l'"Unione Socialisti Indipendenti" (USI). Vi aderirono tra i primi: Massimo Fichera, Vittorio Libera, Alfonso Gatto, Vera Lombardi, Giuliano Pischel, Arturo Balboni, Attilio Pandini, Stefano Petrovich, Rino Formica, Enzo Forcella, Gianfranco Ribolzi. In questo sforzo di creare una sinistra antistalinista in Italia ottennero aiuto soltanto dalla Jugoslavia. I "Magnacucchi" fondarono inoltre un settimanale, "Risorgimento Socialista" riuscendo a mantenere la pubblicazione sino al rapporto Kruscev. Nella prima pagina del primo numero, datato 16 giugno 1951, accanto a un articolo di Valdo ve n'è uno di Ignazio Silone: *Il sale nella piaga*, tutto impostato sullo sforzo immane richiesto a se stesso, da chi decide di "diventare da comunista un uomo libero". Silone rappresentava l'anello di congiunzione tra la mia infanzia in esilio e quest'altro esilio che mi preparavo ad affrontare: l'isolamento in patria, accanto a Valdo.

Il mio divorzio da Arnold Künzli fu dichiarato alla fine del 1952 da cinque giudici – tre protestanti e due cattolici – al Bezirksgericht di Zurigo, in meno di dieci minuti. Non avevo ovviamente avanzato richieste di alimenti e i giudici tennero in considerazione il fatto che mi ero sposata ancora minorenne. I tre giudici protestanti ebbero la meglio sui dubbi avanzati dai due giudici cattolici. Furono tutti gentili e comprensivi: il tutto costò poco più di 100 franchi svizzeri di allora.

Avevo 27 anni, una professione collaudata, ero sana, amavo ed ero riamata – mi sentivo di affrontare qualsiasi situazione. In più possedevo un'arma formidabile: la forza che mi derivava dalla mia infanzia e adolescenza. Lasciai Zurigo e salii in treno verso Roma.

Valdo mi fece trovare un appartamento in affitto, a via Faleria, nel quartiere di San Giovanni. Non c'era nessun mobile: in compenso trovai tanti libri e un comodo letto. Il primo acquisto fu "una cosa seria", come diceva Valdo: la cucina. Eravamo in grado di leggere, dormire, mangiare: incominciava la nostra vita comune, eravamo felici. Gli amici di Valdo mi accolsero con affettuosità fraterna e quando apprendemmo che aspettavo il bambino che tanto desideravamo, mi parve di abbracciare il mondo intero.

Nel dicembre del 1952 Valdo scrisse una lettera a mio padre:

Caro Schiavetti, Franca è ormai libera, pienamente e legalmente [...] so che, come hai già da tempo scritto, tu disapprovi il mio passo politico di un anno fa e la mia attuale posizione politica, che ritieni un grave errore. Né su ciò, che crea una difficoltà tra noi, malgrado che Franca non si occupi di politica, vi è alcunché da dire, ché ad ognuno è giustamente guida la coscienza [...] Ma diventa anche più forte allora, nell'amarezza delle vicende che separano gli uomini, il desiderio di dirti che voglio bene a Franca [...] so le responsabilità che mi spettano e che metterò ogni cura e forza per corrispondere ad esse con onore e umanità sempre. Salutami cordialmente tua moglie ed abbiti i miei saluti ed auguri, tuo

Mio padre rispose a Valdo il 12 gennaio 1953:

Caro Magnani, Franca mi aveva informato da lungo tempo dei suoi sentimenti verso di te e delle sue intenzioni per l'avvenire. Il profondo dissidio politico che mi ha improvvisamente diviso, un anno fa, da te non mi permette di partecipare con la spontaneità e con la pienezza di spirito che avrei desiderato all'attuazione del vostro proposito; è questo per me un grande dolore. Ho dedicato tutta la mia vita, in un'epoca tragica e dura come la nostra, alla lotta politica e mi è perciò difficile giovarmi, per l'occasione, del comodo sistema dei compartimenti stagni. Di qui una lacerazione interiore della cui gravità potrai farti un'idea approssimativa se Franca ti avrà detto — come credo — quanto sono grandi l'affetto e le affinità che mi legano a lei. Ti ringrazio in ogni modo per la deferenza che ispira la tua lettera e mi permetto di raccomandarti, dato che mia figlia non vuole occuparsi di politica, di tenerla il più lontano possibile dalle nostre ire e dalle nostre passioni. — Cordialmente tuo

Né mio padre, né mia madre, né mia sorella misero mai piede in casa nostra. Non trascorsi più con loro un Natale, né un compleanno. Andavo io dai miei genitori. Quando desideravo parlare con mio padre a "quattr'occhi", come quando ero bambina a Zurigo, ci davamo appuntamento in un bar di Roma, in via dei Sabini, tra piazza Colonna e Fontana di Trevi; lì, davanti a un cappuccino e un cornetto, riprendevamo i nostri discorsi di sempre che inmancabilmente sfociavano in quelli del momento: il punto critico dei nostri rapporti. Io osteggiavo a fronte alta l'atteggiamento dei miei genitori nei confronti di Valdo. Accettavo la condanna politica pur senza condividerla, ma non potevo assolutamente ammettere l'implicita condanna morale che stava nei fatti: i miei genitori non entravano nella casa che era mia e di Valdo. Io vedevo in questo una contraddizione con gli ideali che li avevano animati, con la lezione di vita che essi stessi mi avevano impartito e, senza stancarmi di citare le loro stesse parole, "non puoi condannare moralmente un uomo senza prove," ripetevo alla fine di tutti i colloqui e aggiungevo, "a meno che tu non ritenga prove quelle staliniane." Concludevo così le nostre vivacissime baruffe di via dei Sabini. Il cameriere del bar ormai ci conosceva e ci guardava smarrito e preoccupato senza saper nascondere una viva curiosità: non riusciva a catalogarci come coppia, tanto più che dopo il solito alterco il babbo e io ci separavamo amorevolmente e un po' commossi. All'ultimo momento, io non potevo fare a meno di rifilare a mio padre: "la mia solidarietà con Valdo, a prescindere dal mio amore, fa parte del patrimonio educativo che mi avete dato." Lui mi dava allora uno dei suoi lievi scapaccioni, quasi una carezza, che però simboleggiava pur sempre l'"affettuoso richiamo all'ordine" di una volta e, con il suo sorrisetto metà sul serio e metà per scherzo, sospirava: "... *On est trahi jamais que par les siens, come diceva Madame Lisy.*"

Il contatto tra i miei genitori e me non venne mai interrotto, grazie soprattutto a Valdo. Uomo dall'indole generosa, si manifesta con quella dolcezza che solo le persone dotate di autentica fermezza possono avere, esortandomi ad essere, diceva lui, "umana sempre con tutti, se no non si ha davvero il diritto di esserlo con se stessi."

Lo zio Carlo Zuccarini, quello che mi aveva trovato la balia quando nacqui, venne invece a trovarci spessissimo a via Faleria: venne da parente, da amico e da medico. Fu lui il rappresentante di famiglia che congiungeva i due nuclei Schiavetti e Magnani. Vi fu un altro anello di congiunzione tra le due famiglie: lo studentello di chimica conosciuto a Zurigo dopo la caduta del fascismo, il 25 luglio 1943, in occasione dell'appello rivolto da mio padre a "tutti gli italiani": Enzio Volli. Non era più né studente né chimico ma un affermato avvocato di Trieste. Veniva spesso a Roma in quel periodo in quanto faceva parte della Direzione del Partito repubblicano. Pur mantenendo intatti affetto e stima per i miei genitori rimase amico mio e lo divenne di Valdo.

E furono pochi gli amici italiani, in quel periodo. Per la strada, numerosi furono coloro che, conoscendomi, ma appartenendo alla cosiddetta "sinistra", scantonavano per non salutarmi. La storia si ripeteva: allorché il babbo era già espatriato clandestinamente e l'effetto-regime dilagava, molti conoscenti della mamma cambiavano marciapiede evitando così di salutarla. A me, ora, vivendo a Roma, poteva accadere che entrando in un negozio di via Frattina, la proprietaria mi moralizzasse: "... lei questo dolore ai suoi genitori non doveva darlo. Sono persone oneste." La negoziante era una socialista ortodossa e si riferiva al mio legame con Valdo Magnani. I compagni di stretta osservanza comunista o socialista che, conoscendomi da anni, continuavano se non altro a salutarmi erano Sandro Pertini, Umberto Terracini, Pietro Nenni, Emilio Lussu, Antonio Giolitti e pochi altri.

Con la famiglia di Valdo non vi furono mai difficoltà. Anche il fratello sacerdote, don Elvo Magnani, veniva a trovarci quando passava da Roma. Non aprì mai con me il discorso religioso, né esercitò la minima pressione nonostante che per la Chiesa fossimo "concubini". Neppure quando apprese che non avremmo battezzato i nostri figli agì per indurci a cambiare idea. Paradossalmente mi toccò scoprire allora la tolleranza più nel ramo cattolico delle nostre famiglie che in quello laico.

Mi si presentò in quel periodo un'Italia a me sconosciuta. E mi chiedevo spesso come avesse potuto sorgere nel clima di guerra fredda che stavo sperimentando, la "favola" di "Don Camillo e Peppone", vale a dire degli italiani avversari politici ma sempre "umani" e tutto sommato, alla fine, "accomodanti". Esisteva effettivamente questo contegno – in molti casi si trattava solo di un qualunquismo politico presente in certi strati della borghesia italiana – ma esso racchiudeva in parte anche un reale atteggiamento umano. In Parlamento i due maggiori avversari politici – socialcomunisti e democristiani – si davano battaglia con un linguaggio violento, non di rado addirittura personalmente offensivo, talvolta volava qualche pugno. Ciononostante, si potevano vedere successivamente i protagonisti di simili lotte parlamentari – marxisti e cattolici – al bar della Camera bere un caffè insieme e scherzare, nonostante il clima politico arroventato. Mai invece, in nessun momento, vi fu da parte socialcomunista un simile comportamento verso i "Magnacucchi". Nei loro confronti la decantata "umanità italiana" si era dissolta riflettendo lo stalinismo qual era praticabile in un paese democratico.

L'Unione Socialisti Indipendenti partecipò con liste proprie alle elezioni politiche del giugno 1953. Il risultato fu anche se notevole, deludente: l'USI raccolse in due terzi dei collegi dove si era presentata, 225.000 voti, ma in quei voti ci fu il margine determinante per sconfiggere i partiti del blocco governativo che proponeva la cosiddetta "legge truffa", il premio di maggioranza. Era questo il tema chiave delle elezioni del 1953.

Avevo seguito Valdo in campagna elettorale nel sud d'Italia: tre, quattro comizi al giorno spostandoci tra un luogo e l'altro con mezzi di fortuna e veicoli sgangherati, Valdo, io e il mio pancione. Le strade del meridione erano allora per lo più dissestate, polverose; si attraversavano assolati sentieri costeggiati da grosse piante di fichi d'india e mandorli in fiore, mentre all'orizzonte si intravedevano le terre aride e desolate dalle quali i contadini cominciavano a fuggire. I comunisti e i socialisti affrontavano i comizi dei "Magnacucchi" in due modi diversi: o facevano trovare le piazze gremite di una folla muta, impenetrabile, ostile e a volte minacciosa – il che induceva la polizia a essere presente in modo massiccio; oppure ci accoglievano piazze deserte: come ad Andria, importante centro agricolo in provincia di Bari, sulle pendici delle Murge. Davanti ad un palchetto improvvisato e barcollante mani ignote avevano affisso un grande cartello: "Giuda tradì per trenta denari – tu per quanto?" Valdo si oppose a che il cartello fosse tolto: salì la scaletta malferma e accanto a quel cartello insultante fece il suo più vibrante, accorato discorso davanti alla piazza vuota. Capii perché egli fosse considerato un grande oratore. Dietro le finestre delle basse case meridionali a tinte chiare che circondavano la piazza, scorgevo l'ombra di persone che ascoltavano l'oratore immobili e vedevo qua e là aprirsi furtivamente le porte delle case e uomini seminascosti dietro l'uscio seguire il comizio.

Per una ragione di quozienti Valdo e Cucchi non furono rieletti in Parlamento. Vivevamo ormai con un modestissimo stipendio di funzionari, come gli altri dirigenti dell'USI, secondo metodi ispirati a criteri che Valdo aveva mutuato dal PCI. L'"austerity" mi si addiceva. Eravamo poveri. La cosa non mi preoccupava: il mio rodaggio in merito veniva da lontano. Non avevo ancora potuto riprendere il mio lavoro a tempo pieno. Mi interessava moltissimo la nuova vita che consisteva – a prescindere dai continui spostamenti di Magnani – in riunioni, incontri, convegni, vivaci scambi di opinioni con i compagni dell'USI sulla linea politica da seguire, su l'impostazione da dare su "Risorgimento Socialista". Accompagnavo Valdo spesso in autobus fino a via Calabria, dietro piazza Fiume, dove si trovava la sede dell'USI: tre o quattro locali, arredati con mobili vecchi, poveri e onesti – il tipo di "arredamento" a me ben noto: quello di tutte le sedi politiche che avevo visto in esilio compreso quello della saletta superiore della Cooperativa di Zurigo.

Le preoccupazioni non mancavano e l'amarezza per essere stata esclusa dalla mia famiglia e dal suo mondo era in me sempre presente. Tuttavia, come in esilio quando ero bambina, una sana allegria sosteneva me e Valdo; lui diceva che si trattava di "Weltanschauung". Riuscivamo sempre a ritagliarci spazi tutti nostri. Nelle calde serate ci siedevamo allora sui bordi delle fontane romane e parlavamo in compagnia del mormorio dell'acqua. Valdo non finiva mai di stupirmi: da un lato bruciava di passione politica, dall'altra possedeva una forte componente poetica, una rara capacità di muovere l'animo e di suscitare emozioni. Neppure la vita quotidianamente vissuta con lui mi fece scoprire tracce dei suoi dieci anni di vita militare. Non mitizzava il "ruolino di marcia" come faceva mio padre. Aveva una spiccata avversione per quello che lui chiamava una "levataccia", vale a dire un risveglio brusco e di buonora. Una ripugnanza speciale la riservava alla suoneria della sveglia (allora non c'erano ancora i suoni suadenti di oggi). Per ovviare a questa "offesa mattutina", come diceva lui, aveva costruito un aggeggio collegato con il grammofa-

225

no e venivamo svegliati dalla gioiosa "primavera" di Vivaldi. Era stato suo padre artigiano ad insegnare ai figli la costruzione di simili carabattole tecniche e Valdo ne era fiero. Di tutto il suo servizio militare aveva conservato un'abitudine sola: il "gavettino": non usava né tazza né tazzina per il caffelatte, solo il "gavettino"; vi era rimasto affezionato come gli inglesi alla loro tazza per il tè appesa allo zaino anche quando vanno in guerra.

Valdo ed io passavamo molto tempo in cucina insieme. Generalmente, mentre io cucinavo, lui mi leggeva brani di testi che lo avevano colpito, il che gli permetteva – anche se lui tendeva a negarlo – di "sorvegliarmi". Valdo infatti in cucina non era un "mozzo", era un "sovrintendente". Mi insegnò a fare la sfoglia a regola d'arte, non con quella violenza che ci metteva mio padre a Zurigo e che faceva tremare la credenza e tintinnare i bicchieri. "La pasta va maneggiata e lavorata amorevolmente, come se si accarezzasse una persona, ci vuole più costanza che forza e niente fretta," mi insegnava e citava Dante: "... lasciar la fretta che l'onestade ad ogn'atto dismaga...". Nella sua terra emiliana la gente del popolo dice che le donne nervose e sempre affrettate non sono brave a fare la pasta. Valdo la sua terra, Reggio, la nominava spesso; le sue radici affondavano là, in Emilia. Del carattere emiliano Valdo aveva l'ostinazione, la testardaggine; "testa quedra", – testa quadrata – si chiama in dialetto questa particolare cocciutaggine emiliana.

Le rivelazioni di un'Italia a me ancora fino allora sconosciuta non erano circoscritte alla politica. Nella società italiana degli anni Cinquanta il diritto al divorzio non solo era improponibile: era impensabile. Accadeva a volte di vedermi osservata con attenzione e di sentire bisbigliare "... la moglie di Magnani è una divorziata," e aggiungere dopo una breve pausa: "ma non si vede." Capii che destavo stupore, poiché la vox populi attribuiva alle divorziate un che di trasgressivo che io non rispecchiavo. Gli unici che in quegli anni divorziavano erano per lo più esponenti del mondo dello spettacolo e comunque persone facoltose, giacché essi dovevano rivolgersi a tribunali stranieri, e perciò quindi viaggiare fissando inoltre più o meno fittizie residenze all'estero. In realtà, io non ero affatto, allora, "la moglie" di Magnani, in quanto attraversando la giungla delle leggi italiane, eravamo incappati nella legge 555 del 1912: se una cittadina italiana divenuta cittadina straniera, risiede per un certo periodo in Italia, riacquista la cittadinanza italiana. Proprio il mio caso, per cui non si trattava più – contro ogni logica – di una cittadina svizzera che intendeva unirsi in matrimonio con un cittadino italiano, bensì di due cittadini italiani; e pertanto nessuna autorità italiana avrebbe mai delibato automaticamente il mio divorzio svizzero. Ci eravamo cacciati in un vicolo cieco e bisognava uscirne. Il matrimonio precedente di Valdo non creava complicazioni; era stato annullato in base alle leggi jugoslave e mai trascritto in Italia. Non ci dava fastidio il fatto di non poterci sposare regolarmente, ma paventavamo ulteriori complicazioni al momento della nascita di nostro figlio. Come si sarebbe chiamato, Künzli, Magnani o Schiavetti? Vi era il precedente di Ingrid Bergman e Roberto Rossellini che avevano dovuto superare difficoltà inaudite per riuscire a dare il cognome del padre, al loro primo figlio Robertino. Valdo si presentò all'allora assessore dello Stato civile in Campidoglio, un avvocato democristiano accigliato e severo dall'apparenza tutto "casa, chiesa e famiglia", e scavalcando ogni cavillo forense, gli espose – in una dotta disquisizione – i valori imperituri del nucleo familiare, spaziando tra il Vangelo e Giuseppe Mazzini, per il quale "la famiglia è la patria del cuore". Facendo con delicatezza allusione al mio stato di gravidanza, Valdo dimostrò come qui, "persistendo nell'osservanza della legge, si impedisce la costituzione legale di una famiglia già in atto." L'assessore democristiano dall'aspetto pio e pudibondo si convinse e dispose subito per la delibazione del mio divorzio che ebbe così efficacia anche in Italia. Fu una soluzione "all'italiana".

A furia di richieste, istanze, bolli e traduzioni notarili del mio atto di divorzio passarono nove mesi. Ci sposammo in Campidoglio appena qualche giorno prima che nascesse nostro figlio. I pochi presenti erano tutti amici dell'USI.

Entrammo in clinica, Valdo e io, ognuno con la propria valigetta: la mia conteneva un corredino per il bambino e il volume di Dick Read *Birth Without Fear*, che mi aveva accompagnato durante tutta la gravidanza. Ero all'avanguardia: in Italia allora non si conoscevano i metodi moderni del "rilassamento". I medici per lo più sorridevano alle mie pretese "straniere" e dicevano che le donne devono partorire con dolore come prescrive la Bibbia. La valigetta di Valdo conteneva tutto il necessario per scrivere un articolo: carta, penna e ritagli di giornali: doveva consegnare a "Risorgimento Socialista" per il giorno seguente un commento sul tema del giorno: *La questione di Trieste*. Mentre io ero intenta a far nascere il bambino, Valdo, accanto a me, scriveva il suo articolo. Le suore che ogni tanto entravano per vedere "a che punto fosse arrivata la signora", ci guardavano strabiliate. Solo all'ultimo momento mi condussero in sala parto. A tener compagnia a Valdo erano giunti Luciano e Riccardo Cocconi. Quando, circa un'ora dopo, ne uscii con un maschietto sano e tranquillo tra le braccia e vidi Valdo venirmi incontro, mi sentii appagata di tutti i miei desideri: erano le 23 del 9 ottobre 1953. Chiamammo nostro figlio Marco in omaggio alla piazza veneziana dove Valdo e io ci eravamo conosciuti. Le suore prepararono per Valdo un lettino accanto a me e passammo la notte insieme, per la prima volta in tre: eravamo diventati "famiglia".

La mattina seguente avvertii i miei genitori, accorsero subito. Valdo deliberatamente non lasciò la stanza. Mio padre gli porse la mano, la mamma lo salutò con un cenno del capo.

"Quando lo battezziamo questo bel bambino?" domandò la mattina dopo tutta giuliva Suor Ilaria mentre mi porgeva Marco perché lo allattassi. Suor Ilaria era una religiosa dolce, garbata, dai lineamenti delicati. Quando entrava in camera con quel suo abito immacolato e la cuffia a larghe falde che le incorniciavano il viso, pareva una colombella che svolazzasse. Mi dispiaceva deluderla, ma dovetti dire a mia volta, come ventotto anni prima aveva fatto mio padre con la mia balia: "... non intendiamo battezzarlo. Desideriamo che sia lui, una volta adulto, a prendere questa decisione, e gli faremo avere l'istruzione necessaria affinché possa giudicare." Suor Ilaria rimase costernata, quasi incredula, e sparì. Temetti di averla offesa e mi rincrebbe. Suor Ilaria invece tornò poco dopo. Non sola, con una decina di consorelle. Mi parve che entrasse in camera uno stormo di colombe. Suor Ilaria si mise davanti a esse e sorridendo dolcemente disse "... questo è Marco Magnani, attente bene. A questo bambino dovete riservare cure particolari: non è battezzato e se gli succede qualcosa non andrebbe in Paradiso..." Così nostro figlio ebbe ogni premura possibile: le colombelle – come chiamavamo Valdo ed io ormai le religiose – gli cambiavano i pannolini in continuazione, appena abbozzava un gridolino lo prendevano in braccio e lo coccolavano a turno stringendoselo ai loro petti immacolati e morbidi. Marco aveva l'aria beata.

"Ma per carità Onorevole, cosa fa?" – disse Giovanna la portinaia di via Faleria, alzando le braccia al cielo, un giorno che venuta per consegnar la posta, soprese Valdo a cambiare i pannolini al bambino. Nell'Italia di allora gli uomini non facevano queste cose. Ma Valdo non solo amava i bambini, tutti i bambini, ma era anche "femminista" nel senso storico del termine e teneva a dare il proprio contributo all'azione delle donne per il raggiungimento della parità dei diritti civili, politici e socio-economici. L'origine di questo atteggiamento assai raro nell'Italia di allora, non era "ideologica": era sua madre. Quanto al "femminismo", Valdo non lo ostentava. Riteneva giusto e naturale che donna e uomo si aiutassero a vicenda.

Ora non andavo più sola a trovare i miei genitori, portavo con me Marco. Fino a quando stava in carrozzella l'incontro avveniva al Colle Oppio, lo raggiungevo facilmente da via San Giovanni in Laterano. Si passeggiava nel parco tutti insieme per una buona oretta, sotto i pini dalle larghe chiome. Il babbo non perdeva occasione per ricordarmi di "contemplare la storia", i cui segni erano così visibili in quel luogo: Domus aurea Colosseo terme di Traiano. Io non contemplavo che il mio bambino.

Concordammo con Valdo anche sul metodo di educazione per i figli: un misto tra sane usanze italiane e civili regole mitteleuropee. Marco non camminava ancora quando decidemmo che avremo mandato lui e l'altro figlio che desideravamo alla Scuola Svizzera di Roma. Non solo per i miei legami con quel paese, ma perché era nostra convinzione che facesse bene alla loro formazione frequentare anche bambini di altre nazionalità e di diverse religioni e imparare le lingue straniere.

Due avvenimenti resero per noi indimenticabile il 1954: aspettavamo, con immensa gioia, un altro bambino e mia madre si ammalò. Venne operata di cancro allo stomaco e fu subito chiaro che vi eran poche speranze di salvarla. Noi riuscimmo a tenerle nascosta la gravità del male ma ebbi l'impressione che lei facesse solo finta di non sapere la verità.

Non avevo mai pensato alla morte prima di allora se non in modo vago e teorico. Adesso irrompeva nella mia vita con violenza. Di fronte alla minaccia che incombeva su mia madre diventò per me ancora più assurda la singolarità dei nostri rapporti familiari. Ma ormai si erano instaurati. Quando andavo a trovare la mamma – sempre insieme al nostro bambino – cercavo di parlarle dei nostri sentimenti familiari senza far trapelare la mia ansia. Lei mi esortava a "lasciar tempo al tempo" e diceva che "tutto si sarebbe arrangiato, un giorno".

Io pensavo al figlio che stava per nascere e mi chiedevo se la mamma l'avrebbe mai visto. Sulla mia gioia per una vita che si apriva c'era l'ombra del dolore per una che si spegneva. La nostra bambina nacque il 20 aprile, con alcuni giorni di anticipo. Valdo era in giro per la Sicilia, in campagna elettorale. Mi stette vicino un'amica, Ines, la moglie di Luciano Bolis. Mancavano solo pochi giorni alla chiusura della campagna: non avvertii Valdo. Gli feci una sorpresa. Quando tornò a Roma, invece di una trovò in famiglia due donne. Fu la prima complicità tra madre e figlia. Chiamammo la bambina Sabina, nome romano di antiche origini caro a tutti e due.

Solo 18 mesi dividevano i due figli. Io ero spossata e stanca e facevo gran fatica ad alzarmi la mattina presto. Valdo dimenticò per la prima volta la sua avversione per le "levatacce". Fanfare, trombe e tamburi non sarebbero riusciti in quel che poté invece Sabina: farlo alzare dal letto senza indugi. Silenziosamente, così ché io potessi continuare a dormire, fasciava sua figlia, la pesava, me la porgeva per la poppata mentre io continuavo a dormire, vegliava affinché succhiasse bene, la ripesava per verificare la quantità di latte preso e poi poneva sua figlia con delicatezza nella culla. Valdo aveva sempre desiderato una sorella, ora aveva una figlia.

Per l'ultima volta andai ad Antignano dalla mamma insieme ai nostri bambini a passare alcuni giorni di vacanza al mare. Non toccavo più il tema dei nostri rapporti familiari. Poco dopo la mamma peggiorò e andò a Zurigo da mia sorella, dove, insieme a mio cognato medico, si prodigarono per lei in tutti i modi possibili. Appena il babbo poteva liberarsi dal lavoro parlamentare si metteva in treno per raggiungere la mamma al Kantonsspital, sia pure per pochi giorni.

A Roma io continuavo a vedere come sempre mio padre in via dei Sabini, al "nostro" bar. Ma non litigavamo più. Era come se non ci fosse più senso a farlo. Conducevo Marco con me per far sì che nonno e nipote cominciassero a conoscersi. Il cameriere del bar ci guardava ogni volta con maggior stupore e continuava a non capire. Con il babbo concordammo che doveva avermi preso certamente per una "ragazza madre", dal momento che non vedeva mai apparire accanto a me un uomo giovane che potesse sembrare mio marito. Con ogni probabilità, ci dicevamo con il babbo, il cameriere presumeva che le nostre vivaci discussioni di una volta, alle quali tanto spesso aveva assistito, risalissero a un simile "fattaccio". Se avessimo detto al cameriere che i nostri diverbi di una volta erano dovuti a Stalin, ci avrebbe preso per matti. "E avrebbe avuto ragione lui," dissi a mio padre. Riuscii a farlo sorridere. Era un sorriso che non gli conoscevo. Aveva un che di triste e amaro.

Andai a mia volta ripetutamente a Zurigo, anche con Marco, e abitavamo da un'amica: mia sorella e mio cognato avevano appoggiato il comportamento dei miei genitori nei nostri confronti sicché da tempo non ci frequentavamo più. Valdo rimaneva a Roma con Sabina continuando a rivelarsi un padre di eccezionale competenza. Le lettere che mi inviava quotidianamente a Zurigo, per tranquillizzarmi, erano colme di riferimenti a quantità di latte, ore di sonno, sorrisi accennati, aumento di peso di Sabina. Potrebbero sembrare rapporti di una balia, se in esse non trasparisse sempre una profonda partecipazione alla mia sofferenza. Queste lettere riflettevano un senso di rammarico, non di colpa, perché "con tutto il dolore che mi fa questa pena di te con la famiglia tua, penso però che sia stato giusto che ci siamo sposati e che non abbiamo rinunciato a dire ciò che era per noi, ed era ed è in sé, vero. Il non inorgoglirci è pero la condizione perché questa condotta resti umana e valida... Resta importante e – checché si voglia non cancellabile nelle sue conseguenze – che in un certo momento e in un certo modo la verità sia stata detta..."

Ero tornata a Roma da poco quando una telefonata a tarda sera mi annunciò che mamma era morta. Ripartii immediatamente con il treno della notte. Giunta a Zurigo trovai l'annuncio funebre già stampato:

"Il 20 novembre 1955, qui a Zurigo, dove durante il lungo esilio e la guerra di liberazione offrì la piena misura della sua devozione alla patria oppressa e della sua materna e gentile sollecitudine per i dolori dei profughi – si è spenta serenamente Giulia Bondanini Schiavetti..."

Tra i familiari che ne davano l'annuncio figuravano anche i nipotini Marco e Sabina. Mancava il nome di Valdo Magnani. La mamma aveva espresso il desiderio di essere sepolta ad Antignano, nel piccolo cimitero che dava sul mare dove riposava anche il nonno Ercole. Fui pregata di dire a Valdo che la sua presenza ai funerali non era gradita. Vi partecipai sola.

La nostra vita riprese sui soliti binari, i bambini crescevano bene ma l'allegria non fu più – per un certo periodo – quella di una volta. Nulla era cambiato nei miei rapporti con mio padre. Lo vedevo più spesso ora che era rimasto solo, e sempre al nostro bar tra piazza Colonna e via dei Sabini. Riprendemmo a parlare di politica, più cautamente, attenti ambedue a non procurarci ulteriori ferite. Eravamo in una situazione di stallo.

Fino a che non successe un fatto che scosse l'intero mondo politico: il XX congresso del PCUS a Mosca che si aprì il 14 febbraio 1956. Per la nostra famiglia si trattò di una "scossa di assestamento". Kruscev, nel suo rapporto segreto alla vigilia della chiusura del XX congresso fece delle rivelazioni che "segrete" rimasero per poco. Alzò il sipario: formulò un solenne atto di accusa contro la dittatura terroristica di Stalin. Andò oltre. La caratteristica del nuovo corso infatti fu l'ammissione, da parte dei partiti comunisti, che era finito il periodo in cui era necessario riconoscere come guida indiscussa il Partito comunista sovietico. La teoria e la pratica del partito-guida e dello Stato-guida non erano più valide nella nuova situazione.

Per aver sostenuto queste tesi, cinque anni prima, da parte comunista e socialista era venuto un invito pubblico al linciaggio morale. Ora era venuto il momento di riconoscere la verità.

Poco dopo il rapporto di Kruscev mio padre mi invitò a pranzo a casa sua insieme a Valdo e allo zio Carlo Zuccarini. L'ultima volta che mio padre e Valdo si erano seduti insieme a tavola era stato a Antignano nel 1948 quando io avevo servito loro "il riso alle perle". Una questione politica aveva diviso i due uomini, una questione politica li riuniva. Si salutarono con una stretta di mano e con la naturalezza e l'imperturbabilità di chi si è lasciato la sera prima. Sul volto di mio padre affiorò un fragile sorriso, ma né lui né Valdo dissero una parola al riguardo del passato. Io avvertii l'impassibilità di Valdo come un eccesso di generosità. I due si misero subito a discutere sul "nuovo corso" del PCI e su quello del PSI.

Valdo aveva vinto la sua singolare battaglia contro la sistematica falsificazione della storia. Ma il mio compiacimento non ebbe il sapore che avevo sognato: la mamma era morta tre mesi prima che Kruscev – con il suo rapporto – "sistemasse" le mie cose di famiglia. I legami familiari si riannodarono.

* * *

Ci fu un seguito, inaspettato, cinque anni dopo.

Il babbo, come ormai faceva spesso, era venuto a cena da noi in via Moena, dove eravamo andati ad abitare. Marco e Sabina, salutato il nonno subito dopo mangiato, erano andati a letto. Intorno al tavolo eravamo rimasti il babbo, Valdo ed io. Si parlava distesamente del più e del meno... A caso, mio padre fece una considerazione di carattere generale sulla politica di Stalin durante la guerra fredda, giustificando in qualche modo l'atteggiamento assunto in quegli anni in Italia non solo dai comunisti ma anche dai socialisti. A questo punto successe il finimondo: Valdo ebbe uno scatto e balzò in piedi, batté il pugno sul tavolo: i bicchieri tintinnarono, le vaste vetrate del soggiorno vibrarono, il tavolo vacillò, mentre urlava diretto a mio padre: "No, non avevate ragione. O eravate politicamente imbecilli o eravate in malafede. Scegli tu!"

Neanche nei più accesi comizi elettorali avevo mai udito Valdo gridare così. Rimanemmo allibiti, ci alzammo dal tavolo come per prepararci ad una battaglia. Io impallidii – nessuno aveva mai osato rivolgersi così a mio padre; semmai la prerogativa degli urli in casa l'aveva sempre avuta lui. Immobile tra noi, mi pareva pronto a tutto: i suoi tratti – a me ben noti – rivelarono una forte tensione interiore. Intanto Valdo, come quando un disco s'incanta, continuava: "... o politicamente imbecilli o in mala fede, scegli..."

Il babbo non scelse, lo guardai, mi guardò e sottovoce mi chiese: "lo fa spesso?" "Mai," risposi con un fil di voce. La tensione era al massimo. Ora si era fatto un cupo silenzio. E accadde l'impensabile: mio padre mi mise affettuosamente la mano sulle spalle e "Vai a fare un giretto con Valdo – io bado ai bambini," disse con voce calma e gentile. Mi parve di non avergli mai voluto tanto bene.

Scendemmo lentamente, Valdo ed io, in via Moena e ci incamminammo per la leggera salita, rimanendo a lungo in silenzio. Io sentivo il turbamento interiore di Valdo attraverso la stretta della sua mano nella mia. Arrivati in cima alla stradina, si fermò e mi chiese, calmo come sempre: "Forse ho esagerato, cosa dici?" "No. Dovevi urlare così cinque anni fa," gli risposi e l'abbracciai.

Non ho mai creduto ai santi su questa terra. Per questo la santa pazienza fino allora dimostrata da Valdo nella nostra questione politico-familiare mi aveva sempre un po' inquietato. Soprattutto perché "i santi volano presto in paradiso", come diceva il nonno Chino.

Ridiscendemmo pian pianino via Moena, mano nella mano.

NOTA DELL'AUTORE

Molte opere mi hanno aiutata a collocare storicamente i miei ricordi. Fra le tante, mi preme citare le seguenti:

BIANCHINI STEFANO, *Valdo Magnani fra Tito e Togliatti*. Oggi pubblicato in *I Magnacucchi*, a cura di Giorgio Boccolari e Luciano Casali. Feltrinelli, Milano 1991.

BOLIS LUCIANO, *Diario* (manoscritto), Zurigo 1943/44.

BOLIS LUCIANO, *Storia di una conversione*, a cura di Elisa Signori, estratto da "Nuova Antologia", n. 2139, luglio-settembre 1981.

BRANDT P., SHUMACHER J., SCHWARZROCK G., SUHL K., *Karriere eines Aussenseiters*, Verlag J.H.W. Dietz Nachf. GmbH 1983.

BRETSCHER WILLY, *Sturm von Kriese und Krieg. "Neue Zürcher Zeitung"* 1933-44, Verlag Neue Zürcher Zeitung, Zürich 1988.

COCO CARLA, MANZONETTO FLORA, *Giuseppe Delogu*, Comune di Venezia, Ufficio Affari istituzionali 1981.

Eines Volkes Sein und Schaffen. Die Schweiz. Landesausstellung, D. Duttweiler Herausgeber- Zürich 1939.

EMILIANI PAOLO, *Dieci anni perduti*, Nistri-Liski Ed. 1953.

GAROSCI ALDO, *Storia dei fuorusciti*, Laterza, Bari 1953.

CHIESE THERESE, *"Ich habe nichts zum Sagen". Gespräche mit Monika Sperr*, Verlagsgruppe Bertelsmann GmbH, München, Wien 1973.

GIOVANA MARIO, *Fernando De Rosa*, Ugo Guanda Ed., Parma 1974.

HÄSLER A. ALFRED, *Das Boot ist voll*, Ex Libris Verlag, Zürich 1967.

HUMM, R.J., *Bei uns im Rabenhaus*, Fretz & Wasmuth Verlag, Zürich 1982.

LUSSU JOYCE, *Fronti e Frontiere*, Edizioni U, 1945.

RUDOLF M. LÜSHER WERNER SCHWEIZER, *Amélie u. Theodor Pinkus. Leben im Widerspruch*, Limmat Verlag, Zürich 1987.

MAGNANI VALDO, CUCCHI ALDO, *Crisi di una generazione*, Nuova Italia, Firenze 1951.

MEYER ALICE, *Anpassung oder Widerstand*, Verlag Huber & Co. AG, Frauenefeld 1965.

MUSSU CARLO, *Diplomazia Partigiana*, Franco Angeli Editore, Milano 1983.

OPRECHT HANS FESTSCHRIFT, *Herausgeber Ulrich Kägi. Unterwegs zur sozialen Demokratie*, Europa Verlag AG, Wien 1969.

REALE EGIDIO, *La Svizzera*, Ghilda del libro, Lugano 1946.

SIGNORI ELISA, *La Svizzera e i fuorusciti italiani*, Franco Angeli Ed., Milano 1983.

SIGNORI ELISA, TESORO MARINA, *Il verde e il rosso*, Felice Le Monnier, Firenze 1987.

Scritti Garibaldini, Biblioteca di San Marino 1982.

SILONE IGNAZIO, *Uscita di sicurezza*, Vallecchi Ed., Firenze 1965.

TOMBACCINI SIMONETTA, *Storia dei fuorusciti italiani in Francia*, U. Mursia Ed. S.p.A, Milano 1988.

TRANFAGLIA NICOLA, *Labirinto italiano*, La Nuova Italia, Scandicci (Firenze) 1989.

"UMANITÀ NUOVA". *Raccolta di letture*, coi tipi della tipografia Luganese 1933.

VALIANI LEO, *Ricordi di Mario Angeloni*, Città di Cesena, Ass. Servizi culturali, Cesena 1979.

WENZEL GISELA, PINKUS THEO, *Über die Grenzen. Alltag u. Widerstand im Schweizer Exil*, Limmat Verlag, Zürich 1988.

WIRZ ROBERT, *Welt- und Schweizergeschichte*. Neu bearbeitet von H. Gubler und A. Specker, Verlag der Erziehungsdirektion des Kantons, Zürich 1934.

WISKERMANN ELIZABETH, *The Europe I Saw*, Collins Clear-Type Press, London 1968.

ZSCHOKKE HELMUT, *Die Schweiz und der Spanische Bürgerkrieg*, Limmat Verlag, Zürich 1978.

INDICE

Pag. 11   *1. Incontro con i genitori*

      44   *2. Arrivo in Svizzera*

      69   *3. Viaggio in Italia*

      88   *4. Ritorno in Svizzera*

    109   *5. L'Abissinia*

    136   *6. La guerra di Spagna*

    160   *7. La guerra*

    180   *8. La disfatta*

    193   *9. Valdo Magnani*

    216   *10. Ritorno in Italia*

    235   *Nota dell'autore*

Stampa Grafica Sipiel
Milano, febbraio 1992